दिल कैसे न बेक़रार हो

गीत संग्रह

कैलाश चन्द्र यादव

Published By

Anybook

Cell : 9971698930

E-mail : contactanybook@gmail.com

Website : www.anybookpublications.com

Price in India :355/- INR

First published by Anybook in 2024

Printed and bound in India

Cover Design & Typesetting by Anybook

ISBN : 978-93-91571-83-2

कैलाश चन्द्र यादव लेखक का परिचय

जन्म तिथि: नवम्बर 16 सन् 1960 ई०

शिक्षा : - एम. ए. (अर्थशास्त्र) एम. काम.

सम्प्रति: - भारत संचार निगम लिमिटेड से कार्यालय अधीक्षक के पद से सेवानिवृत

पता : - मौ० कटरामालियान, म० नं० 400 काका स्वीट्स के पास, काशीपुर-244713

जिला- ऊधमसिंहनगर (उत्तराखण्ड)

मो० नं० : 94589-37977 एवम् 90273-33919

प्रकाशित पुस्तकों का विवरण -

क्रम	वर्ष	गीतों की सं०	प्रकाशित पुस्तक का नाम
01.	2024	280	दिल कैसे न बेकरार हो (गीत संग्रह)
02.	2023	272	हो गयी रे मैं सयानी (गीत संग्रह)
03.	2023	285	आँखें तेरी जानम पैमाने दो (गीत संग्रह)
04.	2022	280	दिल बेकरार (गीत संग्रह)
05.	2022	###	गीत लेखन कैसे करें?
06.	2022	285	एक रंगीली लड़की ने (गीत संग्रह)
07.	2022	284	दिल को मेरे छू गयी (गीत संग्रह)
08.	2021	284	कब से तेरी राह में बैठी (गीत संग्रह)
09.	2020	284	ऐसा तुझमें क्या है (गीत संग्रह)
10.	2020	379	साजन मेरे साजन (गीत संग्रह)
11.	2020	016	आपातकाल में सृजन फुलबाड़ी
12.	2018	000	इस उपवन में (कहानी संग्रह)
13.	2018	181	सपनों में तुम (गीत संग्रह)
14.	2018	281	ऐसे मौसम में (गीत संग्रह)
15.	2017	240	सनम तेरे प्यार में (गीत संग्रह)
16.	2017	182	साजन-साजन (गीत संग्रह)
17.	2002	355	याद आओगे तुम (गीत संग्रह)
18.	2001	056	तुम पिया नहीं आये (वि०रचना संग्रह)
19.	2002	048	कौन कली मुस्काई (बाल गीत)
20.	2001	059	मातृभूमि तुझे प्रणाम (राष्ट्रभक्ति गीत)
21.	1993	000	चिट्ठी आई है (मनोविश्लेषण)

My Song recorded by Chandra Mohan Hangekar, Filmeria Saz Sargam Studio Pune Maharastra

1- Bheegi Bheegi Barsaate

(Based on Kannada Song Jala Jala Jalapaatham...)

2- Ankhen Teri Jaanam Paimane Do

(Based on Marathi Song Preet Tuzi Maazi...)

3- O Dilruba Tujhko Itna chahun

(Based on Telugu Song Ye Kannulu choodani Chitrame...)

4- Ho Gai Ho Gai Main Sayaani

5- दिलवाले मुहब्बत जाने न तू

6- या दिल मुझे तू दे मैं गीत तेरे

7- दूरियां नज़दीकियाँ

My other song on Youtube

1- Wada Nahin Karte Sanam

2- Mujhe churi to la de

3- Lagti tum Ho Chand chakori Jaanam

4- Dil Todd ke na Jaiyo

5- Piya Tera naam

6- Wada Nahin Karte Sanam (F)

7- Tumse Pyar Karte hain yaar purane

8- Are kya kahna Teri Kali Kali Ankhon Ka

9- Phuljhari lagti ho jaanam

Kailash Chandra Yadav Geetkar Kashipur

1- तू सनम बेवफ़ा है

2- बात दो रूपये की है मामला है

3- हादसा एक बन गयी ज़िंदगी

4- खुशियों के दीप जलाने आयी दीवाली

5- तुम जो आओ तो पतझड़ सा मौसम

6 - जाने जां दूर से आवाज

(Rang Aur noor ki Barat ka new version)

पुस्तक परिचय

"दिल बेक़रार कैसे न हो " गीत संग्रह एक बार पुनः आपकी बेक़रारियों को बढ़ाने वाला है। सभी तरह के दुःख-सुख के लम्हों को गीतों के माध्यम से आप तक पहुँचाने का प्रयास है। पलकों के बन्द करने पर भी जब वह दिखाई दे, चन्द लम्हों की मुहब्बत क्या-क्या रंग जीवन में लाती है, बैठे हैं इन्तज़ार में ...? चुपके से आकर जो दिल में हलचल मचा दे तो कैसे न दिल बेकरार होगा। तरन्नुम में गाये जाने वाले फिल्मी अन्दाज लिये ये गीत आपके हृदय को अवश्य छुयेंगे । फेस बुक के मेरे तमाम दोस्त इन गीतों को पढ़कर आनन्दित होते हैं। उनके कमेन्टस् मेरा उत्साहवर्धन करते हैं और मुझे नयी ऊर्जा प्रदान करते हैं। उनके लिखे अल्फ़ाज़ भी मेरे गीतों की विषय वस्तु बन जाते हैं ।

कैलाश चन्द्र यादव "गीतकार"

काशीपुर जिला ऊधमसिंहनगर

उत्तराखण्ड

अनुक्रम

सरस्वती वन्दना

नमन माँ शारदे तुमको!
हूँ भटका राह दे मुझको!

वीणा की झंकार दे माँ~ऐसी मैं सुनता ही रहूँ
कलम को इस धार दे माँ~ऐसी मैं लिखता ही रहूँ
धन इतना मेरी माँ तू दे~सेवा मैं करता ही रहूँ
नमन माँ शारदे तुमको!
हूँ भटका राह दे मुझको!

वाणी से अपशब्द न निकले~हों जुवां पर मीठे बोल
मंजिल पर कदम न फिसले~बंद सब दरवाजे खोल
सद्भाव मानव में जनमें~हो आपस में मेल-जोल
नमन माँ शारदे तुमको!
हूँ भटका राह दे मुझको!

सोचता हर बार ये माँ मैं~माँगूँ भी तो क्या माँगूँ
सर्वस्व ही दिया तूने मुझको~चाहूँ भी तो क्या चाहूँ
दौड़ चुका इतना मेरी मैया~कितना और मैं अब भागूँ
नमन माँ शारदे तुमको!
हूँ भटका राह दे मुझको!

लाखों की इस भीड़ में माँ~मुझको पहचानना तू
जैसा हूँ माँ दास तेरा~अवगुन मेरे गिनना न तू
आशीर्वाद मुझे दे देना~हाथ उठाकर रोकना न तू
नमन माँ शारदे तुमको!
हूँ भटका राह दे मुझको!

माँ तो माँ होती है

माँ तो माँ होती है~माँ तो माँ होती है
रोता जब मैं हंसाती है~नित नये खेल सिखाती है
लोरियाँ सुनाकर वो~चुपके से सो जाती है
माँ तो माँ होती है~~~~~~~~~~~~~~~~~

हर रोज़ सुबह उठा देती~चल बेटा स्कूल चल
मनचाहा मैं कर लेता~मम्मी को मजबूर कर
लगा के टिफिन बराबर वो~सौ-सौ बार जतलाती है
बस में मुझे बिठाकर के~चुपके से लौट जाती है
माँ तो माँ होती है~~~~~~~~~~~~~~~~~

बढ़ता जाता हर एक कदम~माँ के लाड़-दुलार से
बचपन बीता आयी जवानी~माँ के चमत्कार से
राहें नयी नज़र आती हैं~माँ नये-नये दीप जलाती है
घोड़ी पर बिठलाकर माँ~दुल्हन को बुलवाती है
माँ तो माँ होती है~~~~~~~~~~~~~~~~~

बेटी से माँ बनी कभी~माँ से बनी है दादी माँ
रिश्तों से रिश्ते जुड़ गये~दादी बनी परदादी माँ
हैं सब खेल ये माँ ही के~जननी माँ कहलाती है
खाली पेट रहकर माँ~सबकी भूख मिटाती है
माँ तो माँ होती है~~~~~~~~~~~~~~~~~

चलने से अब लाचार माँ~दम तोड़ती पल-पल माँ
हर हाल में हम खुश रहें~जग छोड़ चली दुनिया माँ
बेटे लिये हैं काँधों पर~अन्तिम विदा तो बाकी है
अस्थिकलश तू लेकर आ~माँ गंगे बुलाती है
माँ तो माँ होती है~~~~~~~~~~~~~~~~~

दुनिया में सबसे प्यारी है माँ

दुनिया में सबसे प्यारी है माँ~ममता की अद्भुत क्यारी है माँ
सीता-गौरी-लक्ष्मी है माँ~रानी झांसी-काली है माँ
दुनिया में सबसे प्यारी है माँ~~~~~~~~~~~~~~~~

कितने ही कष्ट माँ ने सहे~फिर भी जन्म हमें दिया
आँधी चली तूफां उठे~न भी दीया ये बुझने दिया
अंगुली पकड़ चलाती है माँ~सूखी कर चादर सुलाती है माँ
सीता-गौरी-लक्ष्मी है माँ~रानी झांसी-काली है माँ
दुनिया में सबसे प्यारी है माँ~~~~~~~~~~~~~~~~

बच्चे के ख़ातिर एक माँ ने ही~संग्राम झेले कितने ही हैं
बच्चे सदा हंसते रहें~खुशियों के पल दिये कितने ही हैं
अद्भुत खिलौने संजोती है माँ~रातों को लोरी सुनाती है माँ
सीता-गौरी-लक्ष्मी है माँ~रानी झांसी-काली है माँ
दुनिया में सबसे प्यारी है माँ~~~~~~~~~~~~~~~~

माँ के लिये तू छोड़ सबको~किसी के लिये माँ को नहीं
आंसू ऐसे छिपाती है माँ~ज़हां को ख़बर होती नहीं
मिलती नसीब से जिसको माँ~हर कोई हक़ीक़त समझता कहाँ
सीता-गौरी-लक्ष्मी है माँ~रानी झांसी-काली है माँ
दुनिया में सबसे प्यारी है माँ~~~~~~~~~~~~~~~~

ख़ुद अनपढ़ होते हुए~माँ ने पढ़ाया बच्चों को है
बच्चे करें गुस्ताख़ियाँ~माँ ने बचाया बच्चों को है
जैसी भी है सबसे अच्छी है माँ~दिलोजिगर से सच्ची है माँ
सीता-गौरी-लक्ष्मी है माँ~रानी झांसी-काली है माँ
दुनिया में सबसे प्यारी है माँ~~~~~~~~~~~~~~~~

मेरा दिल ये बोले

देश भक्ति गीत

मेरा दिल ये बोले, मेरा दिल ये बोले
वतन मेरा आजाद रहे, चमन मेरा आबाद रहे
धरती सोना उगले मेरी , हीरों की बरसात रहे
मेरा ~~~~~~~~~~~~~~~~~~~~~~~
गाँव गाँव खेतों खेतों हरियाली हरियाली
महानगर नगरों नगरों खुशहाली खुशहाली
नगर नगर बस्ती बस्ती चलकर अलख जगायें
अपने हिन्दुस्तान को कुछ ऐसा चमकायें
दिलों में ईमान रहे, जग में इसका नाम रहे
धरती सोना उगले मेरी, हीरों की बरसात रहे
मेरा ~~~~~~~~~~~~~~~~~~~~~~
गंगा यमुना नदियाँ माँ सी अलबेली अलबेली
दूर खड़ा हिमालय मेरा करता है रखवाली
माता गौरी माँ अम्बे, जग में महिमा न्यारी
छबि देखो शिवशंकर की, कैसे हैं त्रिपुरारी
ऐसा आशीर्वाद रहे, सर पर सबका हाथ रहे
धरती सोना उगले मेरी, हीरों की बरसात रहे
मेरा ~~~~~~~~~~~~~~~~~~~~~~
अमेरिका अफ्रीका विज्ञानी विज्ञानी
पर न मिलता ऐसा कोई जैसा हिन्दुस्तानी
हिन्दू हो मुस्लिम हो, सिख या ईसाई
मिल जुलकर हम सब, अब पाटें खाई. खाई
साथ यूँ ही चलता रहे, अमन सदा पलता रहे
धरती सोना उगले मेरी, हीरों की बरसात रहे
मेरा ~~~~~~~~~~~~~~~~~~~~~~
सेना ने सुरक्षित की हैं भारत की सीमायें
सोते जगते हम भी क्यों न गीत देश के गायें
नवयुग का निर्माण करें वीरों की जयकार करें
हंसते गाते जां अपनी देश पर कुरबान करें
कलम सदा मेरी लिखती रहे,सिलसिला ये चलता रहे
धरती सोना उगले मेरी, हीरों की बरसात रहे
मेरा ~~~~~~~~~~~~~~~~~~~~~~

स्वच्छ हो माता मेरी गंगा

स्वच्छ हो माता मेरी गंगा~बेरोजगार को काम-धंधा
नहीं कहीं बेवज़ह हो पंगा~तभी फहरे घर-घर तिरंगा
स्वच्छ हो माता मेरी गंगा~~~~~~~~~~~~~~~~

केवल काग़ज के ही घोड़े~अंदर-अंदर दिल को तोड़ें
क्या इनकी तारीफ़ करें~तीर कमान से ऐसे छोड़ें
सब कुछ बेच दिया उनको~हैं जो ताकतवर कुछ प्यादे
जन-जन डरने लगा चालों से~मर्यादा की सीमा लांघे
टूट गये हैं प्रीत के धागे~नहीं दिखता अब कोई चंगा
नहीं कहीं बेवज़ह हो पंगा~तभी फहरे घर-घर तिरंगा
स्वच्छ हो माता मेरी गंगा~~~~~~~~~~~~~~~~

मात्र दिखावा और ये क्या~सिर्फ इत्र कपड़ों में लगा
जेब हुई जब खाली-खाली~पूछ रहे अब क्या बचा
हे दाता तेरे खेल निराले~कहीं अँधेरे कहीं उजाले
करूँ प्रार्थना कैसे मैं~इन्सां को इन्सां से बचा ले
वाह रे वाह इन्सां तेरी फितरत~खुश हो रहा करके नंगा
नहीं कहीं बेवज़ह हो पंगा~तभी फहरे घर-घर तिरंगा
स्वच्छ हो माता मेरी गंगा~~~~~~~~~~~~~~~~

दिल मेरा ये धक-धक बोले~किससे कोई कैसे बोले
जुवां पे कड़वाहट की गोली~मचल उठे घर-घर शोले
कहीं है कश्ती कहीं किनारा~अरे चलाचल विपरीत धारा
जगह-जगह अब बात नयी~गुम गया कहीं वो सितारा
बीत गयी वो कल की बातें~नहीं मिलेगा कोई तमगा
नहीं कहीं बेवज़ह हो पंगा~तभी फहरे घर-घर तिरंगा
स्वच्छ हो माता मेरी गंगा~~~~~~~~~~~~~~~~

अभी हुई नहीं मेरी शादी

अभी हुई नहीं मेरी शादी~लड़की तू कुंवारी
दोनों को एक ही है ख़ुमारी~दोनों को एक ही है ख़ुमारी
अभी हुई नहीं मेरी शादी,लड़की तू कुंवारी,दोनों को एक.....

मैं अन्जाना~तू अन्जानी~दो लफ़्जों की है ये कहानी
थोड़ा-थोड़ा पास जो आये~बन सकती है प्रेम कहानी
आ-जा करें खाना-आबादी~क्यों है इन्तज़ारी
दोनों को एक ही है ख़ुमारी~दोनों को एक ही है ख़ुमारी
अभी हुई नहीं मेरी शादी,लड़की तू कुंवारी,दोनों को एक.....

गोरे-गोरे गाल हैं तेरे~उस पर नैना मस्त हैं तेरे
यौवन की क्या बात करूँ~अंग-अंग मस्ती के ढेरे
चितवन तेरी चंचल-चंचल~होंठ तेरे हैं गुलाबी
दोनों को एक ही है ख़ुमारी~दोनों को एक ही है ख़ुमारी
अभी हुई नहीं मेरी शादी,लड़की तू कुंवारी,दोनों को एक.....

अदा से चलना,अदा से मुड़ना~बिंदास हो तेरा गुजरना
पीछे पड़े हजारों आशिक़~जरा सा पल्लू तेरा सरकना
बजायी तूने दिल में घण्टी~कैसी अब लाचारी
दोनों को एक ही है ख़ुमारी~दोनों को एक ही है ख़ुमारी
अभी हुई नहीं मेरी शादी,लड़की तू कुंवारी,दोनों को एक.....

करवट बदलूँ मैं रातों को~तू भी करवट बदलती होगी
याद तुझे कभी आई जो मेरी~तू कैसे कर संभलती होगी
सनम मुझे कहीं ले न डूबे~पल-पल बेक़रारी
दोनों को एक ही है ख़ुमारी~दोनों को एक ही है ख़ुमारी
अभी हुई नहीं मेरी शादी,लड़की तू कुंवारी,दोनों को एक.....

अधूरा-अधूरा सा लगता है

अधूरा-अधूरा सा लगता है~ये जीवन मेरे यारों
नहीं कोई साथी सा लगता है~ज़हां में मेरे यारों
अधूरा-अधूरा सा लगता है~~~~~~~~~~~~~~~~

अफ़साने मैं दिल के~लिखते-लिखते थकने हूँ लगा
मुश्किल इन राहों में~चलते-चलते गिरने हूँ लगा
एक झूठा सपना सा लगता है~ये जीवन मेरे यारों
नहीं कोई साथी सा लगता है~ज़हां में मेरे यारों
अधूरा-अधूरा सा लगता है~~~~~~~~~~~~~~~~

फुसलाया गर किसी ने~उसके पीछे मैं चल दिया
समझाया पलकों से~संग-संग उसके निकल लिया
कभी ये रंगीला सा लगता है~ये जीवन मेरे यारों
नहीं कोई साथी सा लगता है~ज़हां में मेरे यारों
अधूरा-अधूरा सा लगता है~~~~~~~~~~~~~~~~

मुस्काती-बलखाती~मुझसे कहती दिल की धड़कन
क्या भरोसा ऐसे जग का~पल में शोला पल में शबनम
जमूरा-जमूरा सा लगता है~ये जीवन मेरे यारों
नहीं कोई साथी सा लगता है~ज़हां में मेरे यारों
अधूरा-अधूरा सा लगता है~~~~~~~~~~~~~~~~

वो बोली मुझे ले चल~दुल्हन बना अपने तू घर
मैं बोला मेरे हमदम~नहीं तेरे ये सपनों का घर
खिलौना एक माटी सा लगता है~ये जीवन मेरे यारों
नहीं कोई साथी सा लगता है~ज़हां में मेरे यारों
अधूरा-अधूरा सा लगता है~~~~~~~~~~~~~~~~

अधूरी बात है लेकिन

अधूरी बात है लेकिन~मेरा कहना जरूरी है
मेरी सांसों के चलने तक~तेरा रहना जरूरी है
अधूरी बात है लेकिन ~~~~~~~~~~~~~~~~~~~~

मेरे इन खुर्ख़ लबों पर~तेरा ही नाम रहता है
ज़माना बेरहम ऐसा~मुझे बीमार कहता है
अंधेरी रात है लेकिन~मेरा मिलना जरूरी है
मेरी सांसों के चलने तक~तेरा रहना जरूरी है
अधूरी बात है लेकिन ~~~~~~~~~~~~~~~~~~~~

ये अँखियाँ सूख सी गई हैं~तेरा दीदार करने को
ज़मीं है पेड़ों पर शबनम~इन्हें इक़रार करने दो
सहर की बात है लेकिन~मेरा जगना जरूरी है
मेरी सांसों के चलने तक~तेरा रहना जरूरी है
अधूरी बात है लेकिन ~~~~~~~~~~~~~~~~~~~~

मचलती वादियों में हम~गले मिले~हंसे गाये
बहारों के रंगी लम्हें~दरख़्तों के घने साये
वही फिर राज़ है लेकिन~जिसे खुलना जरूरी है
मेरी सांसों के चलने तक~तेरा रहना जरूरी है
अधूरी बात है लेकिन ~~~~~~~~~~~~~~~~~~~~

बिखेरे रंग हैं दुनिया ने~खुशी देती कहीं ये ग़म
करेगी क्या भला किसका~कि हंसती देख आँखें नम
बग़ावत आग है लेकिन~इसे बुझना जरूरी है
मेरी सांसों के चलने तक~तेरा रहना जरूरी है
अधूरी बात है लेकिन ~~~~~~~~~~~~~~~~~~~~

अधूरी ग़ज़लें अधूरे गीत कुछ इश्क़

अधूरी ग़ज़लें~अधूरे गीत~कुछ इश्क़~अधूरा रह गया
कसम तुम्हारी~जो मैंने देखा~वो ख़्वाब~अधूरा रह गया
अधूरी ग़ज़लें~अधूरे गीत~कुछ इश्क़~~~~~~~

अधूरे वादे अधूरी कसमें~बेगाने जग की अधूरी रस्में
कदम-कदम पर बिछे हैं काँटे~करें भी कैसे जरूरी बातें
उदास गलियाँ~उदास रातें~उदास हर दिन रह गया
कसम तुम्हारी~जो मैंने देखा~वो ख़्वाब~अधूरा रह गया
अधूरी ग़ज़लें अधूरे गीत कुछ इश्क़~~~~~~~~

कभी इधर तो कभी उधर~मिला कहीं पर कुछ नहीं
ये भी सनम वो भी सनम~कैसे किसी पर करूँ यकीं
नहीं मिला मनमीत मुझे~मिशन अधूरा रह गया
कसम तुम्हारी~जो मैंने देखा~वो ख़्वाब~अधूरा रह गया
अधूरी ग़ज़लें~अधूरे गीत कुछ इश्क़~~~~~~~

संभाले रखा नज़ाक़तों से~ये दिल खिलौने की तरह
उठाये फिरता यहाँ-वहाँ मैं~रखूँ कहाँ न मिली जगह
बनाना चाहा था~आशियाँ एक~वो भी अधूरा रह गया
कसम तुम्हारी~जो मैंने देखा~वो ख़्वाब~अधूरा रह गया
अधूरी ग़ज़लें अधूरे गीत कुछ इश्क़~~~~~~~

रंग बदलते इस ज़हां में~जिक्र मेरा है कहाँ नहीं
मिला मुझे क्या ज़िंदगी से~मगर किसी से गिला नहीं
सिखाना चाहा~किसी को मैंने~सबक अधूरा रह गया
कसम तुम्हारी~जो मैंने देखा~वो ख़्वाब~अधूरा रह गया
अधूरी ग़ज़लें~अधूरे गीत~कुछ इश्क़~~~~~~~

अधूरी-अधूरी है ज़िन्दगी

अधूरी-अधूरी है ज़िन्दगी~टूटा है दिल 'ओ' जिगर देख लो
सदियों से की है बन्दगी~बस तुम्हारी असर देख लो
अधूरी-अधूरी है ज़िन्दगी~~~~~~~~~~~~~~~~~

जो बात दिल में हमारे~वैसा ही तो तुम सोचते
तन्हा ही तन्हा आहें भरें~रातों-रातों तुम जागते
बुझाये बुझे न दिल की लगी~जरा रुक कर इधर देख लो
सदियों से की है बन्दगी~बस तुम्हारी असर देख लो
अधूरी-अधूरी है ज़िन्दगी~~~~~~~~~~~~~~~~~

करते हैं कोशिशें हजारों~बैचेनियाँ घटती नहीं
करते हो दूर-दूर से इशारे~क्यों दूरियाँ मिटती नहीं
जां ही न ले-ले दीवानगी~उठा के जरा नज़र देख लो
सदियों से की है बन्दगी~बस तुम्हारी असर देख लो
अधूरी-अधूरी है ज़िन्दगी~~~~~~~~~~~~~~~~~

लम्हों का साथ नहीं अब~तुम साथ दो सारी उमर
ख़्यालों में तुम्हारे डूबे~हमको नहीं ख़ुद की ख़बर
जज़्बात ये बस में नहीं~मुश्किल पल-पल डगर देख लो
सदियों से की है बन्दगी~बस तुम्हारी असर देख लो
अधूरी-अधूरी है ज़िन्दगी~~~~~~~~~~~~~~~~~

गुजरे न यूँ ही जवानी~पतझड़ से दिन गुजरने लगे
हंसने लगीं हम पे कलियाँ~सावन देख मचलने लगे
किया न करो यूँ दिल्लगी~ढहाती है दुनिया क़हर देख लो
सदियों से की है बन्दगी~बस तुम्हारी असर देख लो
अधूरी-अधूरी है ज़िन्दगी~~~~~~~~~~~~~~~~~

अगर देना है तो दिल दे-दे

अगर देना है तो दिल दे-दे~वरना भी कह दे मुहब्बत नहीं
कहीं प्यासा ही न मर जाऊँ~बेवज़ह तुझसे मिलना आदत नहीं...
तुझसे मिलना आदत नहीं
अगर देना है तो दिल दे-दे~~~~~~~~~~~~~~

हर सुबह इश्क़ का फ़लसफ़ा लिख रहा
इस कहानी का तुझको सिला लिख रहा
तेरे अल्फ़ाज़ों में मैं अक्ष तेरा देखूँ
खूबसूरत यह तुझसे समां दिख रहा
खुशियों की जगह ग़म दे दे~चाहता मैं तुझसे जन्नत नहीं
कहीं प्यासा ही न मर जाऊँ~बेवज़ह तुझसे मिलना आदत नहीं...
अगर देना है तो दिल दे-दे~~~~~~~~~~~~~~

शोख़ियाँ गालों की बनी दुश्मन मेरी
ज़ुल्फ़ लहराती तेरी है उलझन मेरी
चाहता जी मेरा तेरे लब चूम लूँ
लगता क्यों मुझे तू है दुल्हन मेरी
अगर लेना है इम्तिहां ले-ले~हूँ दीवाना है ये शरारत नहीं
कहीं प्यासा ही न मर जाऊँ~बेवज़ह तुझसे मिलना आदत नहीं...
अगर देना है तो दिल दे-दे~~~~~~~~~~~~~~

बादशाह है वही करे दिल पर राज़
सिर्फ़ ख़्वाब ही न हों बने हमराह
तुझे मेरी तरह भला चाहेगा कौन
जन्मों जन्मों तलक दूँगा तुझे आवाज
तमन्नाओं का कारवां दे दे~न भी दे करूंगा शिक़ायत नहीं
कहीं प्यासा ही न मर जाऊँ~बेवज़ह तुझसे मिलना आदत नहीं...
अगर देना है तो दिल दे-दे~~~~~~~~~~~~~~

अगर तू साथ चले तो

अगर तू साथ चले तो~मन्जिल कठिन नहीं
रहूँगी साथ सदा तेरे~मुझ पर कर यकीं
अगर तू साथ चले तो~~~~~~~~~~~~~~

दीदार तेरा पाकर~दिल झूम-झूम-झूम जाता है
बेवक़्त बेवज़ह ही~तू रूठ-रूठ-रूठ जाता है
समझे न तू अनाड़ी~दिल टूट-टूट-टूट जाता है
अगर तू याद करे तो~आऊँगी मैं वहीं
रहूँगी साथ सदा तेरे~मुझ पर कर यकीं
अगर तू साथ चले तो~~~~~~~~~~~~~~

बिखरे मेरे गेसू~तुझे रोज़-रोज़-रोज़ बुलायें
कजरारे नैन मेरे~तुझे खोज-खोज थक जायें
मतवाली ये अदायें~तुझे प्यार का राग सुनायें
अगर तू दम भरे तो~बदलूँगी मैं नहीं
रहूँगी साथ सदा तेरे~मुझ पर कर यकीं
अगर तू साथ चले तो~~~~~~~~~~~~~~

मैंने दिल तुझे दिया~इसे रख संभाल या भूल जा
मुझ पर है हक़ तेरा~मेरा इन्तज़ार कर या दूर जा
दुनिया से डर गया,मेरा इन्तख़ाब कर मेरे गीत का
बदलना अगर तुझे तो~मिलनी डगर नही
रहूँगी साथ सदा तेरे~मुझ पर कर यकीं
अगर तू साथ चले तो~~~~~~~~~~~~~~

अपने दिल से कह दे कह दे

अपने दिल से कह दे...कह दे...कह दे ना
किसी और से मुहब्बत न करना
तेरे लिये मैं हूँ सनम बेक़रार~दीवानी हूँ मैं क़यामत न करना
अपने दिल से कह दे...कह दे...कह दे ना~~~~~~~~~~

रंग में तेरे ही मैं ढल रही~बाली उमरिया ग़ज़ब कर रही
मौसम मुझपे मचलने लगा~पतली कमरिया ग़ज़ब कर रही
मेरे भी मन की सुन ले~सुन ले~सुन ले ना~किसी और~
तेरे लिये मैं हूँ सनम बेक़रार~दीवानी हूँ मैं क़यामत न करना
अपने दिल से कह दे...कह दे...कह दे ना~~~~~~~~~~

अँगड़ाईयों में तेरा ही नाम~तन्हाईयों में तेरा ही नाम
घर से संवर मैं जब चली~रुसवाईयों में तेरा ही नाम
ऐतवार मेरा ये कर ले~कर ले~कर ले ना~किसी और से...
तेरे लिये मैं हूँ सनम बेक़रार~दीवानी हूँ मैं क़यामत न करना
अपने दिल से कह दे...कह दे...कह दे ना~~~~~~~~~~

तसल्ली तुझे देखकर हो रही~माशूका तुझपे फ़िदा हो रही
किसी को मुझसे भी प्यार है~तस्वीर तेरी न जुदा हो रही
दवा इस ग़म की दे-दे~दे-दे~दे-दे ना~किसी और से~~
तेरे लिये मैं हूँ सनम बेक़रार~दीवानी हूँ मैं क़यामत न करना
अपने दिल से कह दे...कह दे...कह दे ना~~~~~~~~~~

चिढ़ाने लगी हैं हिचकियाँ~रखूँ खोल कब तक खिड़कियाँ
कि हमदम तेरे जैसा मिले~कसें लोग मुझ पर रे फ़ब्तियाँ
जज़्बात दिल के लिख दे~लिख दे~लिख दे ना~किसी~~
तेरे लिये मैं हूँ सनम बेक़रार~दीवानी हूँ मैं क़यामत न करना
अपने दिल से कह दे...कह दे...कह दे ना~~~~~~~~~~

अरमानों का अफ़साना

अरमानों का अफ़साना लिखूँ तो...लिखूँ क्या
जिसने लूटा उजालों में समझूँ तो...समझूँ क्या
अरमानों का अफ़साना लिखूँ तो...लिखूँ क्या

रफ़्ता-रफ़्ता प्यार को जिसने~रुसवाई का नाम दिया
खुशी-खुशी आग़ाज़ कर~क्या दिलकश अंजाम दिया
चिलमन-चिलमन शरमाना देखूँ तो...देखूँ क्या
जिसने लूटा उजालों में समझूँ तो...समझूँ क्या
अरमानों का अफ़साना लिखूँ तो...लिखूँ क्या

जाने कब और कैसे बंध गये~रिश्तों की डोर में हम
टूट गये जो देखे सपने~रुक से गये क्यों ये कदम
चाहा दिल ने बतलाना जाने वो...समझें क्या
जिसने लूटा उजालों में समझूँ तो...समझूँ क्या
अरमानों का अफ़साना लिखूँ तो...लिखूँ क्या

क़तरा-क़तरा हुस्न नगीना~है समुन्दर माना वो
तड़पाया मुझे जिसने ऐसा~है सितमगर कैसा वो
चलते-चलते गिर जाना संभलूँ तो...संभलूँ क्या
जिसने लूटा उजालों में समझूँ तो...समझूँ क्या
अरमानों का अफ़साना लिखूँ तो...लिखूँ क्या

मुझसे मेरी जां ये ले लो~पर मुझको ये ग़म न दो
जीने भर को जी लिया मैं~अब मुझको ये रंग न दो
वादे कर कर झुठलाना सोचूँ तो...सोचूँ क्या
जिसने लूटा उजालों में समझूँ तो...समझूँ क्या
अरमानों का अफ़साना लिखूँ तो...लिखूँ क्या

आओ गठबन्धन करके सरकार बनायें !

आओ! गठबन्धन करके सरकार बनायें!
बैठे क्यों विपक्ष में हुंकार लगायें!
आओ! गठबन्धन करके सरकार बनायें!

मिल-जुल कर चलने का ज़माना आ गया
हमको को भी अब हंसना-हंसाना आ गया
आगे चलने वालों को समझ हम गये
हमको भी तूफान से टकराना आ गया
आओ! हम कांटों पर चल के संसार में छायें!
बैठे क्यों विपक्ष में हुंकार लगायें!
आओ! गठबन्धन करके सरकार बनायें!

आती है हमें भी तो सारी तकनीक
फिर क्यों उठायें हम इतनी तक़लीफ़
कहता है ये कौन कि हम में दम नहीं
डटना है अब हमको मैदानों के बीच
आओ! नफ़रत की ऊँची दीवार गिरायें !
बैठे क्यों विपक्ष में हुंकार लगायें!
आओ! गठबन्धन करके सरकार बनायें!

माना कि बन्जारे हम फिर भी कम नहीं
प्रेम के पुजारी हैं घबराते हम नहीं
थामनी हमें है अब दुनिया की बागडोर
कागजों पर दौड़ लगवाते हम नहीं
आओ! दुःखभन्जन बन के हम आज दिखायें!
बैठे क्यों विपक्ष में हुंकार लगायें!
आओ! गठबन्धन करके सरकार बनायें!

आँखें हँसती और दिल रोये

आँखें हँसती और दिल रोये~ये कैसा उल्फ़त का रोग है
साथ नहीं किस्मत मेरे~बस इतना अफ़सोस है
आँखें हँसती और दिल रोये~~~~~~~~~~~~~~~~

लत लगी मुझे जाने कैसी~पल भर में उसको दिल दे बैठी
उड़-उड़ जाये आँचल मेरा~क्यों उसको ख़त लिख बैठी
पलकों में मस्ती कुछ-कुछ होये~काहे मनवा बैचेन है
साथ नहीं किस्मत मेरे~बस इतना अफ़सोस है
आँखें हँसती और दिल रोये~~~~~~~~~~~~~~~~

ढूँढ़ूँ कैसे मैं सागर से मोती~ख़बर है उसकी न पता ही कोई
तन का वो गोरा छैलछबीला~हरदम उसके ख़यालों में खोई
रब ही जाने आगे क्या होये~कैसा धड़कन में शोर है
साथ नहीं किस्मत मेरे~बस इतना अफ़सोस है
आँखें हँसती और दिल रोये~~~~~~~~~~~~~~~~

पंख लगे अरमां को मेरे~बंध गया अन्जाने यह बन्धन
शब भर नींद न चैन मुझे~मुस्कुराता है मुझ पर दरपन
साँसें चलती मुसीबत होये~कैसा बेदर्दी ये दोस्त है
साथ नहीं किस्मत मेरे~बस इतना अफ़सोस है
आँखें हँसती और दिल रोये~~~~~~~~~~~~~~~~

गुजर न जाये यूँही जवानी~उलझन में उलझी प्रेम कहानी
पतझड़ जैसे सावन-भादो~दिन-रात करने लगी नादानी
बलमा अनाड़ी कौन समझाये~कैसा कलयुग का दौर है
साथ नहीं किस्मत मेरे~बस इतना अफ़सोस है
आँखें हँसती और दिल रोये~~~~~~~~~~~~~~~~

आँखों को हालेदिल कहने दे

आँखों को...हालेदिल...कहने दे...जानेमन-जानेमन
इन्तहा...हो गयी...मिलने दे...जानेमन-जानेमन
आँखों को...हालेदिल...कहने दे...~~~~~~~~~~~~~

पाया मैंने सब कुछ तुझमें~इक़रार कर~इक़रार कर
मुझको दे ये दिल की दौलत~ऐतबार कर~ऐतबार कर
प्यार का...सिलसिला...चलने दे...जानेमन-जानेमन
इन्तहा...हो गयी...मिलने दे...जानेमन-जानेमन
आँखों को...हालेदिल...कहने दे...~~~~~~~~~~~~~

रहूँ मैं बैठा कब तलक यूँ~तेरी राह में पलकें बिछा
देख रहा हूँ दिन में तारे~यूँ कब तलक देगी सजा
हद हुई...शाम-ए-ग़म...ढलने दे...जानेमन-जानेमन
इन्तहा...हो गयी...मिलने दे...जानेमन-जानेमन
आँखों को...हालेदिल...कहने दे...~~~~~~~~~~~~~

हर दुआ में तू ही तू है~मेरे साथिया~मेरे माहिया
हर खुशी तुझसे जुड़ी~तेरे बिना~धड़के जिया
यादों का...अफ़साना...लिखने दे...जानेमन-जानेमन
इन्तहा...हो गयी...मिलने दे...जानेमन-जानेमन
आँखों को...हालेदिल...कहने दे...~~~~~~~~~~~~~

मर कर भी न मिट सकेगी~ये दास्तां सदियों तलक
बुझ सकी न~लग गई जब~ये आग वो वर्षों तलक
छिड़ गयी...जब ये जंग...लड़ने दे...जानेमन-जानेमन
इन्तहा...हो गयी...मिलने दे...जानेमन-जानेमन
आँखों को...हालेदिल...कहने दे...~~~~~~~~~~~~~

आँखों में छिपा ले मुझको

आँखों में छिपा ले मुझको
मुझ ही से चुरा ले मुझको
धूप हो या छाँव तेरे साथ मुझे चलना
खुशी से आजमा ले मुझको
आँखों में छिपा ले मुझको~~~~~~~~

ज़िंदगी नाम तेरे कर दी~याद कर सारी रात तड़पी
बात ये रखी छिपाकर~यार मेरे तुझपे मैं मरती
सांसों में बसा ले मुझको~सीने से लगा ले मुझको
धूप हो या छाँव तेरे साथ मुझे चलना
खुशी से आजमा ले मुझको
आँखों में छिपा ले मुझको~~~~~~~~

नैनों से नैन मिले जब से~बेक़रार रहती मैं हरदम
आ जा पकड़ मेरी बैयाँ~तेरे लिये सजती मैं हमदम
सिनेमा दिखा दे मुझको~चल झूले में झुला दे मुझको
धूप हो या छाँव तेरे साथ मुझे चलना
खुशी से आजमा ले मुझको
आँखों में छिपा ले मुझको~~~~~~~~

हर खुशी प्यार की बदौलत~हो चुकी अब तेरी अमानत
दे मुझे तन्हाई के कुछ लम्हें~वरना करूंगी मैं बग़ाबत
बाहों में उठा ले मुझको~अपना तू बना ले मुझको
धूप हो या छाँव तेरे साथ मुझे चलना
खुशी से आजमा ले मुझको
आँखों में छिपा ले मुझको~~~~~~~~

आँखों-आँखों में~बातों-बातों में

(F) आँखों-आँखों में~बातों-बातों में
लागा प्रेम रोग ग़ज़ब हो गया
(M) मुझको दीवाना तूने किया है
लागा प्रेम रोग ग़ज़ब हो गया
(F) आँखों-आँखों में~बातों-बातों में
लागा प्रेम रोग ग़ज़ब हो गया

(M) मेरी धड़कन में बस गया नाम तेरा
(F) मेरे अंग-अंग पे चढ़ गया रंग तेरा
(M) तेरी गलियों में घूमूँ बन बन्जारा
(F) बैठी खिड़की पर सुनूँ मैं एक तारा
(M) पलकों में बन्द मैंने तुझे कर लिया है
(F) अब तो इरादा बुलन्द मैंने कर लिया है
तन्हा-तन्हा तू~तन्हा-तन्हा मैं
बंधी डोर कैसी ग़ज़ब हो गया
(M) मुझको दीवाना तूने किया है
लागा प्रेम रोग ग़ज़ब हो गया

(F) तेरी बाहों में जी चाहता है झूमूँ
(M) जाने जां तेरे गालों को मैं चूमूँ
(F) राज-ए-दिल मुझको समझायेगा कैसे
(M) कब तक तू मुझको तड़पायेगी ऐसे
(F) दुनिया से दूर बनायें कहीं आशियाँ
(M) तेरे-मेरे बीच में न हो कोई दूसरा
ऐसा क्या तूने किया फ़साना
हुआ बेक़रार ग़ज़ब हो गया
(F) आँखों-आँखों में~बातों-बातों में
लागा प्रेम रोग ग़ज़ब हो गया
(M) मुझको दीवाना तूने किया है
लागा प्रेम रोग ग़ज़ब हो गया

आपने मेरे बारे में इतना सोचा

आपने मेरे बारे में,इतना सोचा,यही काफी है,यही काफी है
रात भर धड़का दिल,ख़ुद को रोका,यही काफी है,यही~~
आपने मेरे बारे में,इतना सोचा~~~~~~~~~~~

ऐसे-कैसे समझ गये तुम~मेरे दिल की बातें
हमदम तुमसे नहीं हुईं,~कभी तन्हा मुलाक़ातें
खोल के खिड़की रोज़ देखूँ~कहां छिपे तुम बैठे
हंसी-हंसी जज़्बात तुम्हारे~दिल तुम्हें दे बैठे
दुनिया में कोई,हमारा भी है,यही काफी है,यही काफी है
रात भर धड़का दिल,ख़ुद को रोका,यही काफी है,यही~~
आपने मेरे बारे में,इतना सोचा~~~~~~~~~~

एक छोटा सा नज़राना~बिना बात के भेज रहे
पहले से ही लफ़्ज तुम्हारे~हमदम हम सहेज़ रहे
इधर पानी 'ओ' उधर आग~कैसे इसमें कूदें हम
नहीं है तुमसे कोई वास्ता~कैसे तुमसे रूठें हम
बेवज़ह उम्मीदें,करते नहीं,यही काफी है,यही काफी है
रात भर धड़का दिल,ख़ुद को रोका,यही काफी है,यही~~
आपने मेरे बारे में इतना सोचा~~~~~~~~~~

अपने दिल की हम जाने~तुम अपने दिल की जानो
तन्हा हमको रहने दो~चाल समय की पहचानो
दिलवालों का दुश्मन ये~सारा ही ज़माना है
हमें जुदा कर देंगे ये~इतना ही अफ़साना है
इश्क़ का मामला,है झूठा सौदा,यही काफी है,यही काफी है
रात भर धड़का दिल,ख़ुद को रोका,यही काफी है,यही~~
आपने मेरे बारे में,इतना सोचा~~~~~~~~~~

आई ऋतु मस्तानी दिल धक-धक मेरा

आई ऋतु मस्तानी~दिल धक-धक मेरा बोले
नयनों से मदिरा छलका~मेरा तन-मन ले हिचकोले
हंसी तू~जवां मैं~हो जाने दे संगम~आज की रात
मीठी-मीठी तेरी बातें~कानों में मिस्री घोलें
मन तड़प रहा है प्यासा~दिन-रात पपीहा बोले
हंसी तू~जवां मैं~हो जाने दे संगम~आज की रात

सुबह-शाम मैं लिखता~तुझको दिल का अफ़साना
पसन्द आया दीवाने दिल को~तेरा ये शरमाना
मिले हैं दिल दो जहाँ-जहाँ पर~फिर कैसा शरमाना
गुन्चे-गुन्चे पर यारा~गुलशन में भंवरा बोले
तेरे इन्तज़ार मैं बैठा~तू क्यों न खिड़की खोले
हंसी तू~जवां मैं~हो जाने दे संगम~आज की रात

काटे से नहीं कटती यारा~पल-पल ये तन्हाई
इधर सोचता मैं तुझको~उधर तू ले अँगड़ाई
नयनों ने तेरे नयनों से~कर ली आज सगाई
बागों में कलियाँ चहकी~नथनियाँ हाले-डोले
करे चिलमन से इशारे~मुंह से तू न बोले
हंसी तू~जवां मैं~हो जाने दे संगम~आज की रात

नज़ाक़त देखकर तेरी~आये मुझको पसीना
तू लड़की है या फिर शोला~या फिर तू नगीना
चुराई नींदें मेरी हैं~मेरा सुख-चैन तूने छीना
निखर-निखर आयी~तेरी पल-पल जवानी
हुआ तुझसे मिलना-जुलना~कू-कू कोयलिया बोले
हंसी तू~जवां मैं~हो जाने दे संगम~आज की रात

आई ऋतु मस्तानी~दिल धक-धक मेरा बोले
नयनों से मदिरा छलका~मेरा तन-मन ले हिचकोले
हंसी तू~जवां मैं~हो जाने दे संगम~आज की रात

आये हो जो आँखों में

आये हो जो आँखों में~कुछ देर ठहर जाओ
पैग़ाम दो उल्फ़त का~अब और न तड़पाओ
आये हो जो आँखों में~~~~~~~~~~~~~~

तक़रार ही करने में~न उम्र ये ढल जाये
इक़रार किया जब है~न बात बिगड़ जाये
बस गये हो सांसों में~नहीं छोड़ उधर जाओ
पैग़ाम दो उल्फ़त का~अब और न तड़पाओ
आये हो जो आँखों में~~~~~~~~~~~~~~

किस तरह बढें आगे~अन्जान सफ़र पर हम
जज़्बात को पहचानो~पत्थर के तुम सनम
न भी आओ यादों में~न ही और क़हर ढाओ
पैग़ाम दो उल्फ़त का~अब और न तड़पाओ
आये हो जो आँखों में~~~~~~~~~~~~~~

रखें भी संभाले हम~कब तक ये नज़राने
पिया तुम हुए बेदर्दी~कब तक लिखें अफ़साने
आये जो हो ख़्वाबों में~अब हक़ीक़त बन जाओ
पैग़ाम दो उल्फ़त का~अब और न तड़पाओ
आये हो जो आँखों में~~~~~~~~~~~~~~

अधरों से छू लो न~इस प्यासी चितवन को
मझधार में अटके हैं~बेवक़्त की उलझन को
आये हो जो जीवन में~अब लौट न घर जाओ
पैग़ाम दो उल्फ़त का~अब और न तड़पाओ
आये हो जो आँखों में~~~~~~~~~~~~~~

आयें कितनी भी आँधियाँ

आयें कितनी भी आँधियाँ~उठें कितने भी तूफां-2
फ़ैसला मैंने यह कर लिया-2~आवाज तुझे न दूँगा-2

उजालों में साथ तो देते हजार
अंधेरों में मिलता नहीं कोई यार
मुहब्बत का किसकी मैं कर लूँ यकीं
ख़िज़ाओं में खिलते नहीं हैं गुलाब
आयें कितनी भी गर्दिशें-2~तेरा करूँगा न अरमां-2
फ़ैसला मैंने यह कर लिया-2~आवाज तुझे न दूँगा-2

लिखूँ काहे को मैं अफ़साना अब
बहारों का नहीं मैं दीवाना अब
सलामत रहे हुस्न वाले जा तू
है साक़ी कोई न ही पैमाना अब
आयें कैसी भी उलझनें-2~नहीं तू दिल की मेहमां-2
फ़ैसला मैंने यह कर लिया-2~आवाज तुझे न दूँगा-2

छोड़ दे मुझको मेरे ही हाल पर
उल्टे-सुल्टे न यूँ सवाल कर
तेरी चाहत के शोलों में जज़्ब हो गया
भूल जा कसमें वादे न विश्वास कर
अब रहने भी दे फ़ासले-2~न भी करना तू एहसां-2
फ़ैसला मैंने यह कर लिया-2~आवाज तुझे न दूँगा-2

आयें कितनी भी आँधियाँ~उठें कितने भी तूफां-2
फ़ैसला मैंने यह कर लिया-2~आवाज तुझे न दूँगा-2

एक ख़्वाब की तरह आये तुम

एक ख़्वाब की तरह~आये तुम ज़िंदगी में
कुछ और क्या कहूँ~छाये तुम शायरी में
एक ख़्वाब की तरह~आये तुम ज़िंदगी में

मेरी रूह में उतर कर~तुमने ये क्या किया
तुझे प्यार जानेजां ना~मैंने बे-पनाह किया
मेहमानों की तरह~आये तुम ज़िंदगी में
कुछ और क्या कहूँ~छाये तुम शायरी में
एक ख़्वाब की तरह~आये तुम ज़िंदगी में

कि गगन को छू न पाया~मेरे मन का परिन्दा
ख़ुद से पशेमां मैं हूँ~हूँ आख़िर क्यों ज़िन्दा
इम्तिहान की तरह~आये तुम ज़िंदगी में
कुछ और क्या कहूँ~छाये तुम शायरी में
एक ख़्वाब की तरह~आये तुम ज़िंदगी में

एक पहाड़ सा है टूटा~मुझ पर क़यामतों का
अच्छा सिला मिला~मुझे ये इनायतों का
बस सवाल की तरह~आये तुम ज़िंदगी में
कुछ और क्या कहूँ~छाये तुम शायरी में
एक ख़्वाब की तरह~आये तुम ज़िंदगी में

लम्हें हैं ग़म के इतने~कब तक छिपाकर रखता
वैसाखियों को लेकर~मैं कदम-कदम पर गिरता
इन्तज़ार की तरह~आये तुम ज़िंदगी में
कुछ और क्या कहूँ~छाये तुम शायरी में
एक ख़्वाब की तरह~आये तुम ज़िंदगी में

एक लड़की बोली मुझसे

एक लड़की बोली मुझसे~तुम्हारी ही फेन मैं हो गयी
धड़का दिल भी मेरा~कैसी बेताबी दिन-रैन हो गयी
एक लड़की बोली मुझसे~~~~~~~~~~~~~~~~~

वो रोज-रोज लिखे मुझे कमेन्ट,पहने वो रोज नये गारमेन्ट
इशारों-इशारों में बेकल करे,देना वो चाहे नये-नये आरगूमेंट
एक तितली बोली मुझसे~तुम्हें देखकर मैं खो गयी
धड़का दिल भी मेरा~कैसी बेताबी दिन-रैन हो गयी
एक लड़की बोली मुझसे~~~~~~~~~~~~~~~~~

बलखा के चलती अदा से बोले~आँखें मेरी मस्त-मस्त
शरमाना उसका ग़ज़ब लगे~बोले बातें बड़ी मस्त-मस्त
एक छमियाँ बोली मुझसे~ये कैसी बीमार मैं हो गयी
धड़का दिल भी मेरा~कैसी बेताबी दिन-रैन हो गयी
एक लड़की बोली मुझसे~~~~~~~~~~~~~~~~~

बढ़ाने लगी रफ़्ता-2 लगी,आते-जाते मुझसे करे दिल्लगी
न जाने ये कैसा मुझे हो गया,अन्जाने में उससे अँखियाँ लड़ी
एक बिजली बोली मुझसे~अरे बेक़रार मैं हो गयी
धड़का दिल भी मेरा~कैसी बेताबी दिन-रैन हो गयी
एक लड़की बोली मुझसे~~~~~~~~~~~~~~~~~

गुलों की हो खुशबू महकता बदन~मस्ती भरा हर अंग-अंग
मैं कैसे इज़ाजत दे दूँ उसे~चाहे वो चलना मेरे संग-संग
कुछ कहना चाहा उससे~रे पोस्ट ही बेन मेरी हो गयी
धड़का दिल भी मेरा~कैसी बेताबी दिन-रैन हो गयी
एक लड़की बोली मुझसे~~~~~~~~~~~~~~~~~

एक रूह चाहिए एक रूह को

एक रूह चाहिए~एक रूह को समझने के लिये
कि जुनून चाहिए~एक तुझको समझने के लिये
एक रूह चाहिए एक रूह को~~~~~~~~~~

मुहब्बत का चश्क़ा लगा जब से है
कि ज़ुल्फ़ों का सावन देखा जब से है
नतीज़ा कोई हो पर चलना मुझे है
परिन्दा हूँ एक मैं और उड़ना मुझे है
जुस्तजू चाहिए~गुफ़्तगू को समझने के लिये
कि जुनून चाहिए~एक तुझको समझने के लिये
एक रूह चाहिए एक रूह को~~~~~~~~~~

बहारों के सपनों में खोया है दिल
नज़ारों के दरिया से बचना मुश्किल
ख़ुदाया उल्फ़त को मेरी अंजाम दे
मुझे मेरी चाहत का ईनाम दे
ख़ुशबू चाहिए~गुलशन को समझने के लिये
कि जुनून चाहिए~एक तुझको समझने के लिये
एक रूह चाहिए एक रूह को~~~~~~~~~~

जवां दिल की धड़कन से धड़कन मिली
रे भँवरों की गुन-गुन से कलियाँ खिली
लबों पर जब आये अनोखी सरगम
तमन्ना ने चाहा कि अब होवे संगम
एक तू चाहिए~एक मुझको समझने के लिये
कि जुनून चाहिए~एक तुझको समझने के लिये
एक रूह चाहिए एक रूह को~~~~~~~~~~

ऐसा क्या लिखूँ जानेजिगर

ऐसा क्या लिखूँ जानेजिगर,तेरे दिल को तसल्ली मिल जाये
कदमों में तेरे सज़दा करूं, फिर से यह बन्धन जुड़ जाये
ऐसा क्या लिखूँ जानेजिगर~~~~~~~~~~~

लिखे तेरी मुहब्बत में गीत,लिखे तेरे लिये अफ़साने हैं
फना ख़ुद को मैंने कर लिया,दिये तुझको सदा नज़राने हैं
ऐसा क्या करूँ जानेजिगर,तेरे लब को तबुस्सुम मिल जाये
कदमों में तेरे सज़दा करूं, फिर से यह बन्धन जुड़ जाये
ऐसा क्या लिखूँ जानेजिगर~~~~~~~~~~~

मिले चाहत के बदले में ग़म,हुई हालत मेरी दीवानों सी
कभी जागा मुकद्दर नहीं,तूने की न क़द्र एहसानों की
सूनी राह पर चला तन्हा,तेरी कश्ती को साहिल मिल जाये
कदमों में तेरे सज़दा करूं, फिर से यह बन्धन जुड़ जाये
ऐसा क्या लिखूँ जानेजिगर~~~~~~~~~~~

दिया तेरी उल्फ़त ने क्या,मिली मुझको हैं रुसवाईयाँ
रे किनारा तूने कर लिया,मिली मुझको हैं तन्हाईयाँ
मेरा साथ दे हमसफर,हर ग़म ज़िंदगी का मिट जाये
कदमों में तेरे सज़दा करूं, फिर से यह बन्धन जुड़ जाये
ऐसा क्या लिखूँ जानेजिगर~~~~~~~~~~~

खुशी तुझको मिले इसलिए,तूने जो कहा मैं करता रहा
अधूरी रही आशिक़ी,सभी सांचों में मैं ढ़लता रहा
थका घर चलूँ नूरेनज़र,कहीं राज़-ए-दिल न खुल जाये
कदमों में तेरे सज़दा करूं, फिर से यह बन्धन जुड़ जाये
ऐसा क्या लिखूँ जानेजिगर~~~~~~~~~~~

ऐसे ऐसे ग़म देता है

ऐसे-ऐसे ग़म देता है~ऐसे-ऐसे ग़म देता है
अपना ही खून दगा देता है~अपना ही खून दगा देता है
दिल से लिखे अफ़साने~दिल से लिखे अफ़साने
पल में झूठ बता देता है~पल में झूठ बता देता है

भुलायी कसमें हैं~बनायी बातें हैं
है समझा बेगाना~कि तोड़े नाते हैं
वफ़ा के बदले में~जफ़ाये करते हैं
कि झूठे जालों में~फंसाया करते हैं
पालों जिनको नाज़ों से
वो ये सब करते हैं~वो ये सब करते हैं
हलके हलके हर पन्ने पर~हलके हलके हर पन्ने पर
अपना ही नाम लिखा देता है~अपना ही नाम लिखा देता है
ऐसे-ऐसे ग़म देता है~अपना ही खून दगा देता है
अपना ही खून दगा देता है

जवानी चन्द दिन की~ये कैसा रंग लायी
बग़ावत के शोले~उठा घर लायी
थी जिससे सेवा की~हमको उम्मीदें
क़यामत बनकर के~सरीख़े ग़म लायी
जीने नहीं देती है यारों
अब हमको तन्हाई~अब हमको तन्हाई
जुल्म 'ओ' सितम के आगे ये~जुल्म 'ओ' सितम के आगे ये
बनकर मौन बना बैठा है~बनकर मौन बना बैठा है
ऐसे-ऐसे ग़म देता है~अपना ही खून दगा देता है
अपना ही खून दगा देता है

बड़ा खूब तेरा,मुखड़ा ये गोरा

बड़ा खूब तेरा~मुखड़ा ये गोरा
बड़ी खूब तेरी~कजरारी आँखें
बड़ी खूब तेरी.........
बड़ी खूब तेरे~माथे की बिन्दिया
बड़ी खूब तेरी~महकती सांसें
बड़ी खूब तेरी.........

सदा मैंने तेरे
सदा मैंने तेरे~सपने संजोये
सदा नैन तेरी~याद में भिगोये हैं
बडा खूब है
बड़ा खूब है ये~सुहाना सफर
बड़ी खूब तेरी~रूहानी यादें
बड़ी खूब तेरी.........

मनाया बहुत
मनाया बहुत~अपने ही दिल को
सजाया सदा ही~तेरी महफिल को
खुशबू से तेरी
खुशबू से तेरी~बदला मौसम
सूरत से तेरी~उजियारी रातें
बड़ी खूब तेरी.........

मुद्दत के बाद
मुद्दत के बाद~कली ये खिली
बड़ी मुश्किल की~कैसी ये घड़ी है
बड़ा खूब तेरा
बड़ा खूब तेरा~अंग-अंग गोरी
बड़ी खूब तेरी~रस भरी बातें
बड़ी खूब तेरी.........

बहुत चाहता तुझे मेरा दिल

बहुत चाहता तुझे मेरा दिल~(यही है मुश्किल)-२
बिना बात के मचलने लगा~(करीब आ के मिल)-२
बहुत चाहता तुझे मेरा दिल~~~~~~~~~~~~~~~~~

हंसी मुझको सपने आने लगे~कि बागों के गुल भाने लगे
शरारत करने लगा है मन~लब प्रेम गीत गाने लगे
किधर भागता अब मेरा दिल~(यही है मुश्किल)-२
बिना बात के मचलने लगा~(करीब आ के मिल)-२
बहुत चाहता तुझे मेरा दिल~~~~~~~~~~~~~~~~~

तमन्नायें दम भरती हैं क्यों~हवायें रुख़ बदलती हैं क्यों
मुझे मामला दिल का लगे~शमा रोज़ यूँ पिघलती है क्यों
गगन झूमता लगे धरती हिली~(यही है मुश्किल)-२
बिना बात के मचलने लगा~(करीब आ के मिल)-२
बहुत चाहता तुझे मेरा दिल~~~~~~~~~~~~~~~~~

अजन्ता की कोई मूरत तू~ए-जानम बड़ी खूबसूरत तू
मेरी किस्मत मेरी तक़दीर है~आज सबसे बड़ी जरूरत है तू
यादों में मेरी सांसों में शामिल~(यही है मुश्किल)-२
बिना बात के मचलने लगा~(करीब आ के मिल)-२
बहुत चाहता तुझे मेरा दिल~~~~~~~~~~~~~~~~~

तेरा अंग-अंग चाहत का सिलसिला,तेरे पीछे-पीछे क़ाफ़िला
क़ुदरत ने बख़्शी जवानी तुझे~तेरे भीतर जन्नत का सिला
तू है मन्चली अदायें क़ातिल~(यही है मुश्किल)-२
बिना बात के मचलने लगा~(करीब आ के मिल)-२
बहुत चाहता तुझे मेरा दिल~~~~~~~~~~~~~~~~~

बदरा घिर-घिर आये तो फिर

बदरा घिर-घिर आये तो फिर बरसात भी होगी
रहे गर ज़िन्दा हम तो फिर मुलाक़ात भी होगी
बदरा घिर-घिर आये तो फिर~~~~~~~~~~~~

कोरा काग़ज़ मैं नहीं इश्क़ की किताब सनम
कैसे चढ़ पायेगा यूँ किसी और का रंग
दिन अगर निकला तो फिर कहीं रात भी होगी
रहे गर ज़िन्दा हम तो फिर मुलाक़ात भी होगी
बदरा घिर-घिर आये तो फिर~~~~~~~~~~~~

जब से मुझ पर पड़ी है वो गुस्ताख़ नज़र
खो चुका होश अपने ख़ुद से हुआ हूँ बेख़बर
भँवरा गुन-गुन गाये तो फिर कहीं बात भी होगी
रहे गर ज़िन्दा हम तो फिर मुलाक़ात भी होगी
बदरा घिर-घिर आये तो फिर~~~~~~~~~~~~

अपना हमराह समझ लिखा अफ़साना उसे
मुझे दमसाज़ न मिला दूँ क्या नज़राना उसे
न सकूं पल भर आये बेकल कायनाथ भी होगी
रहे गर ज़िन्दा हम तो फिर मुलाक़ात भी होगी
बदरा घिर-घिर आये तो फिर~~~~~~~~~~~~

बेमुरब्बत ये ज़हां होता खुश दिल को दुःखा
फैसले अपने सुनाकर बनता ख़ुद सबका ख़ुदा
दीवाने जिद पर आये तो फिर जंग आज भी होगी
रहे गर ज़िन्दा हम तो फिर मुलाक़ात भी होगी
बदरा घिर-घिर आये तो फिर~~~~~~~~~~~~

बंद करूँ पलकें दिखाई दे तू

बंद करूँ पलकें दिखाई दे तू,वादा किया मुझसे निभाई दे तू
तू ही~हाँ तू ही~हाँ तू ही~चाहे जो मुझसे लिखाई ले तू
बंद करूँ पलकें दिखाई दे तू~~~~~~~~~~~~~~~~

जाने न जानम तू दिल की लगी,दिल को तोड़ा करे दिल्लगी
मौसम बदलने लगा~दिल ये मचलने लगा
हाथों में चूड़ी पहनाई दे तू~माथे की बिंदिया दिलवाई दे तू
तू ही~हाँ तू ही~हाँ तू ही~चाहे जो मुझसे लिखाई ले तू
बंद करूँ पलकें दिखाई दे तू~~~~~~~~~~~~~~~~

अंग गोरे-२ महकता बदन,मिलने का तुझसे करूँ क्या जतन
नस-नस में है कैसी बयार~तन-मन में है कैसी उमंग
सीने की अगन बुझाई दे तू~खुशियों की मुझको दुहाई दे तू
तू ही~हाँ तू ही~हाँ तू ही~चाहे जो मुझसे लिखाई ले तू
बंद करूँ पलकें दिखाई दे तू~~~~~~~~~~~~~~~~

यौवन संभालूँ बता किस तरह~हसरते दिल कहूँ किस तरह
हालात मेरे समझ~ऐसे न मुझसे उलझ
नग़मा सुरीला सुनाई दे तू~सुरमा बरेली मंगाई दे तू
तू ही~हाँ तू ही~हाँ तू ही~चाहे जो मुझसे लिखाई ले तू
बंद करूँ पलकें दिखाई दे तू~~~~~~~~~~~~~~~~

चोली सिलाई वो तंग हो गई~मुश्किल बड़ी मेरे संग हो गई
बागों में गुल खिल गये~अंखियों में तू बस गया
मुझे घर अपने बुलाई ले तू,लबों से मय मुझको पिलाई दे तू
तू ही~हाँ तू ही~हाँ तू ही~चाहे जो मुझसे लिखाई ले तू
बंद करूँ पलकें दिखाई दे तू~~~~~~~~~~~~~~~~

बन्दा अफ़साना तुझे लिख रहा

बन्दा अफ़साना तुझे लिख रहा~तेरे नज़दीक़ कैसे मैं आऊँ
जिसको चाहा वही रूठा~तुझे दुःखड़ा कैसे मैं सुनाऊँ
बन्दा अफ़साना तुझे लिख रहा~~~~~~~~~~~~~~~

गर जो चाहे~तो सज़दे में~पलकें बिछाऊँ
गर जो कह दे~तो अम्बर से~तारे ले आऊँ
दुनिया वाले~तो कहते हैं~कहते ही रहेंगे
संग तेरे~रहने की~कसमें मैं खाऊँ
बन्दा गलियों में तेरी भटक रहा~तुझे किस नाम से बुलाऊँ
जिसको चाहा वही रूठा~तुझे दुःखड़ा कैसे मैं सुनाऊँ
बन्दा अफ़साना तुझे लिख रहा~~~~~~~~~~~~~~~

धुन में तेरी~मैं निकला हूँ~बनकर दीवाना
अपना तू~समझ या~समझ मुझे बेगाना
होश अपना~मैं खोया हूँ~जाने तमन्ना
शमा की लेकर~चाहत~जलेगा परवाना
तेरे ख़ातिर आज लुट रहा~तुझसे नज़रें कैसे मैं मिलाऊँ
जिसको चाहा वही रूठा~तुझे दुःखड़ा कैसे मैं सुनाऊँ
बन्दा अफ़साना तुझे लिख रहा~~~~~~~~~~~~~~~

तुझसे शिकवा~करूँ मैं कैसे~जाने कब ख़फ़ा हो
रब से चाहा~मैंने बस ये~तू ही दिलरूबा हो
बन्धन तुझसे~जुड़ गया है~जाने-अन्जाने में
जिये चाहे~मर के भी हम~कभी न जुदा हों
उल्फ़त का सिला मुझे मिल रहा,ग़म के लम्हात कैसे गिनाऊँ
जिसको चाहा वही रूठा~तुझे दुःखड़ा कैसे मैं सुनाऊँ
बन्दा अफ़साना तुझे लिख रहा~~~~~~~~~~~~~~~

बन गया साथी मेरा संगीत है

बन गया साथी मेरा संगीत है
दिलरूबा है मेरी मेरा मनमीत है
बन गया साथी मेरा संगीत है
दिलरूबा है मेरी मेरा मनमीत है
दूर से तू न मुझको आवाज दे
गुदगुदाता मुझे मेरा हर गीत है,बन गया साथी मेरा~~~

सिलसिला प्यार का फिर शुरू हो गया
कोई लफ़्ज़ों पे मेरे फ़िदा हो गया-2
ज़िंदगी की ये क़श्ती कहाँ आ गयी
प्यार करना ही अब तो ग़ुनाह हो गया-2
मौसमों की तरह मैं बदलता रहा-2
धड़कनों की तरह मैं उलझता रहा,बन गया साथी मेरा~~~

नाम तेरा मुझे क्यों लुभाने लगा
रोज़ नींदों से मुझको जगाने लगा-2
सामने मेरे मीलों सी तन्हाईयाँ
चाँद लुक-छिप के मुझको रिझाने लगा-2
क्यों तू दीवाना मुझको समझने लगी-2
क्यों मैं परवाना खुद को समझने लगा,बन गया साथी मेरा...

कोई वादा नहीं बेक़रार है ये दिल
हो न जाये ख़ता न यूँ मुझसे तू मिल-2
हर खुशी का ठिकाना तुझे जा मिले
कर रहा मैं दुआ रात और दिन-2
सेज़ पर काँटों की मुझको सो जाने दे
इन फ़िजाओं में मुझको खो जाने दे
बन गया साथी मेरा संगीत है
दिलरूबा है मेरी मेरा मनमीत है
दूर से तू न मुझको आवाज दे
गुदगुदाता मुझे मेरा हर गीत है,बन गया साथी मेरा संगीत है

बड़े मुश्किल होते वे लम्हें

बड़े मुश्किल होते वो लम्हें~जब तुम ख़फ़ा हो जाते हो
मुझे हंसी लगती ये दुनिया~जब तुम मुस्कुरा जाते हो
बड़े मुश्किल होते वे लम्हें~~~~~~~~~~~~

तुम दौलत मेरी सबसे बड़ी~तुम चाहत मेरी सबसे हंसी
तुम जान मेरी जानेजिगर~तुम हसरत मेरी सबसे बड़ी
कहीं जलती-बुझती है शमा~हमराह तुम याद आते हो
मुझे हंसी लगती ये दुनिया~जब तुम मुस्कुरा जाते हो
बड़े मुश्किल होते वे लम्हें~~~~~~~~~~~~

तुम आते हो चुपके-चुपके~और जाते हमें रुसवा करके
लिखते हम तुमको अफ़साने~हम राज़ वो जो नहीं खुलते
हमें रोज़ हंसाते वो किस्से~जब तुम ख़्वाब में आते हो
मुझे हंसी लगती ये दुनिया~जब तुम मुस्कुरा जाते हो
बड़े मुश्किल होते वे लम्हें~~~~~~~~~~~~

हमें याद तुम्हारा दीवानापन~बिन्दास तुम्हारी आवारगी
हर बोल सोने जैसा ख़रा~हर बात तुम्हारी ज़िंदादिली
तुम जान पर खेले वो जलवे~अब तुम कहाँ बतलाते हो
मुझे हंसी लगती ये दुनिया~जब तुम मुस्कुरा जाते हो
बड़े मुश्किल होते वे लम्हें~~~~~~~~~~~~

न जाने कैसा ये बंधन है~न टूटा ही है न जुड़ता है
मुजरिम है कौन ख़ुदा जाने~न झूठा ही है न सच्चा है
गुनगुनाये रोज़ जो नग़में~अब तुम कहाँ वो गाते हो
मुझे हंसी लगती ये दुनिया~जब तुम मुस्कुरा जाते हो
बड़े मुश्किल होते वे लम्हें~~~~~~~~~~~~

बाहों में अपनी उठा लो ना

बाहों में अपनी उठा लो ना~सीने से अपने लगा लो ना
हम तुम्हारे हैं~चाहते तुमको हैं~अपना हमें बना लो ना
बाहों में अपनी उठा लो ना~~~~~~~~~

रफ़्ता-रफ़्ता कितने ही~पैग़ाम लिखे हमने
नींद हमें जब आयी तब~देखे तेरे ही सपने
बहके जाते थे कदम~संभाल रहे ख़ुद को
याद तेरी हमें आयी जब~रंग गये तेरे ही रंग में
सांसों में अपनी समां लो ना~जीने का ढंग सिखा दो ना
हम तुम्हारे हैं~चाहते तुमको हैं~अपना हमें बना लो ना
बाहों में अपनी उठा लो ना~~~~~~~~~

सावन के महीने में~भीगे तन-मन 'ओ' चोली
पिया तुम हरजाई~किस संग खेलूँ मैं होली
सदियों से तुम्हारे~तेरे फन के हम दीवाने
अली-कली इतराई है~भाये मन को न रंगोली
सिनेमा कोई दिखा दो ना~टिकिया-गुजिया खिला दो ना
हम तुम्हारे हैं~चाहते तुमको हैं~अपना हमें बना लो ना
बाहों में अपनी उठा लो ना~~~~~~~~~

अंग-अंग है कस्तूरी~बदन नशीले चन्दन सा
बन्द मेरी पलकों में तुम~कहना क्या चितवन का
तन-मन का अब संगम हो~हुए हैं हम मजबूर
साथ अगर छोड़ा तुमने~होंगे बे-वज़ह मशहूर
दिल में अपने जगह दो ना~प्रीत की गंगा बहा दो ना
हम तुम्हारे हैं~चाहते तुमको हैं~अपना हमें बना लो ना
बाहों में अपनी उठा लो ना~~~~~~~~~

बिखरती जुल्फ़ों की परछाईयाँ

बिखरती जुल्फ़ों की परछाईयाँ मुझे दे-दे
कि ढलती शाम की तन्हाईयाँ मुझे दे-दे
बिखरती जुल्फ़ों की परछाईयाँ~~~~~~~

हवा के झोंके पैग़ाम-ए-मुहब्बत लाये
बागों के गुल खुलेआम नज़ाक़त लाये
पिघलती शमां की गहराईयाँ मुझे दे-दे
कि ढलती शाम की तन्हाईयाँ मुझे दे-दे
बिखरती जुल्फ़ों की परछाईयाँ~~~~~~~

मैंने माना होती हर बात बताने की नहीं
यह भी सच है होता हर राज़ छिपाने का नहीं
निखरते हुस्न की अँगड़ाईयाँ मुझे दे-दे
कि ढलती शाम की तन्हाईयाँ मुझे दे-दे
बिखरती जुल्फ़ों की परछाईयाँ~~~~~~~

करेगी घायल कभी ऐसे तेरी शोख़ नज़र
तेरी आँखों में दिखता मुझे सपनों का शहर
तुझे मिली हैं जो रुसवाईयाँ मुझे दे-दे
कि ढलती शाम की तन्हाईयाँ मुझे दे-दे
बिखरती जुल्फ़ों की परछाईयाँ~~~~~~~

लिखूँगा तेरी हक़ीक़त होंठो को कमल
बला का हुस्न-नज़ाकत, यौवन पे ग़ज़ल
मुहब्बतों के चमन की सच्चाईयाँ मुझे दे-दे
कि ढलती शाम की तन्हाईयाँ मुझे दे-दे
बिखरती जुल्फ़ों की परछाईयाँ~~~~~~~

बेक़रार दिल है मेरा

बेक़रार दिल है मेरा और बेक़रार न कर
पास आ यार मेरे आज तक़रार न कर
बेक़रार दिल है मेरा~~~~~~~~~~~~

मेरी बैचेन निग़ाहों को तसल्ली दे जा
तेरा एहसान घडी भर तुबस्सुम दे जा
इम्तहां हुए बहुत और इन्तहा न कर
पास आ यार मेरे आज तक़रार न कर
बेक़रार दिल है मेरा~~~~~~~~~~~~

गाये जाऊँगा मैं यूं ही तराने दिल के
तेरी ख़ातिर मैं लिखूँगा फ़साने दिल के
होश मुझको नहीं और पैमाना न भर
पास आ यार मेरे आज तक़रार न कर
बेक़रार दिल है मेरा~~~~~~~~~~~~

उम्र गुजरे न सनम यूँही शरारत में तेरी
बहके-बहके हैं कदम इबादत में तेरी
बेशुमार ग़म है मेरा और इल्जाम न धर
पास आ यार मेरे आज तक़रार न कर
बेक़रार दिल है मेरा~~~~~~~~~~~~

कभी आँखों की शरारत ने संभलने न दिया
उलझी-उलझी सी बातों को समझने न दिया
दे मुझे आज सिला ऐसे इन्कार न कर
पास आ यार मेरे आज तक़रार न कर
बेक़रार दिल है मेरा~~~~~~~~~~~~

बेपनाह इस इश्क़ का

बेपनाह इस इश्क़ का~कुछ सिला तो दीजिए
हाथ लेकर हाथ में~तुम दुआ तो कीजिए
बेपनाह इस इश्क़ का~~~~~~~~~~~~~

तुम बिना यह ज़िंदगी~हर तरह बेनूर है
गुनगुनाती वादियों में~बंदा ये मजबूर है
तुम जुवां से हंसते-हंसते~कुछ गिला तो कीजिए
हाथ लेकर हाथ में~तुम दुआ तो कीजिए
बेपनाह इस इश्क़ का~~~~~~~~~~~~~

है पता मुझको नहीं~मंजिल-ए-मक़सूद का
तुमको सब है ख़बर~धड़कनों में क्या छिपा
बेसबब इस जिद का~सिलसिला कम कीजिए
हाथ लेकर हाथ में~तुम दुआ तो कीजिए
बेपनाह इस इश्क़ का~~~~~~~~~~~~~

प्यार की ये दास्तां~न यहीं कहीं ख़त्म हो
गर हुआ मुझसे गुनाह~जानेजिगर बख़्श दो
सदियों से मैं ग़मजदा~अब हंसा तो दीजिए
हाथ लेकर हाथ में~तुम दुआ तो कीजिए
बेपनाह इस इश्क़ का~~~~~~~~~~~~~

कब तलक ये दूरियाँ~यूँ ही न बीते उमर
हर ख़्वाब तेरा है~मुझको न अपनी ख़बर
इम्तहां इस दोस्त का~और अब न लीजिए
हाथ लेकर हाथ में~तुम दुआ तो कीजिए
बेपनाह इस इश्क़ का~~~~~~~~~~~~~

बेवफ़ा तू सनम हरजाई है सनम

बेवफ़ा तू सनम~हरजाई है सनम
तूने तोड़ा मेरा दिल~सौदाई है सनम
बेवफ़ा तू सनम~हरजाई है सनम~तूने तोड़ा मेरा दिल~~
बातों पर छोटी-छोटी करे तू तो गिला
तन्हा रातों में लूँ~अँगड़ाई मैं सनम
बातों पर छोटी-छोटी~करे तू तो गिला~तन्हा रातों में...
बेवफा तू सनम~~~~~~~~~~~~~~

इन्तज़ार है तेरा,बेक़रार मेरा दिल,तुझे जान गई मैं दीवाने
तुझे पाने के लिए,यूँही रातोदिन,तुझे लिखे मैंने अफ़साने
बेवफ़ा तू सनम~हरजाई है सनम
तूने तोड़ा मेरा दिल~सौदाई है सनम

इल्ज़ाम मुझे,तू देता हर घड़ी,तेरी चाहत में,मैं कब से खड़ी
करूं ऐसा क्या,तू मुझे ये बता,नहीं बुझती है,दिल की लगी
बेवफ़ा तू सनम~हरजाई है सनम
तूने तोड़ा मेरा दिल~सौदाई है सनम

इक़रार मुझे,तेरा चाहिये,मेरी जान भी ले-ले जानेजिगर
इम्तिहान मेरा,चाहे जो ले-ले,मेरी मान भी ले जानेजिगर
बेवफ़ा तू सनम~हरजाई है सनम
तूने तोड़ा मेरा दिल~सौदाई है सनम

गर ऐसा कुछ नहीं,ए-मेरे दिलरुबा,क्यों आता मेरे सपनों में
ए-जाने वफ़ा,करूं खुद से जुदा,तू बसता है मेरी धड़कन में
बेवफ़ा तू सनम~हरजाई है सनम
तूने तोड़ा मेरा दिल~सौदाई है सनम

बेवज़ह मेरा दिल दुःखाकर

बेवज़ह मेरा दिल दुःखाकर वो गये-2
नींद रातों की चुरा कर वो गये
बेवज़ह मेरा दिल दुःखाकर वो गये

फ़लसफ़ा ये प्यार का रहेगा याद-2
खेल ये तकदीर का रहेगा याद
बेवफ़ा मुझ को बताकर वो गये
बेवज़ह मेरा दिल दुःखाकर वो गये

हमसफर कोई भी अब न रहा-2
आखों में अब कोई सपना न रहा
मयकदा मुझ को सुझाकर वो गये
बेवज़ह मेरा दिल दुःखाकर वो गये

बढ़ गया इस क़दर फ़ासला-2
दूर तक दिखता नहीं नाख़ुदा
जल उठी शमा बुझाकर वो गये
बेवज़ह मेरा दिल दुःखाकर वो गये

इम्तहां अब और मैं दूँ भी क्या-2
इन्तहा इतनी हुई कि मैं लुटा
प्यार में कसमें भुलाकर वो गये
बेवज़ह मेरा दिल दुःखाकर वो गये

बैठ कहीं तन्हाई में आ

F बैठ कहीं तन्हाई में आ,प्यार की बातें कर लें
बैठ कहीं तन्हाई में आ,प्यार की बातें कर लें
भीगा-भीगा मौसम प्यारा,चार ये आँखें कर लें
M हूक उठी है दिल में कैसी,जानेमन हलकी-हलकी
हूक उठी है दिल में कैसी,जानेमन हलकी-हलकी
चन्दन जैसी तेरी काया,सांसें हैं महकी-महकी
F बैठ कहीं तन्हाई में आ,प्यार की बातें कर लें
बैठ कहीं तन्हाई में आ~~~~~~~~

F खिलती हैं जब-जब ये कलियाँ,हमको नशा सा छाता है
खिलती हैं जब-जब ये कलियाँ,हमको नशा सा छाता है
M अँगड़ाई जब लेते तुम,चैन कहाँ फिर आता है
F आने में अब पास तुम्हारे,जियरा घबराता है
जियरा घबराता है
M चाँद सा गोरा,मुखड़ा मेरे,नयनों में आ जाता है
F बैठ कहीं तन्हाई में आ,प्यार की बातें कर लें
बैठ कहीं तन्हाई में आ~~~~~~~~

M एक डाल के पंछी हम,जनम-जनम के साथी हैं
F तेरे और मेरे,मिलने में,कितने अब दिन बाकी हैं
M जब भी होते तन्हा हम,याद तुम्हारी आती है
याद तुम्हारी आती है
F जुवां हमारी हरदम ही,गीत मिलन के गाती है
F बैठ कहीं तन्हाई में आ,प्यार की बातें कर लें
बैठ कहीं तन्हाई में आ~~~~~~~~

बैठा रहूँ इस तरह से कब तक

बैठा रहूँ~इस तरह से~कब तक~तेरे इन्तज़ार में
दोनों तरफ~एक आग है~बेताब तू~बेक़रार मैं
बैठा रहूँ इस तरह से कब तक~~~~~~~~~~~

बिन्दास तेरे चेहरे पर~मैं कैसे लिखूँ ऐसे ग़ज़ल
तेरे नर्म मुलायम होंठों को~मैं कैसे लिखूँ ऐसे कमल
जानम तेरे कदमों पर~मैं कैसे करूँ ऐसे अमल
बीतें न अब~सदियाँ कई~यूँ ही तेरे~दीदार में
दोनों तरफ~एक आग है~बेताब तू~बेक़रार मैं
बैठा रहूँ इस तरह से कब तक~~~~~~~~~~~

तू जो संग मेरे है नहीं~तन्हा मुहब्बत की डगर
हर मोड़ पर मुश्किलें~तन्हा है जीवन का सफर
रातों रहूँ बैचेन मैं~मालूम नहीं कब हुई सहर
अब आयेगी~तब आयेगी~कब तक~करूँ ऐतबार मैं
दोनों तरफ~एक आग है~बेताब तू~बेक़रार मैं
बैठा रहूँ इस तरह से कब तक~~~~~~~~~~~

मेरी जान पर बन आयी~तूने फेर लिया मुंह ऐसे क्यों
देखा मुझे और शरमाई~तूने तोड़ दिया दिल ऐसे क्यों
मैं शोलों में जलता गया~तूने छोड़ दिया मुझे ऐसे क्यों
जानेजिगर~उम्र भर को~उलझाया है~तक़रार में
दोनों तरफ~एक आग है~बेताब तू~बेक़रार मैं
बैठा रहूँ इस तरह से कब तक~~~~~~~~~~~

बैठी हूँ कब से पलकें बिछाये

बैठी हूँ कब से~पलकें बिछाये~ऐसे न जाने दूँगी
मैंने तन-मन~तेरे नाम लिखा~संग तेरे चलूँगी
बैठी हूँ कब से पलकें बिछाये~~~~~~~~~~~

प्यासी नदी मैं तेरे प्यार की~सागर तू मेरा संसार है
छेड़े मुझे क्या जानम~हमदम तू कैसा दिलदार है
काहे आगे-पीछे सीटी बजाये~ऐसे न जाने दूँगी
मैंने तन-मन~तेरे नाम लिखा~संग तेरे चलूँगी
बैठी हूँ कब से पलकें बिछाये~~~~~~~~~~~

कली थी मैं कल जंवा हो गई~चिंगारी से शोला हो गई
रंगीला बड़ा मेहमान तू~जल्वों पर फना हो गई
बनकर कन्हैया मुरली बजाये~ऐसे न जाने दूँगी
मैंने तन-मन~तेरे नाम लिखा~संग तेरे चलूँगी
बैठी हूँ कब से पलकें बिछाये~~~~~~~~~~~

आ गालों से ले तू मस्तियाँ~आ अधरों की पी ले प्यालियाँ
आ यौवन लिखूँ मैं तेरे नाम~आ मुझको चुन दिल जानिया
कर-कर बहाने तू लौट जाये~ऐसे न जाने दूँगी
मैंने तन-मन~तेरे नाम लिखा~संग तेरे चलूँगी
बैठी हूँ कब से पलकें बिछाये~~~~~~~~~~~

बैचेन कब से मेरा जिया~अंग-अंग पर रंग तेरा पिया
नींद मेरी तू उड़ाने लगा~ऐसा क्या ये तूने किया
जाता कहाँ है यूँ नज़रें चुराकर~ऐसे न जाने दूँगी
मैंने तन-मन~तेरे नाम लिखा~संग तेरे चलूँगी
बैठी हूँ कब से पलकें बिछाये~~~~~~~~~~~

बैठे हैं इन्तज़ार में जाने कब आओगे

बैठे हैं इन्तज़ार में~जाने कब आओगे
तन्हाई दिन 'ओ' रात है~नजरें मिलाओगे
बैठे हैं इन्तज़ार में~~~~~~~~~~~~~~~~

सदियों से बन्द हमने की~अपनी खिड़कियाँ
दिल पर हमारे गिर गयीं~कितनी ही बिजलियाँ
आकर क़रीब मेरे तुम~चिलमन उठाओगे
तन्हाई दिन 'ओ' रात है~नजरें मिलाओगे
बैठे हैं इन्तज़ार में~~~~~~~~~~~~~~~~

शमा जली और बुझ गई~एक तेरी सोच में
लाखों सितारे छिप गये~एक तेरी याद में
कैसी हैं बेक़रारियाँ~अगन बुझाओगे
तन्हाई दिन 'ओ' रात है~नजरें मिलाओगे
बैठे हैं इन्तज़ार में~~~~~~~~~~~~~~~~

हैं कैसी डोर से बंधे~बन्धन नहीं खुले
अब भी सदायें एक हैं~माना नहीं मिले
रहते हैं इस फिराक में~वादा निभाओगे
तन्हाई दिन 'ओ' रात है~नजरें मिलाओगे
बैठे हैं इन्तज़ार में~~~~~~~~~~~~~~~~

हम तो वहीं हैं आज भी~बैठे जहाँ थे कल
मुश्किल भरी ये ज़िंदगी~मिलता नहीं है हल
करते हैं ऐतबार ये~कब तक न आओगे
तन्हाई दिन 'ओ' रात है~नजरें मिलाओगे
बैठे हैं इन्तज़ार में~~~~~~~~~~~~~~~~

भीगा-भीगा है समां

भीगा-भीगा है समां~निग़ाहें मिलने दे
भीगा-भीगा है समां~निग़ाहें मिलने दे
दबा-दबा सा है कब से~ये राज़ खुलने दे
भीगा-भीगा है समां~निग़ाहें मिलने दे

खुले-खुले तेरे गेसू~घटायें सावन की
खुले-खुले तेरे गेसू~घटायें सावन की
हरी-हरी तेरी बिंदिया~अदायें परियों सी
तारीफ कैसे करूं मैं~हसीन चितवन की
खिंची-खिंची है दिलों में~दीवार गिरने दे
दबा-दबा सा है कब से~ये राज़ खुलने दे
भीगा-भीगा है समां~निग़ाहें मिलने दे

कमाल है तेरा कजरा~मचलती आँखों में
कमाल है तेरा कजरा~मचलती आँखों में
किया मदहोश मुझे है~महकती सांसों ने
किया मजबूर मुझे है~दहकती यादों ने
उठा-उठा है ये धुँआ~दूरी मिटने दे
दबा-दबा सा है कब से~ये राज़ खुलने दे
भीगा-भीगा है समां~निग़ाहें मिलने दे

कहे तो लेकर आऊँ~वो चांद ज़मीं पर मैं
कहे तो लेकर आऊँ~वो चांद ज़मीं पर मैं
तुझे क्या याद नहीं~हम मिले कहीं पर हैं
बढ़े न दो भी कदम~हम रुके वहीं पर हैं
रूठा-रूठा है ज़हां~अरे तो जलने दे
दबा-दबा सा है कब से~ये राज़ खुलने दे
भीगा-भीगा है समां~निग़ाहें मिलने दे

भुला दूँ कैसे यूँही मैं तुमको

भुला दूँ कैसे यूँही मैं तुमको,कि हर फ़साने में तुम ही तुम हो
जवां है मौसम हंसी नज़ारे,सदा-ए-उल्फ़त तुम ही तुम हो
भुला दूँ कैसे यूँही मैं तुमको~~~~~~~~~~~~~~~~

तुम्हें ही पाने की तमन्ना,तुम्हारे ख़ातिर मुझे सँवरना
कि तेज होती जाती धड़कन,नाक़ामियों से मुझे निकलना
मनाऊँ कैसे यूँही मैं दिल,हुये दीवाने वज़ह तुम ही तुम हो
जवां है मौसम हंसी नज़ारे,सदा-ए-उल्फ़त तुम ही तुम हो
भुला दूँ कैसे यूँही मैं तुमको~~~~~~~~~~~~~~~~

अधूरी सी है मेरी कहानी,तुम्हारे बिन क्या ज़िन्दगानी
है लब पे इतनी क्यों बेरुख़ी,करो न मुझपे मेहरबानी
सुनाऊँ कैसे मैं हाल-ए-दिल,बंद पलकों में तुम ही तुम हो
जवां है मौसम हंसी नज़ारे,सदा-ए-उल्फ़त तुम ही तुम हो
भुला दूँ कैसे यूँही मैं तुमको~~~~~~~~~~~~~~~~

नुमाईश देखो मेरे बदन की,बिखरती जुल्फ़ें घटा सावन की
निहारते कब तलक रहोगे,कली अभी हूँ खिली चमन की
बताऊँ कैसे ये राज़ सबको,सनम फ़ज़ाओं में तुम ही तुम हो
जवां है मौसम हंसी नज़ारे,सदा-ए-उल्फ़त तुम ही तुम हो
भुला दूँ कैसे यूँही मैं तुमको~~~~~~~~~~~~~~~~

यकीन कर लो मेरी वफ़ा पे,करो ये वादा जनम-जनम का
न तोड़िये दिल का खिलौना,है प्रेम हमारा राधा-कृष्ण सा
न नींद शब भर न चैं दिल को,वो रमता जोगी तुम ही तुम हो
जवां है मौसम हंसी नज़ारे,सदा-ए-उल्फ़त तुम ही तुम हो
भुला दूँ कैसे यूँही मैं तुमको~~~~~~~~~~~~~~~~

चंद लम्हों की ये मुहब्बत ऐसे-ऐसे

चंद लम्हों की ये मुहब्बत~ऐसे-ऐसे गुल खिलायेगी
दिल है बैचेन मेरा तो~तू भी सोने न पायेगी
चंद लम्हों की ये मुहब्बत ऐसे-ऐसे~~~~~~~~~

पलकों पे बिठाया था तुझको,क्या ये मालूम है,क्या ये मालूम है
अंग-अंग में दहके थे शोले,क्या ये मालूम है,क्या ये मालूम है
गोरे गालों की ये नज़ाक़त,ऐसे-ऐसे दिन दिखायेगी
दिल है बैचेन मेरा तो~तू भी सोने न पायेगी
चंद लम्हों की ये मुहब्बत ऐसे-ऐसे~~~~~~~~~

क्या समझा नहीं था मैंने,तेरे हालात को,तेरे जज़्बात को
क्या माना नहीं था मैंने,तूने जो-जो कही, हर बात को
अन्जाने में हुई ये शरारत,ऐसे-कैसे तू रूठ जायेगी
दिल है बैचेन मेरा तो~तू भी सोने न पायेगी
चंद लम्हों की ये मुहब्बत ऐसे-ऐसे~~~~~~~~~

कोरे कागज पे लिखवा ले चाहे,मेरी किस्मत तू-मेरी जन्नत तू
कदमों में करूं तेरे सज़दे,मेरा सब कुछ तू-मेरी तक़दीर तू
तन्हा बैठा मैं सोचूँ अब तक,ऐसे-ऐसे सितम ढायेगी
दिल है बैचेन मेरा तो~तू भी सोने न पायेगी
चंद लम्हों की ये मुहब्बत ऐसे-ऐसे~~~~~~~~~

ठंडी-ठंडी सी रातों में तूने,मुझे दी है सजा,यूँही बेवज़ह
तुझे पाने की धुन है जब से,यूँही बेसबब मैंने की है सदा
दोनों कर लें आ मिल के बग़ाबत,वरना उम्र बीत जायेगी
दिल है बैचेन मेरा तो~तू भी सोने न पायेगी
चंद लम्हों की ये मुहब्बत ऐसे-ऐसे~~~~~~~~~

चन्द लम्हें प्यार के

चन्द लम्हें प्यार के~वो मुझे दे गया~वो मुझे दे गया
चन्द लम्हें प्यार के~वो मुझे दे गया~वो मुझे दे गया

दिल की किताब पढ़ने लगी~ऐसा क्या हुआ
मैं आसमां को छूने चली~ऐसा क्या हुआ
तुझे लाजबाब गिनने लगी~ऐसा क्या हुआ
ख़ुद आफ़ताब दिखने लगी~ऐसा क्या हुआ
चन्द लम्हें प्यार के~वो मुझे दे गया~वो मुझे दे गया

उल्फ़त की राह में~बराबर बढ़े कदम
रिश्तों को जोड़ने में~कहाँ तक चले न हम
नफरत के बादलों से~कहाँ तक लड़े न हम
मीलों से कोहरे में~कहाँ तक घिरे थे हम
चन्द लम्हें प्यार के~वो मुझे दे गया~वो मुझे दे गया

उसने दिया जबाब न~मेरे सवाल का
मुझपे गुरूर था कुछ~अपने जमाल का
रुतबा न समझी में~उसके जलाल का
है न जनाब-ए-आली~किस्सा क़माल का
चन्द लम्हें प्यार के~वो मुझे दे गया~वो मुझे दे गया

कितनी हैं बातें ऐसी~लिखकर न लिख सकी
उसकी बतायी राह पर~मैं अब तक न चल सकी
उसने किये इशारे~न मैं समझ सकी
अनचाही उलझनों से~न मैं निकल सकी
चन्द लम्हें प्यार के~वो मुझे दे गया~वो मुझे दे गया

चहकते थे मुहब्बत में

चहकते थे मुहब्बत में~चढ़ा कैसा था रंग यारों
थे खेले हम बहारों में~नहीं था कोई ग़म यारों
चहकते थे मुहब्बत में~~~~~~~~~~~~~~~~~~

हवा चंचल थी मदमाती~कि कलियाँ शोख़ शरमाती
बड़े सुनसान थे रास्ते~कि सखियाँ देख रुक जाती
अरे जो मैं न कह पाता~वो हंसते-हंसते कह जाती
बदलते थे हजारों रंग~सुबह से शाम हम यारों
थे खेले हम बहारों में~नहीं था कोई ग़म यारों
चहकते थे मुहब्बत में~~~~~~~~~~~~~~~~~~

ग़ज़ब ढाता वो चेहरा~नशीले नैन कजरारे
उठाती वो जरा चिलमन~जलें ये देख दिलवाले
तसल्ली कैसे दूँ दिल को~अधर थे या भी अंगारे
नहीं चलता दीवानों पर~किसी का जोर अब यारों
थे खेले हम बहारों में~नहीं था कोई ग़म यारों
चहकते थे मुहब्बत में~~~~~~~~~~~~~~~~~~

वो जब निकले फ़िज़ा बदले~छिपे चंदा भी रुख़ बदले
चलें उस ओर परवाने~दीवानों की नज़र फिसले
मिली बातों में वो मिस्री~तो क्यों न ये दिल पिघले
न जीते हम न वो हारे~कैसी ये जंग हम यारों
थे खेले हम बहारों में~नहीं था कोई ग़म यारों
चहकते थे मुहब्बत में~~~~~~~~~~~~~~~~~~

चाहत में तेरी मर जाऊँगी

चाहत में तेरी~मर जाऊँगी~मिट जाऊँगी
जब तक न देगा~तोहफे में दिल~रुसबा तुझे कर जाऊँगी
चाहत में तेरी मर जाऊँगी~~~~~~~~~~~~~~

सागर से नदिया मिली~चन्दा से मिलने चली है चकोर
तारों से चहका गगन~मनवा मगन जैसे नाचा हो मोर
अँखियों में तू है बसा~पलकों पे तेरा नाम
रब तुझे मान लिया~जपूँ मैं तेरा नाम
आहट को तेरी~मैं कब से रुकी~हुई बाबरी
जब तक न देगा~तोहफे में दिल~रुसबा तुझे कर जाऊँगी
चाहत में तेरी मर जाऊँगी~~~~~~~~~~~~~~

कितना हंसी ये समा~कितने हंसी हैं ये नज़ारे
छू ले लबों से ये लब~धड़कन तुझे ही पुकारे
हाल हुआ क्या मेरा~आग लगी है सावन में
दिलबर मेरे न तू कर~दिल्लगी इस ऋतु में
मानेगा न गर तो~तरसाऊँगी~तड़पाऊँगी
जब तक न देगा~तोहफे में दिल~रुसबा तुझे कर जाऊँगी
चाहत में तेरी मर जाऊँगी~~~~~~~~~~~~~~

लिख हुस्न पर कुछ नया~यौवन पर लिख नया गीत तू
नाजुक मैं खिलती कली~जुल्फ़ों पर लिख मनमीत तू
शरमाना छोड़ दे~घबराना छोड़ दे
दुनिया की रस्मों को~जानेमन तोड़ दे
समझाकर~मेरी दीवानगी~न कर आवारगी
जब तक न देगा~तोहफे में दिल~रुसबा तुझे कर जाऊँगी
चाहत में तेरी मर जाऊँगी~~~~~~~~~~~~~~

चेहरा है चाँद सा तेरा

चेहरा है चाँद सा तेरा~दिलकश है लाजबाब
मय से भरे दो नैन हैं~चितवन तू आफ़ताब
चेहरा है चाँद सा तेरा~~~~~~~~~~~~~~

कैसे न तुझपे शायरी~करने लगे कलम
जल्वों को तेरे देखकर~उठने लगे उमंग
गेसू मचलती घटा~जन्नत है तू गुलाब
मय से भरे दो नैन हैं~चितवन तू आफ़ताब
चेहरा है चाँद सा तेरा~~~~~~~~~~~~~~

तुझको बनाने वाला भी~ख़ुद पर है हैरां
सावन सा मस्त मौसम~तुझ पर मेहरबां
बल्ला हुस्न-ओ-जमाल~मिला क्या बेहिसाब
मय से भरे दो नैन हैं~चितवन तू आफ़ताब
चेहरा है चाँद सा तेरा~~~~~~~~~~~~~~

मीलों सा आसमान भी~सज़दे में झुक गया
चलता हुआ तूफां कहीं~रास्ते में रुक गया
श्रृंगार बिन रूप तेरा~सौन्दर्य की किताब
मय से भरे दो नैन हैं~चितवन तू आफ़ताब
चेहरा है चाँद सा तेरा~~~~~~~~~~~~~~

अंग-अंग तेरे हसीन ये~सांचे में हैं ढले
तक़दीर वाला होगा वो~जिसको तू मिले
इतनी ही क़सूर मेरा~लिखा तुझे माहताब
मय से भरे दो नैन हैं~चितवन तू आफ़ताब
चेहरा है चाँद सा तेरा~~~~~~~~~~~~~~

चुपके-चुपके से आकर इस दिल में

चुपके-चुपके से आकर~इस दिल में उतर जाते हो तुम
खुशबू जैसे साँसों में~बन के बिखर जाते हो तुम
चुपके-चुपके से आकर~~~~~~~~~~~~~~

मालूम नहीं ये हमको~कब आते और कब जाते हो
मुझे देख जाने जांना~घबराते और शरमाते हो
नज़दीक हमें बुलाकर~पल भर में बहक जाते हो तुम
खुशबू जैसे साँसों में~बन के बिखर जाते हो तुम
चुपके-चुपके से आकर~~~~~~~~~~~~~~

बढ़ जाती हमारी धड़कन~जब छूते हो गालों को
बिजली सी चमक जाती है~जब छूते चिकने शानों को
इत देखूँ या उत देखूँ~हरसू ही नज़र आते हो तुम
खुशबू जैसे साँसों में~बन के बिखर जाते हो तुम
चुपके-चुपके से आकर~~~~~~~~~~~~~~

चला जाता नहीं आगे~चलो बाहों में हमें उठाकर के
तुम्हें देंगे अनोखी दौलत~चलो तन्हाई में छिपाकर के
उठती-गिरती है चिलमन~दीवाने नज़र आते हो तुम
खुशबू जैसे साँसों में~बन के बिखर जाते हो तुम
चुपके-चुपके से आकर~~~~~~~~~~~~~~

समझाओ उल्फ़त वाला~अफसाना लिखें हम कैसे
क्यों बनाया तुमने अपना~अन्जाना लिखें हम कैसे
प्यार की जंग में आकर~इस दुनिया से डर जाते हो तुम
खुशबू जैसे साँसों में~बन के बिखर जाते हो तुम
चुपके-चुपके से आकर~~~~~~~~~~~~~~

चुपके-चुपके करें मुहब्बत तुम-हम

चुपके-चुपके करें मुहब्बत~तुम-हम~आ तुम-हम
तन्हा-तन्हा क्यों भी चलें~तुम-हम~आ तुम-हम
भीगेंगे बरसात में~और गायेंगे बरसात में
वादे करेंगे कई~और नाचेंगे बरसात में
चुपके-चुपके करें मुहब्बत~तुम-हम~आ तुम-हम
तन्हा-तन्हा क्यों भी चलें~तुम हम~आ तुम-हम

(M) भीगा-भीगा बदन~अंगड़ाई लेगी तू
दिन-रात ही तेरे सपने~खयालों में होगी तू
नज़ारों में होगी~बहारों में होगी~दीवानी होगी तू
नस-नस में होगी~पलकों में होगी~यादों में होगी तू
लम्हा-लम्हा करें शरारत~तुम हम~आ तुम हम
तन्हा-तन्हा क्यों भी चलें~तुम हम~आ तुम-हम

(F) जियरा बस में नहीं~तूने ये क्या कर दिया
पलकें झुकाये थी मैं~बाहों में भर लिया
इशारा न समझी~अभी तक मैं तेरा~अरे चाहता तू क्या
मुझे पाने की~तमन्ना है रखता~अरे माँगता तू क्या
रफ़्ता-रफ़्ता डगर ये कैसी~तुम हम~हाँ तुम-हम
तन्हा तन्हा क्यों भी चलें~तुम हम~आ तुम-हम

(M) सहमी-सहमी तू~आखिर क्या बात है
(F) लगने लगा है डर~माना हंसी रात है
(M) ए जानेतमन्ना~तेरे साथ मैं हूँ~तो लगता है कैसा डर
(F) बेबस मुझे~तूने कर दिया है~अपनी नहीं है ख़बर
(F+ M)
मिलकर क्यों न करें बगाबत~तुम हम~आ तुम-हम
तन्हा तन्हा क्यों भी चलें~तुम हम~आ तुम-हम

चुपचाप क्यों बैठे सनम

चुपचाप क्यों बैठे सनम~कुछ तो बयां अब कीजिए
कहिए जो हो शिकवा-गिला~न ही इम्तिहां अब लीजिए
चुपचाप क्यों बैठे सनम~~~~~~~~~~~~~~~~~

दामन न छोड़ देना~जब तक है ज़िन्दगानी
इस दिल ने तुमको चाहा~न ही ख़त्म हो कहानी
सागर मचल रहे हैं~कुछ हमपे हो मेहरबानी
इतने न दो हमको ज़ख़्म~कछ तो दवा अब कीजिए
कहिए जो हो शिकवा-गिला~न ही इम्तिहां अब लीजिए
चुपचाप क्यों बैठे सनम~~~~~~~~~~~~~~~~~

मुद्दत से इश्क़ तुमसे~अब दूरियाँ मिटा दो
बेवज़ह क्यों सिलसिले ये~मजबूरियाँ बता दो
दो कुछ भी जानेमन~बैचेनियाँ तो ना दो
तन्हा-तन्हा है सफ़र~मिलकर सदा अब कीजिए
कहिए जो हो शिकवा-गिला~न ही इम्तिहां अब लीजिए
चुपचाप क्यों बैठे सनम~~~~~~~~~~~~~~~~~

कब फिर से आओगे तुम~रह-रह कर देखते हैं
कदमों के हम निशां~रुक-रुक कर देखते हैं
तस्वीरें हम तुम्हारी~छिप-छिप कर देखते हैं
हमें घेरते हज़ारों ग़म~न ही इन्तहा अब कीजिए
कहिए जो हो शिकवा-गिला~न ही इम्तिहां अब लीजिए
चुपचाप क्यों बैठे सनम~~~~~~~~~~~~~~~~~

चुराकर शब्द तुम्हारे हम

चुराकर शब्द तुम्हारे हम~बहलाते रहते हैं दिल को
हम तो अपना हाल-ए-दिल~सुनाते रहते हैं तुमको
चुराकर शब्द तुम्हारे हम~~~~~~~~~~~~~~~

वो ज़िन्दगी ही क्या~जिसमें मुहब्बत न हो
वो आशिक़ी ही क्या~जिसमें क़यामत न हो
वो गीत ही है क्या~जिसमें न हो कोई सरगम
वो बन्दगी ही क्या~जिसमें इबादत न हो
हंसी लम्हें~कि थोड़े ग़म~बहलाते रहते हैं दिल को
हम तो अपना हाल-ए-दिल~सुनाते रहते हैं तुमको
चुराकर शब्द तुम्हारे हम~~~~~~~~~~~~~~~

न दोस्त कोई अपना~न दुश्मन कोई है यारो
सब रूठे-रूठे से हैं~हो शबनम जूही पारो
है गर्दिशों की धुंध~ग़म के हैं बहते नाले
हर मौसम पतझड़ सा~हो सावन या फिर भादो
लगाकर दाँव सभी के संग~बहलाते रहते हैं दिल को
हम तो अपना हाल-ए-दिल~सुनाते रहते हैं तुमको
चुराकर शब्द तुम्हारे हम~~~~~~~~~~~~~~~

गुजरता ही गया~बैचेनियों में जीवन
मेरे संग-संग चल रहा~नाक़ामियों का दरपन
सहे ज़ख़्म इतने~पर बदली न लकीरें
कि जुड़ता ही रहा~कैसा मगर ये बन्धन
करेंगे दोस्त न आँखें नम~बहलाते रहते हैं दिल को
हम तो अपना हाल-ए-दिल~सुनाते रहते हैं तुमको
चुराकर शब्द तुम्हारे हम~~~~~~~~~~~~~~~

चूमने को तेरा चेहरा

चूमने को तेरा चेहरा~कब से मैं बेताब हूँ
न खुली जो मुद्दतों से~वो ही मैं किताब हूँ
चूमने को तेरा चेहरा~~~~~~~~~~~~

फूल सा तेरा बदन~उस पर बिखरी चाँदनीं
मय से कजरारे नयन~लब से छलके शायरी
बेझिझक पूछती जा~प्रश्न तू मैं जबाब हूँ
न खुली जो मुद्दतों से~वो ही मैं किताब हूँ
चूमने को तेरा चेहरा~~~~~~~~~~~~

खिड़कियों से आ रही है~छन-छन के ठण्डी हवा
धड़कनें हुईं तेज सी~देखकर तेरी हर अदा
तू अगर कस्तूरी है तो~महका मैं गुलाब हूँ
न खुली जो मुद्दतों से~वो ही मैं किताब हूँ
चूमने को तेरा चेहरा~~~~~~~~~~~~

हर सुबह से शाम तलक~यादें तेरी आती हैं
रफ़्ता-रफ़्ता हाँ यही~दर्देदिल बन जाती हैं
देखने को तेरा यौवन~हो गया बेनकाब हूँ
न खुली जो मुद्दतों से~वो ही मैं किताब हूँ
चूमने को तेरा चेहरा~~~~~~~~~~~~

हर तमन्ना दिल की मेरे~खींचती तेरी तरफ
रोक लूँ कैसे कदम ये~है पिघलती ये बरफ
जख़्म ऐसा हो गया है~न भरा वो घाव हूँ
न खुली जो मुद्दतों से~वो ही मैं किताब हूँ
चूमने को तेरा चेहरा~~~~~~~~~~~~

चूमूँ मैं लब आ तेरे

चूमूँ मैं लब आ तेरे~हो कर के दीवाना~आगे रब जाने
लग जा गले से आकर~होने दे फ़साना~आगे रब जाने
चूमूँ मैं लब आ तेरे~हो कर के दीवाना~आगे रब जाने

ऋतु आज है सुहानी~मदहोश हैं फ़िज़ायें
मजबूर कर रही हैं~हमदम तेरी अदायें
गाऊँ मैं साथ आ तेरे~ये प्रेम का तराना~आगे रब जाने
लग जा गले से आकर~होने दे फ़साना~आगे रब जाने
चूमूँ मैं लब आ तेरे~हो कर के दीवाना~आगे रब जाने

आ मिल के पूरे कर लें~अरमां ये ज़िंदगी के
सदियों से थे जुदा हम~कहते भी क्या किसी से
बिखरा दे मुझपे गेसू~देखे भले ज़माना~आगे रब जाने
लग जा गले से आकर~होने दे फ़साना~आगे रब जाने
चूमूँ मैं लब आ तेरे~हो कर के दीवाना~आगे रब जाने

बातों में ढल न जाये~चन्द दिन की ये जवानी
संगीत पर मेरे अब~तेरी ही है कहानी
छेड़ें आ आज मिल के~कोई राग पुराना~आगे रब जाने
लग जा गले से आकर~होने दे फ़साना~आगे रब जाने
चूमूँ मैं लब आ तेरे~हो कर के दीवाना~आगे रब जाने

कब से बेताब दिल है~मिलना हुआ जरूरी
होंठों पे आ के अटकी~कोई बात है अधूरी
दिलकश बड़ा रंगी है~नैनों का मैख़ाना~आगे रब जाने
लग जा गले से आकर~होने दे फ़साना~आगे रब जाने
चूमूँ मैं लब आ तेरे~हो कर के दीवाना~आगे रब जाने

चोरी-चोरी छिप छिप के

चोरी-चोरी छिप-छिप के~रातों की तन्हाई में
अफ़साने लिखता हूँ~मैं तुझको जानेमन
आते-जाते रास्तों में~बेगाने जग वालों से
संभाले रखता हूँ~मैं दिल को जानेमन
चोरी-चोरी छिप-छिप के~~~~~~~~~~~~~~

देखूँ मैं जब तेरे जलवों को~धक-धक धड़कता मेरा दिल
गोरा-गोरा है मुखड़ा चाँद सा~नयना तेरे दो~हैं क़ातिल
निखरे-निखरे यौवन पे~जानम तेरे कदमों में
सज़दे ले करता हूँ~मैं तुझको जानेमन
आते-जाते रास्तों में~बेगाने जग वालों से
संभाले रखता हूँ~मैं दिल को जानेमन
चोरी-चोरी छिप-छिप के~~~~~~~~~~~~~~

खुद ही से तू है अन्जानी~संगेमरमर तेरी है काया
दीवाना तेरा मैं बन बैठा~तुझे देखे बिना न चैन आया
तन्हा-तन्हा बैठे-बैठे~तुझको ही सारा दिन
सोचा क्यों करता हूँ~मैं तुझको जानेमन
आते-जाते रास्तों में~बेगाने जग वालों से
संभाले रखता हूँ~मैं दिल को जानेमन
चोरी-चोरी छिप-छिप के~~~~~~~~~~~~~~

ऋतु सावन की आयी मस्तानी~ठंडी हवा चली पुरबाई
बाहें मैं फैलाये हूँ तेरे लिये~तू भी काहे को लेती अँगड़ाई
आहट तेरी सुन-सुन के~मतवाले इस दिल के
दे भी क्या सकता हूँ~मैं तुझको जानेमन
आते-जाते रास्तों में~बेगाने जग वालों से
संभाले रखता हूँ~मैं दिल को जानेमन
चोरी-चोरी छिप-छिप के~~~~~~~~~~~~~~

छिप-छिप के पढ़ती है

छिप-छिप के पढ़ती है वो मेरी पोस्ट
मन ही मन में मुस्काती है वो रोज
बिन्दास मुखड़ा है मंचली,नया ही कुछ कर जाती है रोज
छिप-छिप के पढ़ती है~~~~~~~~~~

नैना कजरारे-कजरारे जादू भरे
निकले जब सँवर हजारों मरें
शोख़ वो नाजनीं गोरा बदन
मतवालों का दिल कहो क्या करे
ज़िंदा वो शायर की कोई ग़ज़ल
नींद रातों की उड़ जाती है रोज
बिन्दास मुखड़ा है मंचली,नया ही कुछ कर जाती है रोज
छिप-छिप के पढ़ती है~~~~~~~~~~

जैसे पूनम की बिखरी हो चाँदनीं
खूबसूरत बड़ी वो है नाज़नीं
कैसी नाजुक-नाजुक वो है कली
वो जरूरत मेरी है हर घड़ी
दिल मेरा माँगे उसको मोर,पंछी की तरह उड़ जाती है रोज
बिन्दास मुखड़ा है मंचली,नया ही कुछ कर जाती है रोज
छिप-छिप के पढ़ती है~~~~~~~~~~

अधरों के उसपे मैं मर-मर गया
जादू कोई मुझ पर चल सा गया
मुझे अपना ही अब होश नहीं
बेकाबू कोई मुझे कर सा गया
ख़ामोशियों का ये सिलसिला
दिल पर वो तीर चलाती है रोज
बिन्दास मुखड़ा है मंचली,नया ही कुछ कर जाती है रोज
छिप-छिप के पढ़ती है~~~~~~~~~~

छोडेंगे न तेरा दामन चाहे रूठ जाये

छोडेंगे न तेरा दामन~चाहे रूठ जाये ज़माना
बाटेंगे सुख दुःख मिल के~बनेगा नया फ़साना
छोडेंगे न तेरा दामन~चाहे रूठ जाये ज़माना

नज़रें मिलाकर मस्ती में गायें
छुयें और छेड़ें नज़दीक़ आयें
अधरों से अधरों को मिलने दे
माँगी जो रब से जन्नत वह पायें
देखेंगे...जलेंगे दुश्मन~नहीं टूटेगा ये याराना
बाटेंगे सुख दुःख मिल के~बनेगा नया फ़साना
छोडेंगे न तेरा दामन~चाहे रूठ जाये ज़माना

फूलों सी नाज़ुक़ पतली कमरिया
कलियों के जैसी कमसिन उमरिया
समां बदलता नशीला यौवन
हुई तू है किसकी धुन में बाबरिया
बाधेंगे जन्मों का बन्धन~एक दूजे को लिख अफ़साना
बाटेंगे सुख दुःख मिल के~बनेगा नया फ़साना
छोडेंगे न तेरा दामन~चाहे रूठ जाये ज़माना

छोड़ हया ये बाहों में आ-जा
हमदम मेरे राहों में आ-जा
ज़िन्दगानी नाम तेरे लिखूँ
आये तो फिर लौट के ना-जा
चाँद सी गोरी तेरी चितवन~तुझपे मरने लगा दीवाना
बाटेंगे सुख दुःख मिल के~बनेगा नया फ़साना
छोडेंगे न तेरा दामन~चाहे रूठ जाये ज़माना

दिल आईना है अगर

दिल आईना है अगर~चेहरा किताब सा
आँखों की मस्तियाँ~प्याला शराब का
दिल आईना है अगर~~~~~~~

कुछ तो जबाब दीजिए~मेरे सवाल का
कैसे बयाँ करूँ तेरे~हुस्न 'ओ' जमाल का
जलवा कोई है अगर~नहीं भी आप सा
आँखों की मस्तियाँ~प्याला शराब का
दिल आईना है अगर~~~~~~~

काली घटायें बन गयीं~जुल्फ़ें बिखर-बिखर
तुझको रहा मैं ढूँढ़ता~तन्हा इधर-उधर
गालों की सुर्खियाँ ~गुल कोई गुलाब सा
आँखों की मस्तियाँ~प्याला शराब का
दिल आईना है अगर~~~~~~~

बहकें कहीं न कदम~ख़ुद को संभालिये
आओ करीब लम्हें कुछ~संग गुजारिये
माना कि जग को ख़बर~किस्सा जनाब का
आँखों की मस्तियाँ~प्याला शराब का
दिल आईना है अगर~~~~~~~

दिल की बेक़रारियाँ

दिल की बेक़रारियाँ समझने वाला चाहिए
मुझे मेरी तक़दीर को बदलने वाला चाहिए
दिल की बेक़रारियाँ~~~~~~~~~~~

वफ़ा के रास्ते में जो चले सदा मेरे संग-संग
कदम जहां मेरे पड़ें रुके वहीं मेरे संग-संग
उदास सी ख़ामोशियों को समझने वाला चाहिए
मुझे मेरी तक़दीर को बदलने वाला चाहिए
दिल की बेक़रारियाँ~~~~~~~~~~~

दिखे जहां तन्हाईयाँ आकर गले मुझसे लगे
जब प्यार मुझसे किया यह बात खुलकर के कहे
ग़म की हर ख़ुमारी को समझने वाला चाहिए
मुझे मेरी तक़दीर को बदलने वाला चाहिए
दिल की बेक़रारियाँ~~~~~~~~~~~

बंधन ये जनमों का है चंद लम्हों के लिये नहीं
टूटा न जो रिश्ता कभी ये जुड़ता है कभी कभी
वक़्त की मजबूरियों को समझने वाला चाहिए
मुझे मेरी तक़दीर को बदलने वाला चाहिए
दिल की बेक़रारियाँ~~~~~~~~~~~

लिया जो हाथ-हाथ में किस बात से लगता डर
ये रास्ता काँटों भरा अन्जाम की परवाह न कर
यार की बेगुनाहियाँ समझने वाला चाहिए
मुझे मेरी तक़दीर को बदलने वाला चाहिए
दिल की बेक़रारियाँ~~~~~~~~~~~

दिल की किताब कोरी है

दिल की किताब कोरी है~क्या मैं लिखूँ ए-जानेमन
कैसे अपना हाल लिखूँ~नहीं भी लगता है ये मन
दिल की किताब कोरी है~~~~~~~~~~

चलूँ मैं बन-ठन कर अकेली~नज़र मिलाये तू मनचला
निरा तू बुद्धू ये भी न जाने~है दर्देग़म की क्या दवा
ए-दिलरूबा तेरे जिगर में क्या~बुलन्दियों का ले मजा
खिलता गुलाब कोमल मैं~हूँ जलपरी मैं जानेमन
कैसे अपना हाल लिखूँ~नहीं भी लगता है ये मन
दिल की किताब कोरी है~~~~~~~~~~

देखा तुझे जब से मैंने~बदन के शोले हुए जवां
हुआ अभी कुछ है नहीं~उठा ये कैसा धुँआ-धुँआ
सुलग रही चिंगारियाँ~कि डस रही तन्हाईयाँ
लिखना ये अब जरूरी है~आहें भरूं मैं जानेमन
कैसे अपना हाल लिखूँ~नहीं भी लगता है ये मन
दिल की किताब कोरी है~~~~~~~~~~

पकड़ ले मेरी तू आ के बैयां~है मेरी किश्ती का तू खिवैया
लगा ये प्रेम का रोग कैसा~मैं तेरी राधा तू कन्हैया
तेरे बिना क्या ज़िंदगी~तू ही मेरी है हर खुशी
तुझसे मुझे मुहब्बत है~तुझको चुनूँ ए-जानेमन
कैसे अपना हाल लिखूँ~नहीं भी लगता है ये मन
दिल की किताब कोरी है~~~~~~~~~~

दिल के जख़्मों को दुःखाने

दिल के जख़्मों को दुःखाने~याद तेरी फिर आ गयी
मुंह छिपा के वो चली~शाम कैसी फिर आ गयी
दिल के जख़्मों को दुःखाने~~~~~~~~~~

कदम-कदम पर ज़िंदगी~इम्तिहां लेती रही
मुझे दिखा प्रीत के सपने~दस्तकें देती रही
दिल मेरा खिलौने जैसा~टूट कर बिखर गया
सोचते ही सोचते यूँ ही~रास्ता गुजर गया
रफ़्ता-रफ़्ता ज़िंदगी का~पाठ मुझे समझा गयी
मुंह छिपा के वो चली~शाम कैसी फिर आ गयी
दिल के जख़्मों को दुःखाने~~~~~~~~~~

कैसी उल्फ़त कैसी चाहत~चन्द लम्हों की दास्तां
कैसी मंजिल क्या किनारा~कौन है भी बेवफ़ा
अन्जाने ही क्या हुआ~कुछ ख़बर न हुई मुझे
दूर तलक कहीं अपनों का~कोई निशां न दिखा मुझे
ख़्वाबों में ही भूले से~पास मेरे क्यों आ गयी
मुंह छिपा के वो चली~शाम कैसी फिर आ गयी
दिल के जख़्मों को दुःखाने~~~~~~~~~~

जनम-जनम तक साथ रहने का~किया वादा कभी
दें दगा एक-दूजे को हम~न इरादा था कभी
कोरे कागज पर मैं उसका~नाम लिखता ही रहा
इस तरह उलझा ख़ुद ही~मैं भटकता ही रहा
कैसे थे भी वो ज़माने~रात भर तड़पा गयी
मुंह छिपा के वो चली~शाम कैसी फिर आ गयी
दिल के जख़्मों को दुःखाने~~~~~~~~~~

दिल के सिवा क्या भी है पास मेरे

दिल के सिवा,क्या भी है,पास मेरे,वो भी अपना नहीं
एक नज़र,देखा तुझे,ऐसा लगा,ये भी तो सपना नहीं
दिल के सिवा क्या भी है पास मेरे~~~~~~~~~~~~

सिर्फ आँसू ही आँसू और बैचेन जिगर
नाक़ाम सिलसिले,तूने फेरी जब नज़र
ऐसा भला,क्या राज़ है,यारा मेरे,जो कभी खुलता नहीं
एक नज़र,देखा तुझे,ऐसा लगा,ये भी तो सपना नहीं
दिल के सिवा क्या भी है पास मेरे~~~~~~~~~~~~

अब भी ज़िंदा है कहीं, तेरे कदमों के निशां
आँधियाँ लेकर उड़ी, बनता-बनता आशियाँ
दर्देजिगर,हद से बढ़ा,बहके कदम,क्यों भी तो शिकवा नहीं
एक नज़र,देखा तुझे,ऐसा लगा,ये भी तो सपना नहीं
दिल के सिवा क्या भी है पास मेरे~~~~~~~~~~~~

धड़कनें रुक सी गयीं, लेते-लेते तेरा नाम
रात-दिन एक हुए, लिखते-लिखते ये पैग़ाम
माना कि वो,नज़दीक है,आज भी,क्यों भी वो दिखता नहीं
एक नज़र,देखा तुझे,ऐसा लगा,ये भी तो सपना नहीं
दिल के सिवा क्या भी है पास मेरे~~~~~~~~~~~~

दरमियाँ आया कोई, दुश्मनों की तरह
कैसा सामां दे गया, उलझनों की तरह
करके जुदा,क्या मिला,इसका उसे,है मलाल इतना नहीं
एक नज़र,देखा तुझे,ऐसा लगा,ये भी तो सपना नहीं
दिल के सिवा क्या भी है पास मेरे~~~~~~~~~~~~

दिल कैसे न हो बेक़रार

दिल कैसे न हो बेक़रार~जब सामने सूरत तेरी
गोरा मुखड़ा आफ़ताब~बड़ी दिलक़श आँखें तेरी
दिल कैसे न हो बेक़रार~~~~~~~~~~~~~~

ज़िंदगी में अगर तू मेरी आये~ख़्वाबों में ही सही
खुले किस्मत मेरी क्या पता~आये सांसों में भी कभी
हक़ीक़त में हो दीदार~तब बिगड़े न नीयत मेरी
गोरा मुखड़ा आफ़ताब~बड़ी दिलक़श आँखें तेरी
दिल कैसे न हो बेक़रार~~~~~~~~~~~~~~

घनी जुल्फ़ों की छाँव में~लिखूँ ऐसा मैं फ़लसफ़ा
लब मय के प्याले भरे~नहीं ऐसा कोई मयक़दा
झूठा-झूठा लगे श्रृंगार~जब सामने हो जलपरी
गोरा मुखड़ा आफ़ताब~बड़ी दिलक़श आँखें तेरी
दिल कैसे न हो बेक़रार~~~~~~~~~~~~~~

सोचता हूँ ख़यालों में मैं~तुझे क्या नाम दूँ गुलबदन
खुशबुओं से लबालब लगे~अंग-अंग तेरा चन्दन
साँचे में ढली तू नार~बड़ी भोली मूरत तेरी
गोरा मुखड़ा आफ़ताब~बड़ी दिलक़श आँखें तेरी
दिल कैसे न हो बेक़रार~~~~~~~~~~~~~~

सोया-साया था नींदों में~जाग उठा कहीं बाँकपन
हुए उल्फ़त के शोले जवां~देख ऐसी हंसी चितवन
कब होगा तुझसे क़रार~कैसे पाऊँ मैं चाहत तेरी
गोरा मुखड़ा आफ़ताब~बड़ी दिलक़श आँखें तेरी
दिल कैसे न हो बेक़रार~~~~~~~~~~~~~~

दिल को मिलता है सकूँ

दिल को मिलता है सकूँ~सरब़्श वो तुम ही तो हो
इतना कुछ मैंने कहा~लफ़्ज़ दो तुम भी कहो
दिल को मिलता है सकूँ~~~~~~~~~~~~~~

नहीं है ख़ुद पर भरोसा~देखा है जब से तुम्हें
यकीन तुमपे किया~चाहा है जब से तुम्हें
उठा के हाथ ये दोनों~माँगा है रब से तुम्हें
जिसका मुझपे है ख़ुमार~सरब़्श वो तुम ही तो हो
इतना कुछ मैंने कहा~लफ़्ज़ दो तुम भी कहो
दिल को मिलता है सकूँ~~~~~~~~~~~~~~

हैं शब(रात) गुजारने को काफी~ये बातें चंद तेरी
कि खोल रखना तू खिड़की~तू आँखों में मेरी
मिलन की राह में बेकल~हैं सांसें आज मेरी
जिसको सज़दा मैं करूँ~सरब़्श वो तुम ही तो हो
इतना कुछ मैंने कहा~लफ़्ज़ दो तुम भी कहो
दिल को मिलता है सकूँ~~~~~~~~~~~~~~

चमन के फूलों पे रंगत~चले भी तुम आओ
झुकाये बैठी मैं पलकें~तुम आ के छा जाओ
लिखे हैं तुमने जो नग़में~वो सुर में तुम गाओ
जिसपे कुरबां जां मैं करूँ~सरब़्श वो तुम ही तो हो
इतना कुछ मैंने कहा~लफ़्ज़ दो तुम भी कहो
दिल को मिलता है सकूँ~~~~~~~~~~~~~~

दिल में तू बसी है कब से

दिल में तू बसी है कब से~रूबरू आज तुझसे हुआ हूँ
क्या ग़ज़ब मुकद्दर है मेरा~जुस्तजू में मैं कब से चला हूँ
दिल में तू बसी है कब से~~~~~~~~~~~~

तेरी चाहत में बन~दीवाना गया
रोज़ उल्फ़त में बन~फ़साना गया
मंजिल का मुझे~न ही अपना पता
रोज़ लिखता मगर~अफ़साना गया
दिलरूबा पशेमां हूँ खुद से~बन्दगी तेरी करने रुका हूँ
क्या ग़ज़ब मुकद्दर है मेरा~जुस्तजू में मैं कब से चला हूँ
दिल में तू बसी है कब से~~~~~~~~~~~~

तुझसे जनमों का~कोई नाता मेरा
सिर्फ चेहरा ही दिल में~बसा था तेरा
तेरी आहट को पल-पल~तड़पता था दिल
दर्द कैसा यह मुझको~मिला था तेरा
जी रहा था यूँ ही मर-मर के~जीने आज फिर से लगा हूँ
क्या ग़ज़ब मुकद्दर है मेरा~जुस्तजू में मैं कब से चला हूँ
दिल में तू बसी है कब से~~~~~~~~~~~~

लगा साहिल नज़दीक~आया है अब
अपना कोई क़रीब~आया है अब
दिल खुशी से मेरा~आज पागल हुआ
कहाँ मुझको नसीब~लाया है अब
जिस्म दो एक हो जायें फिर से~कर रहा मैं कब से दुआ हूँ
क्या ग़ज़ब मुकद्दर है मेरा~जुस्तजू में मैं कब से चला हूँ
दिल में तू बसी है कब से~~~~~~~~~~~~

दिल ये घबराये है जां ये

दिल ये घबराये है~जां ये चली जाये न
जानेजां... ए-सनम~जानेजां... ए-सनम~दिल ये~~~~~

भीगा सा मौसम जवां हैं नज़ारे
समझ न पाये तू क्यों इशारे
खोले घूँघट हैं कलियों ने देख
आ-जा बदल किस्मत का लेख
हो भी चुका बहुत यह खेल
काहे शरमाये है अब तो रहा जाये न
जानेजां... ए-सनम~जानेजां... ए-सनम~दिल ये~~~~~

शमा सी मचलती तेरी ये जवानी
शुरू अभी हुई है प्रेम कहानी
जन्नत से उतरी परी जैसी तू
जैसा मैं समझता हाँ वही है तू
पल-पल बदलते मौसमों सी तू
तन्हा-तन्हा रातों में निन्दिया आये न
जानेजां... ए-सनम~जानेजां... ए-सनम~दिल ये~~~~~

गोरा-गोरा मुख लटें हैं घटा सी
है भी तू मल्लिका हुस्न ज़हां की
लाऊँगा सितारे तोड़ मैं तेरे लिये
दूंगा मैं रस्में छोड़ तेरे ही लिये
लिखूँगा अफ़साने और मैं तेरे लिये
और क्या लिखवाये है याद आये न
जानेजां... ए-सनम~जानेजां... ए-सनम~दिल ये~~~~~

दिल ये कहे मुझसे मेरा

दिल ये कहे मुझसे मेरा~तू है मेरी-तू है मेरी...मेरी महबूबा
गोरा मुख,चाँद बदन,बंध गई तुझसे,कैसी डोरी-मेरी महबूबा
दिल ये कहे मुझसे मेरा~तू है मेरी-तू है मेरी...मेरी महबूबा

पलकों पर बिठाऊँगा जनम-जनम
सज़दे सिर झुकाऊँगा मेरे सनम
चाहूँगा तुझे मैं जैसे चाँद-चकोर
जन्नत मैं दिखाऊँगा मेरे सनम
तुझसे कोई है रिश्ता मेरा,तू है मेरी-तू है मेरी...मेरी महबूबा
गोरा मुख,चाँद बदन,बंध गई तुझसे,कैसी डोरी-मेरी महबूबा
दिल ये कहे मुझसे मेरा~तू है मेरी-तू है मेरी...मेरी महबूबा

बनवाऊँगा सपनों का शीशमहल
कितना हंसीन होगा यह सफ़र
तेरे सिवा दूजा कोई दिल में नहीं
ये सब तेरी अदाओं का असर
अफ़साना सुन ये मेरा,तू है मेरी-तू है मेरी...मेरी महबूबा
गोरा मुख,चाँद बदन,बंध गई तुझसे,कैसी डोरी-मेरी महबूबा
दिल ये कहे मुझसे मेरा~तू है मेरी-तू है मेरी...मेरी महबूबा

नयना कजरारे तेरे जादू भरे
अधर अंगारे तेरे बेक़ाबू करें
घिर-घिर आये जब ज़ुल्फ़ का सावन
ठण्डी-ठण्डी आहें दीवाना भरे
बैचेन ये दिल है मेरा,तू है मेरी-तू है मेरी...मेरी महबूबा
गोरा मुख,चाँद बदन,बंध गई तुझसे,कैसी डोरी-मेरी महबूबा
दिल ये कहे मुझसे मेरा~तू है मेरी-तू है मेरी...मेरी महबूबा

दिल तो तेरे नाम लिखा

(F) दिल तो तेरे नाम लिखा और तुझे भला क्या मैं दूँ
दिल तो तेरे नाम लिखा और तुझे भला क्या मैं दूँ
आ-जा...इक़रार तू कर
जानम...जानम...जानम~कि प्यार में तेरे पागल हूँ
(M) दिल तो तेरे नाम लिखा और तुझे भला क्या मैं दूँ
दिल तो तेरे नाम लिखा और तुझे भला क्या मैं दूँ
आ-जा...इक़रार तू कर
जानम...जानम...जानम~कि जल्वों से तेरे घायल हूँ
(F+M)दिल तो तेरे नाम लिखा और तुझे भला क्या मैं दूँ

(F) दिल का तू दिलवाला~मन का मीत मतवाला
दिल का तू दिलवाला~मन का मीत मतवाला
बस गया मेरी नस-नस में~कब से बेक़रार मैं हूँ
जानम...जानम...जानम कि याद में तेरी घायल हूँ
(F) दिल तो तेरे नाम लिखा और तुझे भला क्या मैं दूँ
(M) दिल तो तेरे नाम लिखा और तुझे भला क्या मैं दूँ

(M) तू मेरी तक़दीर सनम~मैं तेरी तकदीर हूँ
तू मेरी तक़दीर सनम~मैं तेरी तकदीर हूँ
पाने को तेरा प्यार मैं~सदियों जिये जाऊँगा
जानम...जानम...जानम कि आँख का तेरी काजल हूँ
(F) दिल तो तेरे नाम लिखा और तुझे भला क्या मैं दूँ
(M) दिल तो तेरे नाम लिखा और तुझे भला क्या मैं दूँ
(F) आ जा...(M) आ जा...आ-जा...इक़रार तू कर
(F) जानम...जानम...जानम~कि प्यार में तेरे पागल हूँ
(M) आ-जा...इक़रार तू कर
जानम...जानम...जानम~कि जल्वों से तेरे घायल हूँ
(M+F) दिल तो तेरे......नाम लिखा
और तुझे भला क्या मैं दूँ

दिल तोड़ दिया जिसने

दिल तोड़ दिया जिसने~मुझे प्यार उसी से है
उल्फ़त का सहमा-सहमा~इक़रार उसी से है
दिल तोड़ दिया जिसने~~~~~~~~~~~~~~~

लम्हों की तरह वो महफ़ूज है आँखों में
पाने का उसको ही मनसूब है आँखों में
ढूँढा करता हूँ मैं वही नाम किताबों में
मुंह मोड़ लिया जिसने~ऐतबार उसी पे है
उल्फ़त का सहमा-सहमा~इक़रार उसी से है
दिल तोड़ दिया जिसने~~~~~~~~~~~~~~~

उसके जैसे दिलबर मुझे रोज मिलते हैं
बागों में खुशबू ले गुल रोज़ खिलते हैं
कर-कर के पलकें नम दिन रोज ढलते हैं
ग़म और दिया जिसने~यह जंग उसी से है
उल्फ़त का सहमा-सहमा~इक़रार उसी से है
दिल तोड़ दिया जिसने~~~~~~~~~~~~~~~

रूठे गर साथी तो संगीत नहीं बनता
यह ऐसा रिश्ता है हर रोज़ नहीं जुड़ता
माटी में गिरता जो उसे कोई नहीं चुनता
इल्ज़ाम दिया जिसने~संसार उसी से है
उल्फ़त का सहमा-सहमा~इक़रार उसी से है
दिल तोड़ दिया जिसने~~~~~~~~~~~~~~~

धक-धक करे मेरा दिल पिया

धक-धक करे मेरा दिल पिया~तुझ बिन कहीं लागे न जिया
आ जा रे...आ जा रे... बेकरार दिल सनम
तेरे लिये...तेरे लिये...तेरे लिये है

है तेरी हर बात अच्छी~है तेरी अदा निराली
है तू ही अरमान मेरा~मैं तेरी जन्मों की दासी
अब तुझे कैसे मनाऊँ~सदियाँ गुजरी हूँ मैं प्यासी
छम-छम करे मेरी पायलिया~तुझ बिन कहीं लागे न जिया
आ जा रे...आ जा रे... बेकरार दिल सनम
तेरे लिये...तेरे लिये...तेरे लिये है

रातों की लम्बी तन्हाई~जानेजां ज़ालिम अँगड़ाई
रूठी है तक़दीर मेरी~बेवज़ह हुई है रुसबाई
जी रही आँसू मैं पीकर~क्या करूं अब जा पे आई
खन-खन करे हाथों के कंगना~तुझ बिन कहीं लागे न जिया
आ जा रे...आ जा रे... बेकरार दिल सनम
तेरे लिये...तेरे लिये...तेरे लिये है

अधरों की लाली है सूखी~तुझसे अब आस है टूटी
बंध गयी जंजीर में कैसी~डोर ये विश्वास की टूटी
न कोई अब रास्ता है~दास्तां मेरी है अनूठी
हमदम मेरे हुई बाबरिया~तुझ बिन कहीं लागे न जिया
आ जा रे...आ जा रे... बेकरार दिल सनम
तेरे लिये...तेरे लिये...तेरे लिये है

दिन में सौ-सौ बार याद करती

दिन में सौ-सौ बार याद करती तुझे~याद करती तुझे
कर ये ऐतबार प्यार करती तुझे~प्यार करती तुझे
दिन में सौ-सौ बार~~~~~~~~~~~~

दुनिया की नज़र न लगे तुझे~आ पलकों में बंद कर लूँ
तुझे पाने का मक़सद अब मेरा~सारे जग से मैं लड़ लूँ
अँखियाँ ये दो चार तुझसे करनी मुझे~तुझसे करनी मुझे
कर ये ऐतबार प्यार करती तुझे~प्यार करती तुझे
दिन में सौ-सौ बार~~~~~~~~~~~~

मतवारे दो कारे मेरे नयन~चन्दन सा दिलकश मेरा बदन
फूलों सी महकती एक-एक अदा~साँचे में ढला मेरा अंग-अंग
कह दे न एक बार कैसी लगती तुझे~कैसी लगती तुझे
कर ये ऐतबार प्यार करती तुझे~प्यार करती तुझे
दिन में सौ-सौ बार~~~~~~~~~~~~

बाहों में उठा ले चल कहीं~तुझ पर कर लिया पूरा यकीं
अंग अपने लगा~दिल मेरा तू ले~बेकाबू जिया बस में नहीं
कर न बेक़रार सुबह तकती तुझे~शाम तकती तुझे
कर ये ऐतबार प्यार करती तुझे...प्यार करती तुझे
दिन में सौ-सौ बार~~~~~~~~~~~~

रूहों का मिलन हो जाने तू दे~आयी तेरे लिये अपना तू ले
दीया बाती जैसे हम-तुम मिलें~कहीं मुझसे सही करवा तू ले
कैसे मैं दिलदार भूल सकती तुझे~भूल सकती तुझे
कर ये ऐतबार प्यार करती तुझे~प्यार करती तुझे
दिन में सौ-सौ बार~~~~~~~~~~~~

दीवाना बन किसी के ख़ातिर

दीवाना बन किसी के ख़ातिर~तन्हाईयों में रखा भी क्या है
दीवाना बन किसी के ख़ातिर~तन्हाईयों में रखा भी क्या है
ये बाँकपन है चार दिन का~अँगड़ाईयों में रखा भी क्या है
दीवाना बन~~~~~~~~~~~~~~~~~~~~~~~~

कदम ये पीछे हटे न डर से~बिगाड़ लेगा क्या ज़माना
पहुंच ज़हां में ऊँचाईयों पे~रुसवाईयों में रखा भी क्या है
दीवाना बन किसी के ख़ातिर~तन्हाईयों में रखा भी क्या है
दीवाना बन~~~~~~~~~~~~~~~~~~~~~~~~

हंसेगा तू गर हंसेंगी कलियाँ~लायेगी रंगत तेरी मुहब्बत
क़रार आयेगा प्यासे दिल को~उदासियों में रखा भी क्या है
दीवाना बन किसी के ख़ातिर~तन्हाईयों में रखा भी क्या है
दीवाना बन~~~~~~~~~~~~~~~~~~~~~~~~

उड़ा दे पिंजड़े से आज पंछी~न दे सजा किसी को इतनी
फ़साना दिल कब तक लिखेगा,रूबाईयों में रखा भी क्या है
दीवाना बन किसी के ख़ातिर~तन्हाईयों में रखा भी क्या है
दीवाना बन~~~~~~~~~~~~~~~~~~~~~~~~

मुक़ाम पाना ही ज़िंदगी है~मिटा न हाथों की लक़ीरें
बना कहीं पर यहीं ठिकाना~नादानियों में रखा भी क्या है
दीवाना बन किसी के ख़ातिर~तन्हाईयों में रखा भी क्या है
दीवाना बन~~~~~~~~~~~~~~~~~~~~~~~~

दीवाना मैं आपका हो गया

दीवाना मैं, आपका, हो गया, जानेजिगर ए-दिलरूबा
दीवाना मैं, आपका, हो गया,जानेजिगर ए-दिलरूबा
जानेजिगर ए-दिलरूबा

फूलों सी नरम-नरम मचलती जवानी, मचलती जवानी
शाम सी कदम-कदम बदलती कहानी, बदलती कहानी
अदायें तेरी, सबसे अलग, बफ़ायें तेरी,सबसे जुदा
दीवाना मैं,आपका,हो गया,जानेजिगर ए-दिलरूबा
जानेजिगर ए-दिलरूबा

आशिकी के रंग में रंगा ये फ़साना, रंगा ये फ़साना
ज़िन्दगी के फ़लसफ़े कहेगा ज़माना, कहेगा ज़माना
मैखाना नैन, पतली कमर, लगती तेरी, ज़ुल्फ़ें घटा
दीवाना मैं, आपका,हो गया, जानेजिगर ए-दिलरूबा
जानेजिगर ए-दिलरूबा

चूम लूँ आ जानेजां होंठों की लाली,होंठों की लाली
बन्दगी में आपकी पलकें झुका ली, पलकें झुका ली
जिगर आपका, जां आपकी, तुम्हारे सिवा जाना कहाँ
दीवाना मैं, आपका, हो गया, जानेजिगर ए-दिलरूबा
जानेजिगर ए-दिलरूबा
दीवाना मैं, आपका, हो गया, जानेजिगर ए-दिलरूबा
जानेजिगर ए-दिलरूबा~जानेजिगर ए-दिलरूबा

दूर-दूर रहकर भी तुझसे

दूर-दूर रहकर भी तुझसे रहा न जाये
पास आऊँ जो तेरे कुछ कहा न जाये
जब-जब हम-तुम मिले तन्हा-तन्हा
दोनों ही हाल-ए-दिल सुना न पाये~दूर दूर रहकर....

सुबह उठते ही नज़रें तलाशें तुझे
दिल की हर धड़कन पुकारे तुझे
तस्वीरों में ही केवल निहारूँ तुझे
कैसे इन जख़्मों को दिखाऊँ तुझे
अभी जी भर के नज़रें मिला नहीं पाये
कसमें जो खायी वो निभा नहीं पाये
जब-जब हम-तुम मिले तन्हा-२ दोनों ही हाल-ए-दिल......

जलवों ने तेरे हमदम दीवाना किया
तूने भी रोज़ नया एक बहाना किया
पाने की तुझको जब आयी वो घड़ी
हाथों में शमशीर ले दुनिया खड़ी
अन्जाने राज-ए-दिल छिपा नहीं पाये
चीर के दिल को दिखा नहीं पाये
जब-जब हम-तुम मिले तन्हा-२ दोनों ही हाल-ए-दिल......

ऊपरवाले ने लिखी क्या किस्मत मेरी
मुझको ही ले डूबी यह उल्फ़त मेरी
मन ही मन में ख़ुद ही मचलता रहा
अपना मैं रब उसको समझता रहा
जंजीरों से बन्धन ये मना नहीं पाये
जन्मों की प्यास प्रेमी बुझा नहीं पाये
जब-जब हम-तुम मिले तन्हा-२ दोनों ही हाल-ए-दिल......

दूरियों का ग़म नहीं

दूरियों का ग़म नहीं~अगर फ़ासले दिल में न हों
कैसी ये नज़दीकियां~अगर जगह दिल में न हो
दूरियों का ग़म नहीं~~~~~~~~~~~~~~~~~~

सिर्फ़ रंगीले फैशन से~इंसा की पहचान नहीं
दौलत और नज़ाक़त से~हो इतना हैरान नहीं
न भी कर उसका यकीं~अगर संग जो ग़म में न हो
कैसी ये नज़दीकियां~अगर जगह दिल में न हो
दूरियों का ग़म नहीं~~~~~~~~~~~~~~~~~~

जीतना दिल चाहता है~जीत ले ज़ुवान से
क्या मिला तक़रार कर~व्यर्थ के अभिमान से
खुशियाँ हैं कम नहीं~अगर आदमी जिद में न हो
कैसी ये नज़दीकियां~अगर जगह दिल में न हो
दूरियों का ग़म नहीं~~~~~~~~~~~~~~~~~~

जो मिलना वो मिलना है~मिलेगा तदवीर से
नहीं मिला फिर है क्या ग़म~पायेगा तक़दीर से
ख़ुद ही पर कर यकीं~मगर हौंसले कम ये न हों
कैसी ये नज़दीकियां~अगर जगह दिल में न हो
दूरियों का ग़म नहीं~~~~~~~~~~~~~~~~~~

बनता फिरता बाज़ीगर~वक़्त से जाता पल-पल डर
पाँव तले हैं चीटियाँ~रौब ज़माता है किस पर
जानता तू कुछ नहीं~प्रेम भावना मन में न हो
कैसी ये नज़दीकियां~अगर जगह दिल में न हो
दूरियों का ग़म नहीं~~~~~~~~~~~~~~~~~~

देखा है जब से जानेजां तुझको

देखा है जब से~जानेजां तुझको
दिल मेरा बेक़रार है
धड़कन में तू ही तू~~~बस तेरा इन्तज़ार है
देखा है जब से~~~~~~~~~~~~~~~~~

काहे की अब है दूरी~आ-जा गले लगा लूँ
तुझको मैं तुझसे जानम
गर कहे तो चुरा लूँ,गर कहे तो चुरा लूँ
भूला मैं दुनिया~मिली तुझसे अँखियाँ
एक तेरा ऐतबार है
धड़कन में तू ही तू~~~बस तेरा इन्तज़ार है
देखा है जब से~~~~~~~~~~~~~~~~~

पलकों में बन्द करके,रखूंगा तुझे छिपा के
उल्फ़त के सारे नग़में,लिखूँगा पास बिठा के
लिखूँगा पास बिठा के
तू जानेतमन्ना,तू जानेजिगर,तू ही मेरा क़रार है
धड़कन में तू ही तू~~~बस तेरा इन्तज़ार है
देखा है जब से~~~~~~~~~~~~~~~~~

फूलों सी महकी-महकी~नादां तेरी जवानी
लिखेंगे हल्के-हल्के,मिलकर नयी कहानी
मिलकर नयी कहानी
सदियों में दुबारा,संगम अब होगा मदमायी बहार है
धड़कन में तू ही तू~~~बस तेरा इन्तज़ार है
देखा है जब से~~~~~~~~~~~~~~~~~

दो बातें उनसे हमने क्या की

दो बातें उनसे~हमने क्या की
दर्द-ए-जिगर दे गये~दीवाने हम हो गये
अच्छी लगी~ये दिल की लगी
दिल का सकूं ले गये~दीवाने हम हो गये
दो बातें उनसे~हमने क्या की
दर्द-ए-जिगर दे गये~दीवाने हम हो गये

रूबरू उनको देखा था जब~हमको रही न अपनी ख़बर
गाल गुलाबी परियों सा नूर~झुकी-झुकी क्या ख़ूब नज़र
अँखियाँ थी क्या मयख़ाने सी~क़ातिल अदा शरमाने की
कभी हम देखें उधर~कभी वो देखें इधर
शरारत कैसे न हो~चला वो तीर-ए-नज़र
चार आँखें उनसे~हमने क्या की
जिस्म से जां ले गये~दीवाने हम हो गये
अच्छी लगी~ये दिल की लगी
दिल का सकूं ले गये~दीवाने हम हो गये
दो बातें उनसे~हमने क्या की
दर्द-ए-जिगर दे गये~दीवाने हम हो गये

बिन्दासियाँ और चेहरा मासूम~न ही पता न नाम मालूम
चन्दन सा महका यारों बदन~हम पर चढ़ा ये कैसा ज़ुनून
सपने हजार मचलने लगे~उनके लिये हम सँवरने लगे
बने हम आवारा~चले आगे और पीछे
अँखियाँ बन्द क्या कीं~हर सू वो ही दीखे
बल्ला ये कैसी~मुलाक़ात थी
जाने किधर वो गये~दीवाने हम हो गये
अच्छी लगी~ये दिल की लगी
दिल का सकूं ले गये~दीवाने हम हो गये
दो बातें उनसे~हमने क्या की
दर्द-ए-जिगर दे गये~दीवाने हम हो गये

दोस्ती हमारी है ये मरजी तुम्हारी है

दोस्ती हमारी है ये मरजी तुम्हारी है
कितनी दिलक़श शायरी तुम्हारी है
सुबह हो या शाम दिल बहलायेंगे
तस्वीर एक तेरी दिल में उतारी है
दोस्ती हमारी है ये मरजी तुम्हारी है~~~~~~~~~~~~

चंचल चितवन चुराती दिल~जीना हुआ मेरा मुश्किल
नयना मय के हैं प्याले दो~कैसे रहे क़ाबू में दिल
ज़ुल्फ़ घटाओं सी जानम तुम्हारी है
प्यार ही प्यार दास्तां हमारी है
सुबह हो या शाम दिल बहलायेंगे,तस्वीर एक तेरी~~~~
दोस्ती हमारी है ये मरजी तुम्हारी है~~~~~~~~~~~

मन को लुभाये नशीला बदन~देख तुझे गुलज़ार चमन
बाहों में भर लूँ तमन्ना मेरी~दे मुझको एहसास के पल
पाकर के खोना ही किस्मत हमारी है
रखी जो है पास मूरत यार तुम्हारी है
सुबह हो या शाम दिल बहलायेंगे,तस्वीर एक तेरी~~~~
दोस्ती हमारी है ये मरजी तुम्हारी है~~~~~~~~~~~

ख़ुद अपनी पहचान नहीं~तू है बड़ी नादान अभी
उल्फ़त तो अन्जान सफ़र~पूरे न होंगे अरमान कभी
ख़त्म न हो कभी ऐसी ख़ुमारी है
बेसबब बेवज़ह दिल्लगी तुम्हारी है
सुबह हो या शाम दिल बहलायेंगे,तस्वीर एक तेरी~~~~
दोस्ती हमारी है ये मरजी तुम्हारी है~~~~~~~~~~~

धड़कन मेरी तू बात ये कैसे कहूँ

धड़कन मेरी तू~बात ये कैसे कहूँ
प्यार तुझे करता मैं हूँ~इल्तज़ा में है तू
जानेजिगर आई लव यू~जानेजिगर आई लव यू
धड़कन मेरी तू~बात ये कैसे कहूँ~~~~~~~~~

ज़िंदगानी मैंने~नाम तेरे लिखी
तू तो दिल में मेरे~जाने कब से बसी
फूल सा मुख तेरा~होंठ तेरे कमल
तू है ताज़ा ग़ज़ल~तू है वो दिलनशीं
ज़न्नत मेरी तू~राज़ ये कैसे कहूँ
याद तुझे करता मैं हूँ~इन्तहा मेरी तू
जानेजिगर आई लव यू~जानेजिगर आई लव यू
धड़कन मेरी तू~बात ये कैसे कहूँ~~~~~~~~~

उम्र भर मैं तुझे~देखता यूँ रहूँ
सह के लाखों सितम~चाहता मैं रहूँ
तन्हा-तन्हा सफर~अब गुजरता नहीं
तुझ संग बंधन की डोर~बाँधता मैं रहूँ
ख़्वाब मेरा है तू~बस यही आरजू
दम तेरा भरता मैं हूँ~इम्तिहां हर मैं दूँ
जानेजिगर आई लव यू~जानेजिगर आई लव यू
धड़कन मेरी तू~बात ये कैसे कहूँ~~~~~~~~~

बात उल्फ़त की है~मामला प्यार का
तोड़ न दिल सनम~अपने दिलदार का
हर लम्हा मैं तुझे~सोचने अब लगा
दे सिला सनम~मुझको इन्तज़ार का
चाहत मेरी तू~कब से बैचेन हूँ
ख़त तुझे लिखता मैं हूँ~समझे न पर ये तू
जानेजिगर आई लव यू~जानेजिगर आई लव यू
धड़कन मेरी तू~बात ये कैसे कहूँ~~~~~~~~~

धड़कन-धड़कन में तू समायी

धड़कन-धड़कन में तू समाई है सनम
तेरे अंग-अंग में अंगड़ाई है सनम
धड़कन-धड़कन में~~~~~~~~~~~~~~

अरमान था जिसको पाने का~तू वो ही मेरी लालपरी
जिन मस्त अदाओं पर मैं मरा~तू वो है हुस्नकली
गलियों-गलियों में तू ही छाई है सनम
तेरे अंग-अंग में अंगड़ाई है सनम
धड़कन-धड़कन में~~~~~~~~~~~~~~

मन मचल गया जानेजां~मय सी शराबी अँखियाँ देख
दिन गुजर गया जानेमन~तेरे बिखरे गेसू पल-पल देख
गुलशन-गुलशन में तू शरमाई है सनम
तेरे अंग-अंग में अंगड़ाई है सनम
धड़कन-धड़कन में~~~~~~~~~~~~~~

दे छोड़ ये दुनिया की बातें~बन जा मेरी दिलरूबा
दे सौंप मुझे ये तन-मन तू~करता मैं तुझसे ये सदा
आग ऐसी क्यों लगाई है सनम
तेरे अंग-अंग में अंगड़ाई है सनम
धड़कन-धड़कन में~~~~~~~~~~~~~~

चन्द लम्हें मिल तन्हाई में~देखे से दिल नहीं भरता
दो से एक अब हो जाने दे~ज़ालिम वक़्त नहीं कटता
या फिर कह दे, तू पराई है सनम
तेरे अंग-अंग में अंगड़ाई है सनम
धड़कन-धड़कन में~~~~~~~~~~~~~~

धड़कनों में आते हैं बदलाब

धड़कनों में आते हैं बदलाब~अजीब-अजीब से
रफ़्ता-रफ़्ता आया कैसा दौर~न देखो क़रीब से
धड़कनों में आते हैं बदलाब~~~~~~~~~~~

बेख़ुदी में हर कदम हम~डरते-डरते रख रहे
क्या भला है क्या बुरा~धीरे-धीरे समझ रहे
सारी शब भर आते हैं हमें ख़्वाब~अजीब-अजीब से
रफ़्ता-रफ़्ता आया कैसा दौर~न देखो क़रीब से
धड़कनों में आते हैं बदलाब~~~~~~~~~~~

बेक़रारी हद से ज्यादा~जां की दुश्मन बन रही
है ख़ुमारी भी ये कैसी~हरदम उलझन बन रही
चिलमनों में होते हैं इन्तख़ाब~अजीब-अजीब से
रफ़्ता-रफ़्ता आया कैसा दौर~न देखो क़रीब से
धड़कनों में आते हैं बदलाब~~~~~~~~~~~

ऐसे-कैसे सबको कह दें~यारों अब तख़लिया
नामुमकिन है ये कहना~किसको हमने दिल दिया
ख़्वाब भी तो आते हैं बेहिसाब~अजीब-अजीब से
रफ़्ता-रफ़्ता आया कैसा दौर~न देखो क़रीब से
धड़कनों में आते हैं बदलाब~~~~~~~~~~~

सोचता है ये ज़माना~अब जवां हम हो गये
छेड़ता है राग पुराना~फ़लसफ़ा हम हो गये
तोहफ़े में वो भेजते हैं गुलाब~अजीब-अजीब से
रफ़्ता-रफ़्ता आया कैसा दौर~न देखो क़रीब से
धड़कनों में आते हैं बदलाब~~~~~~~~~~~

धड़कनों में बसा है तू सनम

धड़कनों में बसा है तू~सनम-सनम मेरे सनम
कैसा ये रोग लगा मुझे~सनम-सनम मेरे सनम
धड़कनों में बसा है तू~~~~~~~~~~~~~~~~~~~

पल दो पल का ये फ़साना~ज़िंदगी मेरी बन गया
रास्ते का एक मुसाफिर~हर खुशी मेरी बन गया
तुझको पाना जाने जाँना~बेबसी मेरी बन गया
उलझनों में कहाँ है तू~सनम-सनम मेरे सनम
कैसा ये रोग लगा मुझे~सनम-सनम मेरे सनम
धड़कनों में बसा है तू~~~~~~~~~~~~~~~~~~~

हुई है मुझसे कुछ नादानी~दे दिया मैंने दिल तुझे
हाल-ए-दिल छिप सका न~लिख दिया मैंने ख़त तुझे
जाने-अन्जाने ये रंग~दे दिया तूने ग़म मुझे
बता कहां छिपा है तू~सनम-सनम मेरे सनम
कैसा ये रोग लगा मुझे~सनम-सनम मेरे सनम
धड़कनों में बसा है तू~~~~~~~~~~~~~~~~~~~

अंग-अंग चूमा है तूने~तन्हा-तन्हा रातों में
जिस्म को छुआ है तूने~लम्हा-लम्हा पल-पल में
संग-संग घुमाया तूने~रफ़्ता-रफ़्ता राहों में
है दर्देदिल~दवा है तू~सनम-सनम मेरे सनम
कैसा ये रोग लगा मुझे~सनम-सनम मेरे सनम
धड़कनों में बसा है तू~~~~~~~~~~~~~~~~~~~

धड़कनों में तू ही तू ख़्वाबों में

धड़कनों में तू ही तू~ख़्वाबों में तू ही तू
यार तू~यार तू~कैसा खेला
तन्हा-तन्हा रातों में,क्यों हैं ये फासले,तड़पे-तड़पे,तेरी लैला
धड़कनों में तू ही तू ख़्वाबों में~~~~~~~~~~~

कैसा है बालमा,जाने न प्रीत को,करता है पल-पल नादानी
आता है पास जब,बुद्धू बन जाता है,होती मुझको हैरानी
तुझपे दिल निसार,वादियों में तू ही तू~यार तू यार तू~~~
तन्हा-तन्हा रातों में,क्यों हैं ये फासले,तड़पे-तड़पे,तेरी लैला
धड़कनों में तू ही तू ख़्वाबों में~~~~~~~~~~~

करके श्रृंगार मैं,आयी तेरे लिये,ज़ालिम क़द्र मेरी न जाने
सूनी इस राह में,जाता है छोड़ के,बातों से ऐसे-कैसे न माने
चिलमन से झांकूं मैं,नज़र आये तू ही तू~यार तू यार तू...
तन्हा-तन्हा रातों में,क्यों हैं ये फासले,तड़पे-तड़पे,तेरी लैला
धड़कनों में तू ही तू ख़्वाबों में~~~~~~~~~~~

लाखों में एक,मेरा दिलदार है,सपनों की उसके मैं रानी
मिल जाये कहीं अगर,उसके हवाले करूँ,मदहोश ये जवानी
तू है मेरा जानेमन~मैं हूँ तेरी महबूबा~यार तू यार तू...
तन्हा-तन्हा रातों में,क्यों हैं ये फासले,तड़पे-तड़पे,तेरी लैला
धड़कनों में तू ही तू ख़्वाबों में~~~~~~~~~~~

बिखरी जमीन पर,कैसी ये चांदनीं,रातों आये न निंदिया मुझे
आँचल हवाओं संग,उड़ने लगा मेरा,क्यों न आये चैन मुझे
इम्तिहां में तू ही तू~इम्तिहां मेरी तू ही तू~यार तू यार तू...
तन्हा-तन्हा रातों में,क्यों हैं ये फासले,तड़पे-तड़पे,तेरी लैला
धड़कनों में तू ही तू ख़्वाबों में~~~~~~~~~~~

धीरे-धीरे मोड़ कैसा आ गया

(M) धीरे-धीरे मोड़ कैसा आ गया
मिला क्या मुझे वफा का सिला
जाने भी क्यों तुम हुए हो ख़फ़ा
(F) समझी नहीं ये कैसा सिलसिला
हुआ कुछ नहीं फिर कैसा ग़िला
बेवफ़ाई मुझसे की हुए तुम जुदा
(M) धीरे-धीरे मोड़ कैसा आ गया

(M) कहा न सुना~कुछ भी मुझे
नजर चुराकर निकल गये
कहा न सुना,कुछ भी मुझे,नजर चुराकर...
जख़्म दिया~ऐसा मुझे
पाँव जहाँ-तहाँ फिसल गये
(F) जहाँ फूल खिलते थे कल कभी
वीरानियाँ पसरी हैं वहीं
बिन तेरे हम हुये है अब ग़मजदा
(M) धीरे-धीरे मोड़ कैसा आ गया
मिला क्या मुझे वफ़ा का सिला
जाने भी क्यों तुम हुए हो ख़फ़ा

(F) पूछा नहीं~मुझसे कभी
गले से लगाकर भुला दिया
पूछा नहीं,मुझसे कभी,गले से लगाकर...
खेला खेल~मुझसे सदा
कहानी बनाकर सुना दिया
(M) बहारों में दिन गुजरते थे जहां
कदमों में अपने था सारा ज़हां
(F) प्रेम का ये नया नहीं है फ़लसफ़ा
समझी नहीं ये कैसा सिलसिला
हुआ कुछ नहीं फिर कैसा ग़िला
बेवफ़ाई मुझसे की हुए तुम जुदा
(M) धीरे-धीरे मोड़ कैसा आ गया
मिला क्या मुझे वफा का सिला

इधर ये ज़िंदगी ले रही इम्तिहां

इधर ये ज़िंदगी ले रही इम्तिहां
उधर वो दिलरूबा दे गयी दगा
तोड़कर दिल मेरा वो गई बेवफ़ा
ऐसी क्या हुई मुझसे यारों ख़ता
इधर ये ज़िंदगी ले रही इम्तिहां~~~~~~~~

कभी न ख़त्म होगा~फ़लसफ़ा ऐसा है ये
बसी वो धड़कनों में~सिलसिला ऐसा है ये
दिल में रहने वाले~क्या ऐसा ही करते हैं
वादा वो कर गये हैं~जाकर न लौटे हैं
इधर ये आशिकी ले रही मेरी जां
यह रोग कौन सा है नहीं दवा
तोड़कर दिल मेरा वो गई बेवफ़ा~~~~~~~
इधर ये ज़िंदगी ले रही इम्तिहां~~~~~~~~

न जाने सोचकर क्या~सपने उसके संजोये
वफ़ा के बिखरे मोती~माला में पिरोये
सोचा ही नहीं था~कोई ऐसे भी लूटेगा
अपना ही मुझसे~कभी ऐसे भी रूठेगा
इधर ये शायरी हो गई कहकशां
उधर वो हमसफर कहीं छिपा
तोड़कर दिल मेरा वो गई बेवफ़ा~~~~~~~
इधर ये ज़िंदगी ले रही इम्तिहां~~~~~~~~

हंसीन यादें उसकी~गुदगुदाती रहेंगी
तन्हाईयों में आकर~ये रुलाती रहेंगी
दूर हो जाने से बन्धन न टूटेंगे
हमने जो चुनी है वो राह न छोड़ेंगे
सितम वो हुए हो गयी इन्तिहा
जहां था कल मैं~मैं वहीं हूँ रुका
तोड़कर दिल मेरा वो गई बेवफ़ा~~~~~~~
इधर ये ज़िंदगी ले रही इम्तिहां~~~~~~~~

इस क़दर मुहब्बत का इज़हार

इस क़दर मुहब्बत का~इज़हार तुमने किया
हमको हुई उल्फ़त कि~इक़रार हमने किया
इस क़दर मुहब्बत का इज़हार~~~~~~~~~~~

कुछ थे अन्जाने से हम~कुछ थे अन्जाने से तुम
कुछ थी दीवानी सी मैं~कछ थे दीवाने से तुम
चाँद सी मेरी सूरत का~दीदार तुमने किया
हमको हुई उल्फ़त कि~इक़रार हमने किया
इस क़दर मुहब्बत का इज़हार~~~~~~~~~~~

बड़े नाज़ों में मैं पली~अरमानों में मैं ढली
फूलों जैसी खुशबू~महकी-महकी हर गली
हर सुबह मेरी आहट का~इन्तज़ार तुमने किया
हमको हुई उल्फ़त कि~इक़रार हमने किया
इस क़दर मुहब्बत का इज़हार~~~~~~~~~~~

लब से कहूं ये कैसे~अफ़साने लिखे मैंने
चोरी-चोरी छिप-छिप के~नज़राने चुने मैंने
बेवज़ह शरारत कर~मजबूर तुमने किया
हमको हुई उल्फ़त कि~इक़रार हमने किया
इस क़दर मुहब्बत का इज़हार~~~~~~~~~~~

सूनी सी राह में~तुमसे अँखियाँ लड़ी
तुम जुदा क्या हुए~दिल पे छुरियाँ चली
इस तरह किसी दूजे का~इन्तख़ाब तुमने किया
हमको हुई उल्फ़त कि~इक़रार हमने किया
इस क़दर मुहब्बत का इज़हार~~~~~~~~~~~

इन्तहा से ज्यादा कभी

M	इन्तहा से ज्यादा कभी~किसी से भी प्यार ने कर
इन्तहा से ज्यादा कभी~किसी से भी प्यार ने कर
भूल जा जो हुआ सो हुआ~भूल जा जो हुआ सो हुआ
उस फ़साने को याद न कर
F	इन्तहा से ज्यादा कभी~किसी से भी प्यार न कर
प्यार है एक शगूफ़ा यहाँ~प्यार है एक शगूफ़ा यहाँ
वक़्त को बरबाद न कर
M	इन्तहा से ज्यादा कभी~किसी से भी प्यार ने कर

M	ख़ुद से मैं बेगाना~सिर्फ़ मतलब के हैं नाते
ख़ुद से मैं बेगाना~सिर्फ़ मतलब के हैं नाते
संगदिल तन्हाईयाँ~सूनी-सूनी हैं रातें
इम्तिहां यहाँ पल-पल~इम्तिहां यहाँ पल-पल
किसी पे ऐतबार न कर

F	बातें दो मुहब्बत की~वो लिखता तो क्यों लिखता
बातें दो मुहब्बत की~वो लिखता तो क्यों लिखता
ख़्वाबों में आता नहीं~वो दिखता तो क्यों दिखता
बात मान जा ज़ख़्मेदिल~बात मान जा ज़ख़्मेदिल
मुझे बेक़रार न कर
M	इन्तहा से ज्यादा कभी~किसी से भी प्यार ने कर
F	इन्तहा से ज्यादा कभी~किसी से भी प्यार न कर

M	सागर की तमन्ना में~यहाँ हर कोई ही डूबा-2
सागर की तमन्ना में~यहाँ हर कोई ही डूबा
F	सदियों में जुड़ा बन्धन~पल भर में यहाँ टूटा
M	क़ुदरत ने दिया जो भी
F	क़ुदरत ने दिया जो भी~उस से इन्कार न कर
इन्तहा से ज्यादा कभी~किसी से भी प्यार न कर
M	इन्तहा से ज्यादा कभी~किसी से भी प्यार न कर

इश्क़ का तेरे चर्चा करेंगे

इश्क़ का तेरे चर्चा करेंगे~सारी दुनिया में सनम
भूले से न कदम रखेंगे~तेरी गलियों में सनम
इश्क़ का तेरे चर्चा करेंगे~सारी दुनिया में सनम

दिलरूबा तुझसे नज़र~अब न फिर टकरायेगी
याद भी आयी जो तेरी~क्या मेरा कर पायेगी
मरते-मरते भी कलम ये~दास्तां लिख जायेगी
बेवज़ह न रुसवा करेंगे~यूँही सखियों में सनम
भूले से न कदम रखेंगे~तेरी गलियों में सनम
इश्क़ का तेरे चर्चा करेंगे~सारी दुनिया में सनम

जाम भी पीना पड़ा तो~पियेंगे हम शौक से
लाँघनी गर पड़ी सीमा~लाघेंगे बड़े शौक से
अपनी मंजिल पर बढ़े हैं~पायेंगे हम शौक से
कसमें वादे तोड़ करेंगे~मनमानियाँ सनम
भूले से न कदम रखेंगे~तेरी गलियों में सनम
इश्क़ का तेरे चर्चा करेंगे~सारी दुनिया में सनम

क्या मिला क्या न मिला~सोचकर करना है क्या
ग़म से रिश्ता जोड़ लिया~अब खुशी की आस क्या
जब कदम ही न उठे तो~दौड़कर करना है क्या
न ही अब उलझा करेंगे~ऐसे लफड़ों में सनम
भूले से न कदम रखेंगे~तेरी गलियों में सनम
इश्क़ का तेरे चर्चा करेंगे~सारी दुनिया में सनम

फुरसत अगर मिले तो मुझे पढ़ना

फुरसत अगर मिले तो~मुझे पढ़ना जरूर हमदम
दिल में कहीं छिपा कर~मुझे रखना जरूर हमदम
फुरसत अगर मिले तो~~~~~~~~~~~~~~~

तन्हाईयों में जीना~तूने मुझे सिखाया
मुश्किल डगर पर चलना~तूने मुझे सिखाया
हर हाल से गुजरना~तूने मुझे सिखाया
दिलकश अगर लगे तो~ख़त लिखना जरूर हमदम
दिल में कहीं छिपा कर~मुझे रखना जरूर हमदम
फुरसत अगर मिले तो~~~~~~~~~~~~~~~

खुशियों की तेरी ख़ातिर~ख़ुद को भुला चुका मैं
एहसान तेरे मुझ पर~अब तक चुका रहा मैं
अरमान अपने दिल के~तुझ पर लुटा रहा मैं
कोई भी कुछ कहे तो~मुझे बख़्शना जरूर हमदम
दिल में कहीं छिपा कर~मुझे रखना जरूर हमदम
फुरसत अगर मिले तो~~~~~~~~~~~~~~~

रुसवाईयों की चादर~मैंने अब ओढ़ ली है
दुनिया की हर रस्म~मैंने अब तोड़ दी है
तूने जो दी थी नेमत~मैंने संभाल रखी है
पलकों की चिलमनों में~मुझे देखना जरूर हमदम
दिल में कहीं छिपा कर~मुझे रखना जरूर हमदम
फुरसत अगर मिले तो~~~~~~~~~~~~~~~

फुरसत भी मिले अगर तुम्हें कभी

फुरसत भी~मिले अगर~तुम्हें कभी
मत याद करना~मेरे जानेमन
तन्हाई~गर हमको~डस जाये
नहीं प्यार करना~मेरे जानेमन
फुरसत भी~मिले अगर~तुम्हें कभी~मत याद करना~~

मीठी-मीठी बातों से बहलाना न दिल
न तुम मेरी चाहत न तुम मेरी मंजिल
पहनाना न बाहों के अब हमको हार
न तुम मेरी किस्मत तोड़ोगे बस दिल
दस्तक पर~तेरी न आयेंगे~न इन्तज़ार करना मेरे जानेमन
तन्हाई~गर हमको~डस जाये~नहीं प्यार करना~~~~~
फुरसत भी~मिले अगर~तुम्हें कभी~मत याद करना~~

माटी का दिल एक जाने कब ये टूटे
बन्धन है ये कैसा जुड़कर फिर न टूटे
गलियों-गलियों फिरती यूँ ही एक बंजारन
जग सारा हुआ दुश्मन कदम-कदम पर लूटे
मिल जायें~राह में~अगर कभी~मत आहें भरना मेरे~~~
तन्हाई~गर हमको~डस जाये~नहीं प्यार करना~~~~~
फुरसत भी~मिले अगर~तुम्हें कभी~मत याद करना~~

ये उल्फ़त देती है तन्हाई के ग़म
न सोचेंगे कुछ भी अँगड़ाई ले हम
है शमा का कहना परवाने चला जा
हो जायेंगे एक दिन दुनिया में गुम
मय्यत भी~उठे अगर~मेरी कभी~नहीं साथ चलना मेरे~~
तन्हाई~गर हमको~डस जाये~नहीं प्यार करना~~~~~
फुरसत भी~मिले अगर~तुम्हें कभी~मत याद करना~~

ग़ज़ल की जान लगती हो

ग़ज़ल की जान लगती हो~कशिश हो शायरी की तुम
समां जिसने ये बांधा है~सहर हो आशिक़ी की तुम
ग़ज़ल की जान लगती हो~~~~~~~~~~~~~~

किसी को भी मैं चुन लेता~मगर तुझमें है कुछ ऐसा
लगन ऐसी लगी तुझसे~राज़ दिल के मैं कह बैठा
अवध की शाम लगती हो~मूरत हो बन्दगी की तुम
समां जिसने ये बांधा है~सहर हो आशिक़ी की तुम
ग़ज़ल की जान लगती हो~~~~~~~~~~~~~~

सुलगती थी जो वर्षों से~बनी शोला है चिन्गारी
निखरता जा रहा यौवन~कहीं उड़ने की तैयारी
नशीला जाम लगती हो~चमक हो मयक़दे की तुम
समां जिसने ये बांधा है~सहर हो आशिक़ी की तुम
ग़ज़ल की जान लगती हो~~~~~~~~~~~~~~

मचलता है ये दिल मेरा~मैं कैसे तोड़ दूँ रस्में
पिघलती शमा है पल-पल~मैं कैसे चूम लूँ ज़ुल्फ़ें
अधूरी आस लगती हो~कमी कोई ज़िंदगी की तुम
समां जिसने ये बांधा है~सहर हो आशिक़ी की तुम
ग़ज़ल की जान लगती हो~~~~~~~~~~~~~~

मुहब्बत करने वालों का~अजब ये इम्तिहां यारों
नहीं जिसकी कोई हद है~यह कैसी इन्तहा यारों
मुझे नामुमकिन लगती हो~किरन हो रोशनी की तुम
समां जिसने ये बांधा है~सहर हो आशिक़ी की तुम
ग़ज़ल की जान लगती हो~~~~~~~~~~~~~~

ग़म के रास्तों में न छोड़ना अकेला

ग़म के रास्तों में न छोड़ना अकेला
वरना टूट जायेंगे पायल की तरह
सीने से लगाओ हमें जाने जां ना
वरना रूठ जायेंगे सावन की तरह
ग़म के रास्तों में न छोड़ना अकेला~~~~~~~

कुरबां हमने तुमपे किये हैं~ज़िंदगी के हजारों लम्हें
मेहमां तुम दिल में हमारे~फिर भी क्यों हजारों शिकवे
गुल यूँ बागवां से न तोड़ना भी ऐसे
वरना मुरझायेंगे पतझड़ की तरह
ग़म के रास्तों में न छोड़ना अकेला~~~~~~~

छीना नादानियाँ कर-कर तुमने~हर खुशी को हमारी
मिलकर कभी खायी थी हमने~तुमने कसमें तोड़ डाली
हाथ जब थामा, न सोचना भी ऐसा
वरना टूट जायेंगे ख़्वाबों की तरह
ग़म के रास्तों में न छोड़ना अकेला~~~~~~~

तुम क्या जानो दिल की लगी को~इम्तिहां नहीं है ये ऐसा
रुख़सतों के बाद भी यारा~इन्तहा तक संग में रहता
दुनिया है ये चन्द दिन का मेला
हम लौट आयेंगे जन्मों की तरह
ग़म के रास्तों में न छोड़ना अकेला~~~~~~~

हो गये तुम तो पराये~क्यों किसी के कहने में आकर
मिल गया क्या तुम्हें जानेमन~तुमको हमसे दामन छुड़ाकर
हमको बेख़ुदी में भूलकर देखो
तुमको याद आयेंगे मौसम की तरह
ग़म के रास्तों में न छोड़ना अकेला~~~~~~~

गर मिला हुस्न तुझे है

गर मिला हुस्न तुझे है,नुमाइश तो न कर
है ज़माना ये ख़राब,तबाही से तो डर
गर मिला हुस्न~~~~~~~~~~~~~~~

तेरे रुख़सार क़यामत,कहीं कर दें न ये
लब नशीले बग़ावत,कहीं कर दें न ये
मेरे जज़्बात शरारत,कहीं कर दें न ये
गर मिला नूर तुझे है,नुमाइश तो न कर
है ज़माना ये ख़राब,तबाही से तो डर
गर मिला हुस्न~~~~~~~~~~~~~~

जग के अन्जाम से,तू वाक़िफ़ नहीं है हमदम
उम्र नादान तेरी,कमसिन अभी है हमदम
ऐसे अन्दाज से,कुछ हासिल नहीं है हमदम
गुरूर ऐसा क्या तुझे है,नुमाइश तो न कर
है ज़माना ये ख़राब,तबाही से तो डर
गर मिला हुस्न~~~~~~~~~~~~~~

ऐसे कश्ती किनारे से,कभी लगती ही नहीं
ऐसे मन्नत दुआओं से,कभी मिलती ही नहीं
मुझ सी हस्ती मिटाये से,कभी मिटती ही नहीं
गर मिला चाँद तुझे है,नुमाइश तो न कर
है ज़माना ये ख़राब,तबाही से तो डर
गर मिला हुस्न~~~~~~~~~~~~~~

गुजरूँगा तेरी गली से

गुजरूँगा तेरी गली से~आवाज तुझे न दूँगा
भूला मैं तेरी मुहब्बत~बेवफ़ा तुझे न कहूँगा
गुजरूँगा तेरी गली से~~~~~~~~~~~

बैठा हूँ ख़ुद मैं अपने~अरमानों की चिता पर
जो दर्देदिल मिला है~नहीं उसकी कोई दवा अब
बदलूँगा अपने तरीके~पर सजा तुझे न दूँगा
भूला मैं तेरी मुहब्बत~बेवफ़ा तुझे न कहूँगा
गुजरूँगा तेरी गली से~~~~~~~~~~~

जा मुझसे दूर न दे~उन लम्हों की दुहाई
जीना है तन्हा-तन्हा~मुझे भायी तन्हाई
संभलूँगा ख़ुद मय पी के~पर दोष तुझे न दूँगा
भूला मैं तेरी मुहब्बत~बेवफ़ा तुझे न कहूँगा
गुजरूँगा तेरी गली से~~~~~~~~~~~

जुदा हो के मुझसे जानम~नहीं करता हूँ सदा मैं
बैचेन इस तरह हूँ~सकूं मिलता नहीं दुआ में
न करूँगा तेरी तमन्ना~दीदार तुझे न दूँगा
भूला मैं तेरी मुहब्बत~बेवफ़ा तुझे न कहूँगा
गुजरूँगा तेरी गली से~~~~~~~~~~~

अरे कैसे मिट सकेगा~क़ुदरत ने लिख दिया जो
फिर बसना उसका मुश्किल~उल्फ़त में लुट गया जो
लड़ लूँगा उलझनों से~ये राज़ कभी न दूँगा
भूला मैं तेरी मुहब्बत~बेवफ़ा तुझे न कहूँगा
गुजरूँगा तेरी गली से~~~~~~~~~~~

गुस्ताख़ियाँ करे क्यों

गुस्ताख़ियाँ करे क्यों,दिल ये दीवाना जानम
तेरी मस्त ये अदायें,नित एक फ़साना जानम
गुस्ताख़ियाँ करे क्यों~~~~~~~~~~~

सोचा बहुत ये मैंने,तुझे ज़िंदगी बना लूँ
पलकों की चिलमनों में,तुझको मैं बिठा लूँ
मनमानियाँ करे तू,करके बहाना जानम
तेरी मस्त ये अदायें,नित एक फ़साना जानम
गुस्ताख़ियाँ करे क्यों~~~~~~~~~~~

बदनाम हो गया मैं,गलियों में तेरी आकर
बरबाद हो न जाऊँ,तुझे अपने घर बुलाकर
मुझे क्या भी तो कहेगा,अब ये ज़माना जानम
तेरी मस्त ये अदायें,नित एक फ़साना जानम
गुस्ताख़ियाँ करे क्यों~~~~~~~~~~~

तेरे हुस्न का जादू,मदहोश कर न डाले
तेरी अंखड़ियों का सागर,यूँही डुबो न डाले
नादानियाँ करे तू, है राग यह पुराना
तेरी मस्त ये अदायें,नित एक फ़साना जानम
गुस्ताख़ियाँ करे क्यों~~~~~~~~~~~

बैचेन मुझको करके,ख़ुद चैन तूने खोया
देकर ज़हर जुदाई,नयनों को है भिगोया
ख़ामोशियों से ऐसी,दिल क्या लगाना जानम
तेरी मस्त ये अदायें,नित एक फ़साना जानम
गुस्ताख़ियाँ करे क्यों~~~~~~~~~~~

गोरा-गोरा मुखड़ा चाल शराबी

गोरा-गोरा मुखड़ा,चाल शराबी
बिखरे बिखरे बाल,उल्फ़त जाने न
चम-चम चमके,माथे की बिंदिया
उम्र सोलह साल,उल्फ़त जाने न
गोरा-गोरा मुखड़ा~~~~~~~~~~

चाँदी सा तेरा,गोरा बदन ये,मन को मेरे भा गया
अँखियों से अँखियाँ,जब मिली,मुझको नशा छा गया
मुश्किल में है ये जान,उल्फ़त जाने न
चम-चम चमके,माथे की बिंदिया
उम्र सोलह साल,उल्फ़त जाने न
गोरा-गोरा मुखड़ा~~~~~~~~~~

प्रेम दीवानी,दिल मुझे दे-दे,दिल्लगी न आज कर
रखेगी संभाले,कब तक इसको,रूठकर न बात कर
तुझे सज़दे करूं दिन-रात,उल्फ़त जाने न
चम-चम चमके,माथे की बिंदिया
उम्र सोलह साल,उल्फ़त जाने न
गोरा-गोरा मुखड़ा~~~~~~~~~~

ख़त्म न होगी,ऐसे सनम,तेरी-मेरी ये दास्तां
जनम-जनम,ये अफ़साना,याद रखेगा ज़हां
तक़दीर जुड़ी तेरे साथ,उल्फ़त जाने न
चम-चम चमके,माथे की बिंदिया
उम्र सोलह साल,उल्फ़त जाने न
गोरा-गोरा मुखड़ा~~~~~~~~~~

घण्टों! घण्टों...घण्टों...तुम्हारा इंतज़ार

घण्टों ! घण्टों...घण्टों...तुम्हारा इंतज़ार करते हैं जानेमन
कब से ! कब से...कब से...
तुम्हीं पर इख़्तियार रखते हैं जानेमन
घण्टों ! घण्टों...घण्टों...तुम्हारा इंतज़ार करते हैं जानेमन

सौगंध खाकर तुम्हारी~एक-एक बात कहते हैं सच
बिछाये हैं राहों में पलकें~कि बेशुमार करते हैं लव
देख तो ! देख तो~देख तो, हमें तुमसे है प्यार लिखते हैं...
कब से ! कब से...कब से...तुम्हीं पर इख़्तियार रखते हैं...
घण्टों ! घण्टों...घण्टों...तुम्हारा इंतज़ार करते हैं जानेमन

तन्हाईयों में है एक तू~कभी तेरी याद कभी तेरा ग़म
धक-धक जियरा धड़के~कभी दर्देदिल कभी आँख नम
तुझको~छोड़~किसी का~नहीं अब ऐतबार करते हैं...
कब से ! कब से...कब से...तुम्हीं पर इख़्तियार रखते हैं...
घण्टों ! घण्टों...घण्टों...तुम्हारा इंतज़ार करते हैं जानेमन

दो गर इज़ाज़त कह दें~दिल में बसे हो सिर्फ तुम
धड़कन तुम्हीं से चलती~हो बन्दगी में सिर्फ तुम
बरसो~मेघा~बरसो~तुम्हारा एहतराम करते हैं जानेमन
कब से ! कब से...कब से...तुम्हीं पर इख़्तियार रखते हैं...
घण्टों ! घण्टों...घण्टों...तुम्हारा इंतज़ार करते हैं जानेमन

हो गयी मैं तेरी दीवानी~सुबहोशाम आठों पहर
तेरे लिये ही हूँ बेकल~बेदर्द है नहीं लेता ख़बर
लम्हें~हंसी ये~लम्हें~नहीं भी बार-बार मिलते हैं जानेमन
कब से ! कब से...कब से...तुम्हीं पर इख़्तियार रखते हैं...
घण्टों ! घण्टों...घण्टों...तुम्हारा इंतज़ार करते हैं जानेमन

हार जाने का अपने

हार जाने का अपने~सबब तलाश करो
जीत लेने का दिल~हुनर तो याद करो
हार जाने का अपने~सबब तलाश करो

मस्तियों के ख़ज़ाने~लुटाते पल-पल रहो
जब-जब किये जिससे वादे~निभाते हरदम रहो
न तोड़ो दिल कभी~किसी का यारों ऐसे
पता कोई टूटा हो~शाख़ से यारों जैसे
मूरत को बनना है~पत्थर तराश करो
जीत लेने का दिल~हुनर तो याद करो
हार जाने का अपने~सबब तलाश करो

मन्जिल उसने है पायी~चढ़ गया जब जुनून
मुश्किलों से डरा जो~रह गया बन कर धूल
खिला रहा यहाँ जो गुल~उसी के यहाँ चर्चे
अम्बर जो छूने चला~देखेगी दुनिया जलवे
जो आया है दिल में~वह बात बेवाक करो
जीत लेने का दिल~हुनर तो याद करो
हार जाने का अपने~सबब तलाश करो

मिले हमको जो हैं लम्हें~आते फिर लौट नहीं
माना आसां यहाँ मरना~माँगे मिले मौत नहीं
चुना अगर किसी को है~न भी दामन छोड़ो
जनम-जनम न टूटे~ऐसा ही बन्धन जोड़ो
जीत-हार तो होनी है~मन न उदास करो
जीत लेने का दिल~हुनर तो याद करो
हार जाने का अपने~सबब तलाश करो

हमें ये हिसाब रखना न आया

हमें ये हिसाब रखना न आया
वादा किया जो निभाना न आया
हमें ये हिसाब~~~~~~~~~~~~

हमें भी गुनाहों की वज़ह तो बता दो
कि दोगे क्या हमको सजा वो बता दो
हमें ख़त जनाब लिखना न आया
वादा किया जो निभाना न आया
हमें ये हिसाब~~~~~~~~~~~~~

कदम ये तुम्हारी तरफ बढ़ गये
क्यों भाव तुम्हारे सनम चढ़ गये
हमें इन्तख़ाब करना न आया
वादा किया जो निभाना न आया
हमें ये हिसाब~~~~~~~~~~~~

इधर ज़िन्दगी इम्तहां ले रही है
उधर बेख़ुदी दस्तकें दे रही है
हमें तुमसे यार मिलना न आया
वादा किया जो निभाना न आया
हमें ये हिसाब~~~~~~~~~~~~

इसी का है नाम क्या दोस्ती
यह कैसा पैग़ाम है ज़िन्दगी
हमें खुले आम बिकना न आया
वादा किया जो निभाना न आया
हमें ये हिसाब~~~~~~~~~~~~

हद से ज्यादा तुझे चाहा

हद से ज्यादा~तुझे चाहा है ज़माने में सनम
छोड़ संसार ये~तुझे माँगा है दुआओं में सनम
हद से ज्यादा~~~~~~~~~~~~~~~~

हर लहर तुझमें~कि फूलों सी नज़ाक़त तुझमें
सादगी तुझमें~हर रंग की है चाहत तुझमें
कोई भरमाये~है शोलों सी क़यामत तुझमें
बुत बना एक~तुझे पूजा है ज़माने में सनम
हद से ज्यादा~~~~~~~~~~~~~~~~

है छिपा रखा~कभी से ये राज़ इस दिल में
तेरी तारीफ़ में~गाया है मैंने महफ़िल में
जुदा कर हमको डाला किसी संगदिल ने
हमपे कोई तीर~चलाया है ज़माने ने सनम
हद से ज्यादा~~~~~~~~~~~~~~~~

जो भी पाया मैंने~तेरी ही मेहरबानी है
समझा मुझको इतना~तेरी क़द्रदानी है
मुझको पाकर के खोना कैसी नादानी है
बेवज़ह~दिया धोखा है ज़माने ने सनम
हद से ज्यादा~~~~~~~~~~~~~~~~

तुझको पाना बेशक~मेरी तक़दीर नहीं
टूट भी जाये~ऐसी तो ये जन्जीर नहीं
मिटा कोई पाये~ऐसी मेरी तहरीर नहीं
ले तराजू~मुझे तौला है ज़माने ने सनम
हद से ज्यादा~~~~~~~~~~~~~~~~

हम आज भी इन्तज़ार उनका

हम... आज भी... इन्तज़ार उनका कर रहे हैं
क्यों... बेवज़ह... ऐतबार उनका कर रहे हैं
हम आज भी इन्तज़ार उनका~~~~~~~~~~~~

यूँ मुक़म्मल नहीं~है मिल पाना तो क्या
है मुहब्बत में यह~अफ़साना तो क्या
है... बेख़ुदी... तक़रार उनसे कर रहे हैं
क्यों... बेवज़ह... ऐतबार उनका कर रहे हैं
हम... आज भी... इन्तज़ार उनका~~~~~~~~~~~~

है ये जीवन नहीं~रुक जाने का नाम
तू ही एक नहीं~हुस्न वाले हैं तमाम
क्या... सोचकर... इन्तख़ाब उनका कर रहे हैं
क्यों... बेवज़ह... ऐतबार उनका कर रहे हैं
हम...आज भी... इन्तज़ार उनका~~~~~~~~~~~~

गर मचलता दिल है~कभी तन्हाई में
नहीं बदरा आयेंगे~अब पुरबाई में
हम... ख़्वाब सा... इक़रार उनसे कर रहे हैं
क्यों... बेवज़ह... ऐतबार उनका कर रहे हैं
हम...आज भी... इन्तज़ार उनका~~~~~~~~~~~~

सागर है कहीं~ठहरा मीलों सा
हुई थोड़ी हलचल~वहीं फिर टिका
हम... व्यर्थ ही... बेक़रार दिल को कर रहे हैं
क्यों... बेवज़ह... ऐतबार उनका कर रहे हैं
हम...आज भी इन्तज़ार उनका~~~~~~~~~~~~

हमदम मेरे जनमों का प्यार मैं दूँगा

हमदम मेरे...जनमों का प्यार...मैं दूँगा
तुझे तुझसे चुरा लूँगा~तुझे तुझसे चुरा लूँगा
हमदम मेरे...जनमों का प्यार...मैं दूँगा
तुझे तुझसे चुरा लूँगा~तुझे तुझसे चुरा लूँगा
दे भी खुशियाँ~या दे तू ग़म~अपना समझूँगा
तुझे तुझसे चुरा लूँगा~तुझे तुझसे चुरा लूँगा

याद करके तुझको~शब सारी कट जायेगी
बदरी मुहब्बत की~एक दिन बरस जायेगी
याद करके तुझको~शब सारी कट जायेगी
बदरी मुहब्बत की~एक दिन बरस जायेगी
बेगाना मैं नहीं~किये वादे निभा~मैं दूँगा
तुझे तुझसे चुरा लूँगा~तुझे तुझसे चुरा लूँगा...
हमदम मेरे...जनमों का प्यार...मैं दूँगा
तुझे तुझसे चुरा लूँगा~तुझे तुझसे चुरा लूँगा

उल्फ़त के किस्से~रह जायेंगे ए-सनम
मर कर भी ये निशां~मिल जायेंगे ए-सनम
उल्फ़त के किस्से~रह जायेंगे ए सनम
मर कर भी ये निशां~मिल जायेंगे ए-सनम
तू मेरी दिलरूबा~जग को दिखा ये~मैं दूँगा
तुझे तुझसे चुरा लूँगा~तुझे तुझसे चुरा लूँगा...
हमदम मेरे...जनमों का प्यार...मैं दूँगा
तुझे तुझसे चुरा लूँगा~तुझे तुझसे चुरा लूँगा
दे भी खुशियाँ~या दे तू ग़म~अपना समझूँगा
तुझे तुझसे चुरा लूँगा~तुझे तुझसे चुरा लूँगा

हरजाई साजन तुम हो

हरजाई साजन तुम हो~ऐतबार कैसे कर लूँ
अफ़साना बेख़ुदी का~तुम्हें ऐसे-कैसे लिख दूँ
हरजाई साजन तुम हो~~~~~~~~~~~~~

दिल बेक़रार करके~बैठी मैं तन्हा-तन्हा
पलकों में बन्द तुम~याद आये लम्हा-लम्हा
सौदाई साजन तुम हो~ये क़रार कैसे कर लूँ
अफ़साना बेख़ुदी का~तुम्हें ऐसे-कैसे लिख दूँ
हरजाई साजन तुम हो~~~~~~~~~~~~~

बस्ती में रफ़्ता-रफ़्ता~मुझे रुसबा कर गये तुम
खुशियों के चन्द लम्हें~हमें तबाह कर गये तुम
निर्मोही साजन तुम हो~ये गुनाह कैसे कर लूँ
अफ़साना बेख़ुदी का~तुम्हें ऐसे-कैसे लिख दूँ
हरजाई साजन तुम हो~~~~~~~~~~~~~

हमने जो सोचा था~दिलवाले तुम नहीं वो
अपनी इस ज़िंदगी के~रखवाले तुम नहीं हो
बड़बोले साजन तुम हो~इंतख़ाब कैसे कर लूँ
अफ़साना बेख़ुदी का~तुम्हें ऐसे-कैसे लिख दूँ
हरजाई साजन तुम हो~~~~~~~~~~~~~

तू भी तड़पे यूँ ही तन्हा~मुझे जख़्म देने वाले
आये न चैन तुझको~मुझे दर्द देने वाले
झूठे वादे करते तुम हो~हमराह कैसे चुन लूँ
अफ़साना बेख़ुदी का~तुम्हें ऐसे-कैसे लिख दूँ
हरजाई साजन तुम हो~~~~~~~~~~~~~

हर नारी नगीना हर नारी नगीना

हर नारी नगीना~हर नारी नगीना
हर नारी नगीना~हर नारी नगीना
खलिहान में जुटी है नारी~आसमान में उड़ी है नारी
सभी क्षेत्र में बढ़ी है नारी~बहा रही अपना पसीना
हर नारी नगीना~हर नारी नगीना~~~~~~~~~

कहीं बनी झांसी की रानी~कहीं बनी अहिल्याबाई
ज़मीं पर गाड़े इसने झण्डे~छूकर आसमां को आई
सीमा घेर खड़ी है नारी~हवा जैसे चलती है नारी
उठा रही सब जिम्मेदारी~बहा रही अपना पसीना
हर नारी नगीना~हर नारी नगीना~~~~~~~~~

मिला दिया कन्धे से कंधा~नहीं अछूता कोई धंधा
पढ़ी लिखी हुई अब नारी~करेगा कैसे कोई पंगा
क़फ़न बांध की है तैयारी~नहीं बेचारी अब है नारी
किसी बात की नहीं लाचारी~बहा रही अपना पसीना
हर नारी नगीना~हर नारी नगीना~~~~~~~~~

माँ बहन और बीवी बनकर~नारी है मर्दों से बेहतर
दिया सदा मर्दों ने धोखा~समझी है हालात बेहतर
मर्द बना है एक शिकारी~खींच रहा उसकी सारी
बचा रही फिर भी मर्दों को~बहा रही अपना पसीना
हर नारी नगीना~हर नारी नगीना~~~~~~~~~

हर सुबह इम्तिहान है,हर शाम...

हर सुबह इम्तिहान है~हर शाम इम्तिहान है
हर लम्हा इम्तिहान का~हर घड़ी इम्तिहान है
हर सुबह~~~~~~~~~~~~~~~~~~~

दबा-दबा सा दर्द है~धुँआ-धुँआ सा है समा
ज़मीं पे पैर हैं नहीं~खोया-खोया है आसमां
ये क्या पता था~मेरा दोस्त रूठ जायेगा यूँ ही- (२)
मझधार में~मेरा दिल तोड़ जायेगा यूँ ही
हर सुबह~~~~~~~~~~~~~~~~~~~

गया है कोई छोड़कर~पलट के देखता नहीं
मिला कहीं जो राह में~कदम वो रोकता नहीं
हुई है ख़ता क्या~वो कल नसीब था मेरा- (२)
खड़ा दूर-दूर है~वो अब रक़ीब है मेरा
हर सुबह~~~~~~~~~~~~~~~~~~~

उदास ज़िंदगी को क्यों~आ-आ के कुरेदता
वो खाली-खाली पन्नों पर~चित्र क्या उकेरता
वो बिखेरता है~सारी रात बेक़रारियों के रंग-(२)
वो निहारता है~सारी रात दुश्वारियों के संग
हर सुबह~~~~~~~~~~~~~~~~~~~

ज़माने भर का ग़म मुझे~दो पल में ही दे गया
बड़ी खुशी से चैं मेरा~चुरा के वो ले गया
शिकवा करूँ क्या~अन्जान बन गया सदा को वो-(२)
कोई दूर का सा~मेहमान बन गया सदा को वो
हर सुबह~~~~~~~~~~~~~~~~~~~

हसरत ही रही मेरी

हसरत ही रही मेरी~कोई मुझसे भी प्यार करता
पहचानता वो मुझको~पल भर तो याद करता
हसरत ही रही मेरी~कोई मुझसे भी प्यार करता

सजाता मेरे बालों में गजरा,लगाती उसके नाम का कजरा
निखरती जवानी उसे देख-२~पहनाता मेरे हाथों में कँगना
मैं लगती परियों जैसी~कोई दिल बेक़रार करता
पहचानता वो मुझको~पल भर तो याद करता
हसरत ही रही मेरी~कोई मुझसे भी प्यार करता

बनते हमारे हज़ारों फ़साने~भँवरों के जैसे मचलते दीवाने
रंगीला-छबीला होता सनम~गलियों में अपने बजते तराने
चाहत ही रही अधूरी~कोई दिन-रात इंतज़ार करता
पहचानता वो मुझको~पल भर तो याद करता
हसरत ही रही मेरी~कोई मुझसे भी प्यार करता

कली फूल बनती,गई मुर्झा पहले,शमा बुझी रोशन से पहले
उड़ दूर जा के बैठा वो पंछी~फ़िज़ां लुट गई आँगन से मेरे
पल भर क्या हुई देरी~कोई अँखियाँ ये चार करता
पहचानता वो मुझको~पल भर तो याद करता
हसरत ही रही मेरी~कोई मुझसे भी प्यार करता

तन्हाईयों में बैठी मैं अब~अँगड़ाईयाँ हुई हैं बेसबब
नींद आये न आये क़रार~रुसवाईयों से तौबा मैंने की अब
चाल दुश्मन की न होती~कोई मुझपे इख़्तियार करता
पहचानता वो मुझको~पल भर तो याद करता
हसरत ही रही मेरी~कोई मुझसे भी प्यार करता

हँस-हँस के चला तीर नैनों के

हँस-हँस के चला तीर नैनों के,दिल ख़ुद निशाना बन जायेगा
खूब चर्चे तेरे गलियों में, हमदम फ़साना बन जायेगा
हँस-हँस के चला तीर नैनों के~~~~~~~~~~~

सदा क़ाबिज़ रहें तेरी शोख़ियाँ,तुझे हासिल हों सारी खुशियाँ
तू रुके जहां हों क़ाफ़िले,तुझमें हैं बला की खूबियाँ
अंग-अंग से छलकता नूर ये, आशिक़ क्यों न घबरायेगा
खूब चर्चे तेरे गलियों में, हमदम फ़साना बन जायेगा
हँस-हँस के चला तीर नैनों के~~~~~~~~~~~

गोरा-गोरा बदन तेरा चाँदनीं,लाखों से बढ़कर तू नाज़नीं
लब तेरे मय के प्याले दो,जन्नत से उतरी तू महजबीं
आ सुलझाऊँ पेंच जुल्फ़ों के,पल भर ठिकाना मिल जायेगा
खूब चर्चे तेरे गलियों में, हमदम फ़साना बन जायेगा
हँस-हँस के चला तीर नैनों के~~~~~~~~~~~

तुझे देखा उठी तन-मन में लहर,बंद पलकों में तू कैसा असर
लगे उड़ती हजारों तितलियाँ,अपनी ही रही न मुझको ख़बर
घायल मैं हुआ तेरे जलवों से,मन चंचल तराना अब गायेगा
खूब चर्चे तेरे गलियों में, हमदम फ़साना बन जायेगा
हँस-हँस के चला तीर नैनों के~~~~~~~~~~~

कर बैठा तेरी मैं आरजू, कैसे-कैसे तेरी की जुस्तजू
मिटते क्यों नहीं फ़ासले, नहीं सच्ची बड़ी बेदर्द तू
दर्द सहता रहा अपनों के मैं,इतिहास दीवाना लिख जायेगा
खूब चर्चे तेरे गलियों में, हमदम फ़साना बन जायेगा
हँस-हँस के चला तीर नैनों के~~~~~~~~~~~

हंसते चेहरे जाने कब कौन सी

हंसते...चेहरे...जाने कब...कौन सी चाल चलें
नहीं मालूम...नहीं मालूम...नहीं मालूम...नहीं मालूम...
हंसते...चेहरे...जाने कब...कौन सी चाल चलें
नहीं मालूम...नहीं मालूम...नहीं मालूम...नहीं मालूम...
हंसते...चेहरे...जाने कब...कौन सी चाल चलें

मार ही डालें न इनकी बेसबब अँगड़ाईयाँ
प्यार के बदले में मिलती बेवज़ह रुसवाईयाँ
इससे तो बेहतर हैं यारों रात की तन्हाईयाँ
खिलते...ये गुल...जाने कब...कौन सी घात करें
नहीं मालूम...नहीं मालूम...नहीं मालूम...नहीं मालूम...
हंसते...चेहरे...जाने कब...कौन सी चाल चलें

तूल देते हैं ये इतना छोटी सी हर बात का
कर ही देते हैं ये ख़ूं दिल के जज़्बात का
जाने क्या अन्जाम हो इनसे मुलाक़ात का
इनके...जल्वे...मुझपे कब...पीछे से वार करें
नहीं मालूम...नहीं मालूम...नहीं मालूम...नहीं मालूम...
हंसते...चेहरे...जाने कब...कौन सी चाल चलें

कदम-कदम ज़िंदगी एक नया इम्तिहान
नफ़रतों की यक-ब-यक हो गया ये जहान
धरम-करम-क़ायदे बैठे लिये एक दुकान
बिछुड़े...कल के...फिर कैसे...मिल बैठें प्यार करें
नहीं मालूम...नहीं मालूम...नहीं मालूम...नहीं मालूम...
हंसते...चेहरे...जाने कब...कौन सी चाल चलें

हवा खिलाफ़ थी मगर

हवा खिलाफ़ थी मगर~दीया भी खूब जला
दिया जिसे ये दिल मगर~सिला क्या खूब मिला
हवा खिलाफ़ थी मगर~~~~~~~~~~~~~~

मैं गयी~मैं गयी~मैं गयी काम से काम से
ये नज़र लड़ गयी~लड़ गयी एक अन्जान से
है नाम जुवां पर उसका~बढ़ती जाती है धड़कन
दहके बदन में शोले~मेरा खिल उठा तन-मन
खुली किताब थी मगर~धुँआ भी खूब उठा
दिया जिसे ये दिल मगर~सिला क्या खूब मिला
हवा खिलाफ़ थी मगर~~~~~~~~~~~~~~

मस्ती में आ गयी~बागों की वादियाँ-वादियाँ
दिल में बजने लगी~जाने क्यों घंटियाँ-घंटियाँ
गुलाब सा मेरा चेहरा~उस पर रंगीन जवानी
कुछ पता चला न मुझको~जाने कब हुई सयानी
फ़िज़ां खराब थी मगर~तमाशा खूब चला
दिया जिसे ये दिल मगर~सिला क्या खूब मिला
हवा खिलाफ़ थी मगर~~~~~~~~~~~~~~

कोई लम्हा गिरा~वो और मैं आमने-सामने
तीर चलने लगे~आ गये प्यार की बांहों में
रंगीन तराना छलका~लबों पर आयी सरगम
अली-कली मुस्काई~डाली पर झूमे शबनम
जुवां चुपचाप थी मगर~सांसों का दौर चला
दिया जिसे ये दिल मगर~सिला क्या खूब मिला
हवा खिलाफ़ थी मगर~~~~~~~~~~~~~~

हवा ठण्डी-ठण्डी आई

हवा ठण्डी-ठण्डी आई~पिया का संदेशा लाई
अरमां दबे-दबे जागे~लेने लगी मैं अंगडाई
हवा ठण्डी-ठण्डी आई~~~~~~~~~~~~~~

मुहब्बत का ये सिलसिला~कहाँ से शुरू हो गया
फ़साना उल्फ़त मेरा~लबों से बयाँ हो गया
बहारों के गुन्चे खिले~सुहाना समां हो गया
फ़िज़ा भीगी-भीगी हुई~पिया का संदेशा लाई
अरमां दबे-दबे जागे~लेने लगी मैं अंगडाई
हवा ठण्डी-ठण्डी आई~~~~~~~~~~~~~~

दिन 'ओ' दिन निखरने लगा~चाँदी सा गोरा बदन
जियरा मचलने लगा~सुलगती मीठी अगन
कदम ये बहकने लगे~महका मेरा अंग-अंग
जब-जब मैं लूँ अँगड़ाई~पिया का संदेशा लाई
अरमां दबे-दबे जागे~लेने लगी मैं अंगडाई
हवा ठण्डी-ठण्डी आई~~~~~~~~~~~~~~

आ पास मेरे सनम~कर ऐसी बरसात दे
अधरों से अधरों को छू~मीठे से जज़्बात दे
पलकों में कर बंद मुझे~फुरसत के लम्हात दे
दूर बजी कहीं शहनाई~पिया का संदेशा लाई
अरमां दबे-दबे जागे~लेने लगी मैं अंगडाई
हवा ठण्डी-ठण्डी आई~~~~~~~~~~~~~~

है हुस्न भी क्या कमाल यारो

है हुस्न क्या कमाल यारो,देखो तो मुश्किल,न देखो मुश्किल
गुलाबी होंठ,कमल सा चेहरा,नजर उठे तो है बचना मुश्किल
है हुस्न क्या कमाल यारो~~~~~~~~

झूमें बराबर कानों में बाली,शबाब ऐसा छटा निराली
अदायें ऐसी हुआ दीवाना,घटा से गेसू हो रात काली
अजीब है ये शराब यारों,पियो तो मुश्किल न पियो मुश्किल
गुलाबी होंठ,कमल सा चेहरा,नजर उठे तो है बचना मुश्किल
है हुस्न क्या कमाल यारो~~~~~~~~

बड़े ग़ज़ब की है ये कहानी,किताब ऐसी पढ़ेगा ज्ञानी
कभी हंसाये,कभी रुलाये,है चन्द दिनों की ये जवानी
नसीब क्या लाजबाब यारो,जहां ये ठहरे वहीं है महफ़िल
गुलाबी होंठ,कमल सा चेहरा,नजर उठे तो है बचना मुश्किल
है हुस्न क्या कमाल यारो~~~~~~~~

हैं झील जैसी गहरी आँखें,हैं इत्र जैसी महकती सांसें
भुला दिया है रब को मैंने,हैं शाम जैसी ढलती यादें
रखूँगा भी क्या हिसाब यारो,नादां है लड़की,उम्र कमसिन
गुलाबी होंठ,कमल सा चेहरा,नजर उठे तो है बचना मुश्किल
है हुस्न क्या कमाल यारो~~~~~~~~

इन्हीं नसुलझी पहेलियों में,गंवा मैं बैठा अपने दिल को
वो जंग जीते मैं दिल हारा,भुला मैं बैठा अपने ग़म को
वो देंगे क्या जबाब यारो,मिला न उनको भी देखो साहिल
गुलाबी होंठ,कमल सा चेहरा,नजर उठे तो है बचना मुश्किल
है हुस्न क्या कमाल यारो~~~~~~~~

है इत्तिफ़ाक़ मुहब्बत कहाँ शुरु हो

है इत्तिफ़ाक़ मुहब्बत,कहाँ शुरू हो और ख़त्म कब हो जाये
न भी कर पाये बग़ावत~ये चंद लम्हें और ज़ख़्म हजार पाये
है इत्तिफ़ाक़ मुहब्बत कहाँ शुरू हो~~~~~~~~~~~~~

किसी को चाहते रहना नहीं गवारा जग को
किसी के वास्ते लुटना नहीं गवारा दिल को
मिट जाना है एक दिन दिल को लगाने में
बीत उम्र जायेगी उनको समझाने में
है इन्तज़ार मुहब्बत~सकूं से पहले ये सकून कब खो जाये
न भी कर पाये बग़ावत~ये चंद लम्हें और ज़ख़्म हजार पाये
है इत्तिफ़ाक़ मुहब्बत कहाँ शुरू हो~~~~~~~~~~~~~

कि नींदे तेरी उड़ायेंगी झुकी-झुकी अँखियाँ
एक आग दिल में लगायेंगी खिली-खिली परियाँ
चुन न पायेगा गुल को ढूँढ़ेगा गुलशन में
मिल जायेंगे दुश्मन घूमेगा इस धुन में
है ग़मगुसार फ़ज़ीहत~कहाँ जुदा हो और बिछोह हो जाये
न भी कर पाये बग़ावत~ये चंद लम्हें और ज़ख़्म हजार पाये
है इत्तिफ़ाक़ मुहब्बत कहाँ शुरू हो~~~~~~~~~~~~~

जिसे न समझा कोई अज़ब फ़साना ये है
मिटाया ख़ुद को सभी ने ये जग दीवाना क्यों है
रफ़्ता-रफ़्ता हाले दिल और कहा न जाये
बिना शमा के परवाना अरे कहाँ अब जाये
है जोरदार अदालत~कहाँ सुबह हो और भोर कब हो जाये
न भी कर पाये बग़ावत~ये चंद लम्हें और ज़ख़्म हजार पाये
है इत्तिफ़ाक़ मुहब्बत कहाँ शुरू हो~~~~~~~~~~~~~

हुई तुझसे मुहब्बत

F हुई तुझसे मुहब्बत,कोई गुनाह तो नहीं-2
M दिल को सकूं पहुँचाये,वो दवा है नहीं-2
M बैठा रहूं मैं कब तक,ये बता ए-हंसी-2
F यारा हद हो चुकी,इम्तहां अब नहीं-2

M ऋतु मस्तानी,समा ये सुहाना,रंगी-रंगी हैं नज़ारे-2
जानम दिल का ये राज खुल जाने दे
हमदम होंठों से होंठ मिल जाने दे
सज़दा करूँ तुझे जानम,जरा रुक तो सही-2
F तू करेगा शरारत,कोई गवाह है नहीं-2
M बैठा रहूं मैं कब तक,ये बता ए-हंसी-2

F नींद न आये,कि चैं न आये,रोग लगा है ये कैसा-2
जाने कैसे ज़हां को ख़बर हो गयी
ज़ालिम बाली मेरी उमर हो गयी
हुई है कैसी क़यामत,ऐसे जाल में फंसी-2
M दिल ने की है बग़ाबत,बेवज़ह तो नहीं-2
F हुई तुझसे मुहब्बत,कोई गुनाह तो नहीं-2

F छोड़ ये दुनिया,ए-मेरे सैंया,ले तेरी बाहों में आ गई-2
M आ चुराऊँ नैनों से तेरे काजल
तेरे प्यार में हुआ हूँ मैं पागल
बहुत तूने सताया,इन्तज़ार अब नहीं-2
F रहा दोनों के बीच,कोई राज़ अब नही-2
हुई तुझसे मुहब्बत,कोई गुनाह तो नहीं-2
M बैठा रहूं मैं कब तक,ये बता ए हंसी-2

है लबों पर नाम तेरा

है लबों पर नाम तेरा~सुबह 'ओ' शाम मेरे हमदम
अफ़साना क्या लिखूँ मैं~तेरे नाम मेरे हमदम
है लबों पर नाम तेरा~~~~~~~~~~~~~

रब ही ये जानता है~मैंने कैसे शब गुजारी
ख़त्म होती ही नहीं~हुई कैसी यह ख़ुमारी
है जुदा सा प्यार तेरा~इम्तिहान मेरे हमदम
अफ़साना क्या लिखूँ मैं~तेरे नाम मेरे हमदम
है लबों पर नाम तेरा~~~~~~~~~~~~~

लिख दी है ज़िंदगानी~मैंने कब की नाम तेरे
हंसते-हंसते सारी दौलत~मैंने रख दी पास तेरे
पलकों में अक्ष तेरा~है भी आज मेरे हमदम
अफ़साना क्या लिखूँ मैं~तेरे नाम मेरे हमदम
है लबों पर नाम तेरा~~~~~~~~~~~~~

तन्हाई सी डगर ये~नहीं कटती तन्हा-तन्हा
रुसबाई आग जैसी~मुझे घेरे लम्हा-लम्हा
कहीं डूबा चाँद मेरा~हूँ हैरान मेरे हमदम
अफ़साना क्या लिखूँ मैं~तेरे नाम मेरे हमदम
है लबों पर नाम तेरा~~~~~~~~~~~~~

मुझे याद है अभी भी~तेरा चोरी-चोरी मिलना
गुल की तरह सँवर कर~कभी राहों से गुजरना
मुझसे रूठा वक़्त मेरा~बेवज़ह मेरे हमदम
अफ़साना क्या लिखूँ मैं`तेरे नाम मेरे हमदम
है लबों पर नाम तेरा~~~~~~~~~~~~~

हौंसले ये कम न होंगे

हौंसले ये...कम न होंगे
इम्तिहां ये ज़िंदगी कितने ही ले-ले
हौंसले ये...कम न होंगे
इम्तिहां ये ज़िंदगी कितने ही ले-ले

खूने दिल से लिख रहा जीत की ये दास्तां
देखता है वो ख़ुदा देखता है ये ज़हां
कैसी हो मुश्किल डगर या आयें आँधी जलजले
हौंसले ये...कम न होंगे
इम्तिहां ये ज़िंदगी कितने ही ले-ले

फ़लसफ़ा ये प्यार का सुन मेरी ए-दिलरूबा
तू मेरी है चाँदनी तू मेरे दिल की सदा
साथिया मेरे माहिया ये तुझसे ही हैं गुल खिले
हौंसले ये...कम न होंगे
इम्तिहां ये ज़िंदगी कितने ही ले-ले

हर खुशी ज़हान की तुझपे मैं कुर्बान दूँ
बाँधी तुझ संग डोर है बोल क्या ईनाम दूँ
जानेजां ए-गुलबदन अब कितने ही ग़म मिलें
हौंसले ये...कम न होंगे
इम्तिहां ये ज़िंदगी कितने ही ले-ले

आख़िर ये तन्हाईयाँ कब तलक तड़पायेंगी
बन्द हैं कलियाँ अभी कल तलक खिल जायेंगी
तू अगर मिल जाये तो मिट जायें सब गिले
हौंसले ये...कम न होंगे
इम्तिहां ये ज़िंदगी कितने ही ले-ले

ज़रूरी नहीं ज़रूरी नहीं

ज़रूरी नहीं,ज़रूरी नहीं~हर रिश्ते की पहचां ज़रूरी नहीं
मेरे साथिया!मेरे हमसफर! हर अरमां हो पूरा ज़रूरी नहीं
ज़रूरी नहीं,ज़रूरी नहीं~हर रिश्ते की पहचां ज़रूरी नहीं

जज़्बात को समझने वाला~अनमोल होता है
अन्जान होता है~गुमनाम होता है
हालात को बदलने वाला~न ओर होता है
न छोर होता है~कोई और होता है
ज़रूरी नहीं, ज़रूरी नहीं~ऐसा कोई हो मेहमां ज़रूरी नहीं
मेरे साथिया!मेरे हमसफर! हर अरमां हो पूरा ज़रूरी नहीं
ज़रूरी नहीं, ज़रूरी नहीं~हर रिश्ते की पहचां ज़रूरी नहीं

मुमकिन नहीं ख्वाबों की रानी~नज़दीक आ जाये
घटा सी छा जाये~और बात बन जाये
मुश्किल डगर सूनी राहें~दे भी दगा जाये
हो बेवफ़ा जाये~और राज़ रह जाये
ज़रूरी नहीं,ज़रूरी नहीं,हर मुश्किल को कहना ज़रूरी नहीं
मेरे साथिया!मेरे हमसफर! हर अरमां हो पूरा ज़रूरी नहीं
ज़रूरी नहीं,ज़रूरी नहीं~हर रिश्ते की पहचां ज़रूरी नहीं

इन्सान तो है एक प्यादा~कोई और चलाता
कोई और नचाता~जो चाहे सिखाता
हर बात की है एक सीमा~एक दौर है आता
कच्चे ही धागों में~खिंच के चला आता
ज़रूरी नहीं, ज़रूरी नहीं~सब को मिले सब ज़रूरी नहीं
मेरे साथिया!मेरे हमसफर! हर अरमां हो पूरा ज़रूरी नहीं
ज़रूरी नहीं, ज़रूरी नहीं~हर रिश्ते की पहचां ज़रूरी नहीं

जन्नत मेरी तुम ही तुम ए-सनम

जन्नत मेरी तुम ही तुम ए-सनम...ए-सनम...
जीने की बस तुम वज़ह ए-सनम...ए-सनम...
जन्नत मेरी तुम ही तुम ए-सनम...ए-सनम...

आशिक़ी तुम ही तो हो लगती खिला गुलाब
रोज़ मैं जिसे पढ़ूं हुस्न की वो किताब
महकता हो चन्दन बदन तेरा जादू
मचलता है यौवन करे मुझे बेक़ाबू
ख़्वाबों में देखूँ तुम ही तुम ए-सनम...ए-सनम...
जीने की बस तुम वज़ह ए-सनम...ए-सनम...
जन्नत मेरी तुम ही तुम ए-सनम...ए-सनम...

गालों की शोख़ियाँ गुदगुदाने लगी
गेसूओं की छटा लहलहाने लगी
मन हुआ बेकल तूने जो ली अँगड़ाई
दिल हुआ दीवाना बजी कहीं शहनाई
यादों में बिखरी तुम ही तुम ए-सनम...ए-सनम...
जीने की बस तुम वज़ह ए-सनम...ए-सनम...
जन्नत मेरी तुम ही तुम ए-सनम...ए-सनम...

हर सुबह उठते ही लेता तेरा नाम
खोलकर खिड़कियाँ लिखता हूँ पैग़ाम
अदा तेरी चंचल रूप तेरा मस्ताना
जवां-जवां मौसम बने न कोई अफ़साना
अज़ब नज़ारा तुम ही तुम ए-सनम...ए-सनम...
जीने की बस तुम वज़ह ए-सनम...ए-सनम...
जन्नत मेरी तुम ही तुम ए-सनम...ए-सनम...

जानेजिगर जानेतमन्ना

F जाने जिगर जाने तमन्ना~कहूँ तेरी तारीफ में क्या
ग़ज़ब के तुम~हो खूबसूरत~लिखा मेरी तक़दीर में क्या
हो...दिलरूबा तुम~हो...जाने जां तुम
रात-दिन लिखती तुमको मैं अफ़साना
जाने जिगर जाने तमन्ना~कहूँ तेरी तारीफ में क्या
ग़ज़ब के तुम~हो खूबसूरत~लिखा मेरी तक़दीर में क्या

F खुली-खुली ये बाहें अब तेरी अमानत है
गरम-गरम ये सांसें मुझे तेरी ज़रूरत है
सदा मैं बन जाऊँगी तेरी उदास दुनिया में
हसीन हर एक लम्हा अब तेरी बदौलत है
तुम न जानो...राज़ दिल का...
कब तलक दोगे तुम दिल नज़राना
जाने जिगर जाने तमन्ना~कहूँ तेरी तारीफ में क्या
ग़ज़ब के तुम~हो खूबसूरत~लिखा मेरी तक़दीर में क्या

M क़रार तू है दिल का~तू प्रीत की है गागर
आवारा बादल हूँ~तेरे प्यार में मैं पागल
दामन पकड़ के तेरा~मुझे दूर अब जाना
क्यों न चुरा लूँ तेरी~मैं आँख से काजल
चाहता हूँ....रफ़्ता-रफ़्ता...
जानेमन तुझको ये सबक सिखलाना
जाने जिगर जाने तमन्ना~कहूँ तेरी तारीफ में क्या
ग़ज़ब की तुम~हो खूबसूरत~लिखा मेरी तक़दीर में क्या
हो...दिलरूबा तुम~हो...जानेजां तुम
रात-दिन लिखता तुमको मैं अफ़साना
जाने जिगर जाने तमन्ना~कहूँ तेरी तारीफ में क्या

जानेजिगर ऐसे अन्दाज

जानेजिगर ऐसे अन्दाज दिखलाया न करो
जानेजिगर ऐसे अन्दाज दिखलाया न करो
बहुत हसीन है तू माना नाचीज़ है
खिला है गुलाब हर दिल अज़ीज़ है
जानेमन ऐसे ज़ुल्फ़ बिखराया न करो
जानेजिगर ऐसे अन्दाज दिखलाया न करो

अंग-अंग में है जवानी का जज़्बा
बाली उमरिया पढ़े न कोई फतवा
नैन कजरारे हैं तिरछी नज़रिया
लचक-लचक जाये पतली कमरिया
जानेमन ऐसे तुम राज़ न खुलवाया करो
जानेजिगर ऐसे अन्दाज दिखलाया न करो

सुलगते हैं शोले मचलता है तन-मन
क़हर ही न ढाये कहीं तेरा यौवन
आ भी करीब मैं उल्फ़त सिखाऊँ
लगी है ये दिल की मैं आ जा बुझाऊँ
जानेमन ऐसे तुम गीत लिखवाया न करो
जानेजिगर ऐसे अन्दाज दिखलाया न करो

जानेजिगर मेरे नूरेनज़र

जानेजिगर मेरे नूरेनज़र~इशारा तो कर मैं समझ जाऊँगी
तन्हाई में आ बात कर~इरादा तो कर मैं बदल जाऊँगी
जानेजिगर मेरे नूरेनज़र~~~~~~~~~~~~~~~~~

रंग ले तू अपने रंग में मुझे~छिप-छिप कब तक देखूँ तुझे
नयनों की चिलमन में बंद तू~इन्तहा से ज्यादा चाहूँ तुझे
नज़दीक आ न दुनिया से डर~शमा की तरह पिघल जाऊँगी
तन्हाई में आ बात कर~इरादा तो कर मैं बदल जाऊँगी
जानेजिगर मेरे नूरेनज़र~~~~~~~~~~~~~~~~~

पगली बदरिया जम के बरस~आज बरस कल परसों बरस
बुझ जाये शोलों सी अगन~व्यर्थ ही में यूँ न गरज
चल ठीक से बैयाँ पकड़~गर छोड़ेगा तन्हा किधर जाऊँगी
तन्हाई में आ बात कर~इरादा तो कर मैं बदल जाऊँगी
जानेजिगर मेरे नूरेनज़र~~~~~~~~~~~~~~~~~

कदमों पे तेरे चली आऊँगी~सोचता क्या हूँ नादान मैं
परवाने शमा के संग हो लिये~मानती तुझको भगवान मैं
रातों मैं लूँ अँगड़ाईयाँ~यूँ तोहमत न कर मचल जाऊँगी
तन्हाई में आ बात कर~इरादा तो कर मैं बदल जाऊँगी
जानेजिगर मेरे नूरेनज़र~~~~~~~~~~~~~~~~~

क्यों इस क़द्र सपनों में गुम~वादा कोई कर लें हम और तुम
दिल ये न माने क्या क़सूर~एक क्यों न हो जायें हम और तुम
दिल कह रहा धड़क-धड़क~तेरी चाहत में मैं मर जाऊँगी
तन्हाई में आ बात कर~इरादा तो कर मैं बदल जाऊँगी
जानेजिगर मेरे नूरेनज़र~~~~~~~~~~~~~~~~~

जिक्र हर बात में तेरा मगर तेरा नाम

जिक्र हर बात में तेरा~मगर तेरा नाम छिपा दिल में
हुई कुछ बात नहीं ऐसी~मगर चर्चा है महफिल में
जिक्र हर बात में~~~~~~~~~~~~~~

गली के मोड़ पर मिलना~और आँखें चार फिर करना
कि हंसना अधरों-अधरों में~लबों के फूल का खिलना
हुस्न लाजवाब तेरा~कि साहिल तू मुसाफ़िर मैं
हुई कुछ बात नहीं ऐसी~मगर चर्चा है महफिल में
जिक्र हर बात में~~~~~~~~~~~~~~

रखना खोल कर खिड़की~मैं दस्तक देने आऊँगा
पसन्द जो तुझको आयेंगे~वो तोहफे ले के आऊँगा
मुझ पर एहसां है तेरा~बसा तेरा रंग हर मुझ में
हुई कुछ बात नहीं ऐसी~मगर चर्चा है महफिल में
जिक्र हर बात में~~~~~~~~~~~~~~

लबों पर प्यार की सरगम~हैं नग़में दिलरूबा मेरे
मचलती बागों में कलियाँ~जुवां पर है दुआ मेरे
कहीं खोया दिल मेरा~घिरा मैं आज हूँ मुश्किल में
हुई कुछ बात नहीं ऐसी~मगर चर्चा है महफिल में
जिक्र हर बात में~~~~~~~~~~~~~~

लगी तेरे प्यार की ही धुन~मुझे तू चुन या न चुन
दीवाना मैं हूँ उल्फ़त का~फ़साना सुन या न सुन
हाथ हो हाथ में तेरा~मजा आयेगा रिमझिम में
हुई कुछ बात नहीं ऐसी~मगर चर्चा है महफिल में
जिक्र हर बात में~~~~~~~~~~~~~~

ज़िंदगी भर के लिये तेरी

ज़िंदगी भर के लिये~तेरी एहसानमन्द हूँ
किये वादे निभाने को~अब भी पाबन्द हूॅं
ज़िंदगी भर के लिये तेरी~~~~~~~~~~~~~

तेरी हर एक निशानी~रखी मैंने है संभाले
हुई हर बात भुला दे~या भी दिल से लगा ले
तेरे कदमों पर चली मैं~नहीं ख़ुदगर्ज हूँ
किये वादे निभाने को~अब भी पाबन्द हूॅं
ज़िंदगी भर के लिये तेरी~~~~~~~~~~~~~

नहीं अन्जाम की परवाह~कैसी हो आज डगर
भीगी-भीगी मेरी पलकें~तन्हा-तन्हा है सफर
आयेगा मुझको छुड़ाने~पिंजड़े में बन्द हूँ
किये वादे निभाने को~अब भी पाबन्द हूॅं
ज़िंदगी भर के लिये तेरी~~~~~~~~~~~~~

मेरा सुख-चैन ज़माने ने~छीना जी भर
जाने कितने अफ़साने~रखे मैंने लिखकर
हाथों में फूल हैं मेरे~कांटों के संग हूँ
किये वादे निभाने को~अब भी पाबन्द हूॅं
ज़िंदगी भर के लिये तेरी~~~~~~~~~~~~~

तेरे इन्तज़ार में हमदम~थकी-थकी हैं निग़ाहें
दिल ये बेकरार है मेरा~बुझी-बुझी हैं अदायें
मैं गिला किससे करूँ~ख़ुद ही से तंग हूँ
किये वादे निभाने को~अब भी पाबन्द हूॅं
ज़िंदगी भर के लिये तेरी~~~~~~~~~~~~~

ज़िंदगी भर तुम्हारी गुलामी

ज़िंदगी भर,तुम्हारी गुलामी,हम करेंगे,अगर दिल ये दे दो
अजी ख़ुद को,तुम्हारे हवाले,हम करेंगे, अगर हां जो कह दो
ज़िंदगी भर तुम्हारी गुलामी~~~~~~~~~~~~

ये ज़हां अगर न माना~हम मुहब्बत से जीतेंगे इसको
बनाकर के एक बुत तेरा~हम इबादत कर माँगेंगे तुमको
कब तलक ये होगी मनाही,हद करेंगे,शराफ़त से कह दो
अजी ख़ुद को,तुम्हारे हवाले,हम करेंगे, अगर हां जो कह दो
ज़िंदगी भर तुम्हारी गुलामी~~~~~~~~~~~~

दो लफ़्ज़ों की इतनी कहानी~तन्हा कटती नहीं जवानी
हो ही जाते हैं उल्फ़त के किस्से~कोई करता मेहरबानी
हर याद तुम्हारी,संजोकर,हम रखेंगे अगर दिल ये दे दो
अजी ख़ुद को,तुम्हारे हवाले,हम करेंगे, अगर हां जो कह दो
ज़िंदगी भर तुम्हारी गुलामी~~~~~~~~~~~~

हो गया है ये दिल बंजारा~बन गया हूँ मैं मजनूं आवारा
फिर रहा हूँ तमन्ना में तेरी~फिर रहा हूँ यूँ ही मारा-मारा
गाल गोरे तुम्हारे गुलाबी~हम चूमेंगे,अगर दिल ये दे दो
अजी ख़ुद को,तुम्हारे हवाले,हम करेंगे, अगर हां जो कह दो
ज़िंदगी भर तुम्हारी गुलामी~~~~~~~~~~~~

देखे हमने हंसीनों के जलवे~मगर मुश्किल बड़ी बेवफ़ाई
पल भर में ख़फ़ा ये हैं होते~न ही मंजिल बड़े सौदाई
एक न एक दिन,अपने ही रंग में,रंग देंगे अगर दिल ये दो
अजी ख़ुद को,तुम्हारे हवाले,हम करेंगे, अगर हां जो कह दो
ज़िंदगी भर तुम्हारी गुलामी~~~~~~~~~~~~

ज़िंदगी का क्या भरोसा

ज़िंदगी का क्या भरोसा~आज है कल हो न हो
बे-वज़ह ऐसा तमाशा~सामने फिर से न हो
ज़िंदगी का क्या भरोसा~आज है कल हो न हो

झूठी कसमें झूठे वादे~देख लिया सारा संसार
मकड़ियों के जाल में~फँस गया मैं बार-बार
मीठा-मीठा सा ज़हर ये~दास्तां फिर से न हो
ज़िंदगी का क्या भरोसा~आज है कल हो न हो

जिसको समझा दोस्त अपना~वो दगा करता गया
तन्हा अपनी मंजिलों पर~मैं सदा बढ़ता गया
इस क़दर हुई दूरियाँ~फ़ासला कम हो न हो
ज़िंदगी का क्या भरोसा~आज है कल हो न हो

नग़मों की जंजीर ही ख़ुद~हथकड़ी मेरी बनी
दिल टूटा जैसे खिलौना~जां पर मेरी आ बनी
बूटा-बूटा हमसे वाक़िफ़~जहाँ भी ये चर्चा न हो
ज़िंदगी का क्या भरोसा~आज है कल हो न हो

सुबह जागा नींद से जब मैं~लब पर तेरा ही नाम था
वक़्त ने अन्दाज बदले~किस जगह तेरा गाँव था
साथ छोड़ा अब कलम ने~शायरी फिर हो न हो
ज़िंदगी का क्या भरोसा~आज है कल हो न हो

ज़िंदगी में ऐसा तूफान

ज़िंदगी में ऐसा~तूफान कौन लाया
हर घड़ी तमाशा~पैग़ाम कौन लाया
ज़िंदगी में ऐसा~~~~~~~~~~~~

ख़िड़कियाँ बन्द करके~सोया था मैं मजे में
कैसी ये जुस्तजू ले~डूबा था मैं नशे में
बेख़ुदी में ऐसा~मुक़ाम कौन लाया
हर घड़ी तमाशा~पैग़ाम कौन लाया
ज़िंदगी में ऐसा~~~~~~~~~~~~

मेरे दिल का कोना-कोना~बेगाना तो नहीं था
बस्ती में अपनी यारों~अन्जाना मैं नहीं था
दिल्लगी में ऐसा~अन्जाम कौन लाया
हर घड़ी तमाशा~पैग़ाम कौन लाया
ज़िंदगी में ऐसा~~~~~~~~~~~~

रूठेगा कोई ऐसे~इतना करीब आकर
माँगा था उसको रब से~मैंने बाहें फैलाकर
बन्दगी में ऐसा~मेहमान कौन आया
हर घड़ी तमाशा~पैग़ाम कौन लाया
ज़िंदगी में ऐसा~~~~~~~~~~~~

इन्कार करने वाले~समझेंगे क्या खुशी को
शिकवों से डरने वाले~तडपेंगे रोशनी को
शायरी में ऐसा~किरदार कौन आया
हर घड़ी तमाशा~पैग़ाम कौन लाया
ज़िंदगी में ऐसा~~~~~~~~~~~~

ज़िंदगी में मेरी आये

ज़िंदगी में मेरी आये~मेहरबानी सनम आपकी
मिट गये फ़ासले~क़दरदानी सनम आपकी
ज़िंदगी में मेरी आये~~~~~~~~~~~~

धीरे-धीरे हो रहा है~उल्फ़त का मुझपे नशा
बदला-बदला नज़ारा~जानम ये कैसी अदा
रंग में आ गई आशिक़ी~गुनगुनायें ग़ज़ल प्यार की
मिट गये फ़ासले~क़दरदानी सनम आपकी
ज़िंदगी में मेरी आये~~~~~~~~~~~~

कितना दिलकश हो गया~भीगा-भीगा समा
होश में हम नहीं~सोया-सोया ज़हां
है तेरे सिवा कुछ नहीं~है जरूरत फ़क़त आपकी
मिट गये फ़ासले~क़दरदानी सनम आपकी
ज़िंदगी में मेरी आये~~~~~~~~~~~~

कैसे दुनिया देखूँ मैं~हर सू तू ही तू है
जैसे बादल में पानी~दिल में बसी तू है
अब हमारे है हवाले~निगहबानी आपकी
मिट गये फ़ासले~क़दरदानी सनम आपकी
ज़िंदगी में मेरी आये~~~~~~~~~~~~

दो से हो जायें एक~ऐसा कुछ कीजिये
न रहे कोई ग़म~वो दवा हमें दीजिये
हों जुदा वो दिन न आये~ज़िंदगानी सनम आपकी
मिट गये फ़ासले~क़दरदानी सनम आपकी
ज़िंदगी में मेरी आये~~~~~~~~~~~~

जिन्हें देखते थे ख़्वाबों में अक्सर

जिन्हें देखते थे~ख़्वाबों में अक्सर
हक़ीक़त में वो~हमें मिल गये हैं
अलग राह के~मुसाफिर दो हम
शरारत हुई 'ओ'~दिल मिल गये हैं
जिन्हें देखते थे ख़्वाबों में अक्सर~~~~~~~~~~~~~~

उसी जैसा मुखड़ा~गुलाबी-गुलाबी
उसी जैसे नयना~शराबी-शराबी
उसी जैसी ज़ालिम~क़ातिल अदायें
अदाओं में हरदम~बेताबी-बेताबी
जिन्हें देखते थे~गुलशन में छिपकर
न चाहा जिन्हें~बेवज़ह मिल गये हैं
अलग राह के मुसाफिर दो हम,शरारत हुई 'ओ' दिल~~~
जिन्हें देखते थे ख़्वाबों में अक्सर~~~~~~~~~~~~~~

सजी ये ज़मीं~झुका-आसमां
अनोखा ये संगम~न समझे ज़हां
करीब आज आये~चांद-चकोर
निराली वो चितवन~मचलती जुवां
जिन्हें पूछते थे~सवालों में अक्सर
कदम थे जहां~वहीं रुक गये हैं
अलग राह के मुसाफिर दो हम,शरारत हुई 'ओ' दिल~~~
जिन्हें देखते थे ख़्वाबों में अक्सर~~~~~~~~~~~~~~

हंसें हम पर कलियाँ~हंसें हम पर भंवरे
हंसें हम पर गुलशन~टिकी हम पर नज़रें
सितारे ज़मीं पर~मिले आज ऐसे
रचें गीत हम पर~पढ़ें हम पर ग़ज़लें
जिन्हें सोचते थे~ख़ुदा हैं ज़मीं पर
सज़दे में उनके~हम झुक गये हैं
अलग राह के मुसाफिर दो हम,शरारत हुई 'ओ' दिल~~~
जिन्हें देखते थे ख़्वाबों में अक्सर~~~~~~~~~~~~~~

जिन राहों से मैं गुजरा

जिन राहों से मैं गुजरा~उन राहों से...वास्ता क्या
जिस दुश्मन ने दिल तोड़ा~वही मेरा...राज़दां था
जिन राहों से मैं गुजरा~~~~~~~~~~~~~~~~

झूठी जग की हैं रस्में~झूठे रिश्ते और नाते
तोड़े जाते हैं बन्धन~झूठी कसमें और वादे
जी सका न~न दम निकला~जीवन से...वास्ता क्या
जिस दुश्मन ने दिल तोड़ा~वही मेरा...राज़दां था
जिन राहों से मैं गुजरा~~~~~~~~~~~~~~~~

एक दिल था बस कहने को~उस पर उसने नाम लिखा
रातोदिन फुरसत से~मैंने उसे पैग़ाम लिखा
जिन रातों में शमा मचले~उन रातों से...वास्ता क्या
जिस दुश्मन ने दिल तोड़ा~वही मेरा...राज़दां था
जिन राहों से मैं गुजरा~~~~~~~~~~~~~~~~

चुपके-चुपके आकर के~सीने से लिपट जाना
मुश्किल लगती जो बातें~धीरे से समझ जाना
पल भर में जो बदला~उस साथी से...वास्ता क्या
जिस दुश्मन ने दिल तोड़ा~वही मेरा...राज़दां था
जिन राहों से मैं गुजरा~~~~~~~~~~~~~~~~

उलझन इससे नहीं बढ़कर~उल्फ़त शूलों सी डगर
आब-ए-हयात कैसा ये~लगता मुझको है ज़हर
फूल देकर न दिल बहला~इन फूलों से...वास्ता क्या
जिस दुश्मन ने दिल तोड़ा~वही मेरा...राज़दां था
जिन राहों से मैं गुजरा~~~~~~~~~~~~~~~~

जिसको एक मर्तबा प्रेम हो गया

जिसको एक मर्तबा प्रेम हो गया
समझो वह आदमी काम से गया
बागों में बहारें आने लगी,भूला वह होश ख़ुद आप से गया
जिसको एक मर्तबा प्रेम हो गया~~~~~~~~~~~~~

दिन-रात उसके ख़यालों में गुम
सुबह-शाम उसकी लगी कैसी धुन
रातों को नींद न दिन को क़रार
इन सांसों ने उसको लिया आज चुन
पाठ यह उल्फ़त जिसे याद हो गया,समझो वह आदमी~~
बागों में बहारें आने लगी,भूला वह होश ख़ुद आप से गया
जिसको एक मर्तबा प्रेम हो गया~~~~~~~~~~~~~

बिखरी जो ज़ुल्फ़ें मचल उठा दिल
गालों की शोख़ी अलग ही मुश्किल
आँखों पे चश्मा काला-काला
अधरों पर लाली अदायें क़ातिल
प्यार का पैग़ाम खुले आम हो गया,समझो वह आदमी~~
बागों में बहारें आने लगी,भूला वह होश ख़ुद आप से गया
जिसको एक मर्तबा प्रेम हो गया~~~~~~~~~~~~~

जन्नत से उतरी परी हो कोई
काली हो गोरी दिल ले गई
गधी भी परी आज दिखने लगी
दर्दे जिगर की दुआ दे गई
कैसा ये फ़लसफ़ा हाय राम हो गया,समझो वह आदमी~~
बागों में बहारें आने लगी,भूला वह होश ख़ुद आप से गया
जिसको एक मर्तबा प्रेम हो गया~~~~~~~~~~~~~

जी चाहता है देखा करूँ

जी चाहता है देखा करूँ~तेरी सूरत यूँ ही हरदम
कैसे न जानम सज़दे करूँ~तेरे कदमों में हमदम
जी चाहता है देखा करूँ~~~~~~~~~~~~~

अन्दाज तेरे लिखने का~हर बार नया सा लगता है
तारीफ़ में ऐसा क्या लिखूँ~हर ख़्वाब जवां सा दिखता है
तू चाहता जो वो मैं करूँ~हूँ मैं तेरी ही सरगम
कैसे न जानम सज़दे करूँ~तेरे कदमों में हमदम
जी चाहता है देखा करूँ~~~~~~~~~~~~~

हैं गाल ये गोरे तेरे लिये~हैं लब के पैमाने तेरे लिये
ये जिस्म-ओ-जां तेरी है~करती मैं सदायें तेरे लिये
सब तोड़ बंधन संग चलूँ~मुझे खुशियाँ दे या ग़म
कैसे न जानम सज़दे करूँ~तेरे कदमों में हमदम
जी चाहता है देखा करूँ~~~~~~~~~~~~~

तुझसे मुहब्बत करती हूँ~तू माने या न माने
दिल थाम के कब से मैं~बैठी तू राज़ मेरा क्या जाने
जी चाहता खोयी रहूँ~तेरी धड़कन में ही हरदम
कैसे न जानम सज़दे करूँ~तेरे कदमों में हमदम
जी चाहता है देखा करूँ~~~~~~~~~~~~~

जब सामने तेरा चेहरा हो~अंजाम की परवाह कौन करे
दिलवाला तू मतवाला है~तुझे देख आहें कोई क्यों न भरे
जी चाहता तू रहे सदा~सलामत यूँ ही हरदम
कैसे न जानम सज़दे करूँ~तेरे कदमों में हमदम
जी चाहता है देखा करूँ~~~~~~~~~~~~~

ज़ुल्फ़ें तेरी घटायें आँखें तेरी मयख़ाना

ज़ुल्फ़ें तेरी घटायें~आँखें तेरी मयख़ाना
कैसे तुझे न देखूँ~मस्ती का तू ख़जाना
ज़ुल्फ़ें तेरी घटायें~~~~~~~~~~~

दिल का सकून छीने~छम-छम ये तेरी पायल
दिल का सकून छीने~छम-छम ये तेरी पायल
क़ातिल अदायें तेरी~करती मुझे हैं घायल
चेहरे ने तेरे हमदम~मुझको बनाया पागल
ज़ुल्फ़ें तेरी घटायें~आँखें तेरी मयख़ाना
ज़ुल्फ़ें तेरी घटायें~~~~~~~~~~~

पलकों में बन्द है तू~सज़दों में तू ही तू है
पलकों में बन्द है तू~सज़दों में तू ही तू है
मुद्दत से धड़कनों को~बस तेरी आरजू है
जिसे खोजता ज़हां में~तू वही जुस्तजू है
ज़ुल्फ़ें तेरी घटायें~आँखें तेरी मयख़ाना
ज़ुल्फ़ें तेरी घटायें~~~~~~~~~~~

अरमान अपने दिल का~मैं लबों से कह न पाया
अरमान अपने दिल का~मैं लबों से कह न पाया
चाहा भी चलना तन्हा~तन्हा मैं चल न पाया
वो सितम किये तूने~मैं कसम से सह न पाया
ज़ुल्फ़ें तेरी घटायें~आँखें तेरी मयख़ाना
ज़ुल्फ़ें तेरी घटायें~~~~~~~~~~~

जो दिल में बस जाते हैं

जो दिल में बस जाते~गिला उनसे नहीं करते
नखरे जो दिखलाते~मिला उनसे नहीं करते
जो दिल में बस जाते~गिला उनसे नहीं करते

मुहब्बत ख़ुदा की है नेमत~मिलती नसीबवालों को
खुशियों के गुलजार लम्हें~दिखते जिगरवालों को
ठान लेते जो करने की मन में~पूरा करते अरमानों को
जो डर से रुक जाते हैं~वफ़ा उनसे नहीं करते
नखरे जो दिखलाते~मिला उनसे नहीं करते
जो दिल में बस जाते~गिला उनसे नहीं करते

मिलने को बेताब मैं उससे~पल-पल जिया में हलचल
ख़्वाबों में ही गर वो मिले~मदहोश सा करती चितवन
गर हक़ीक़त में वो पास आये~उस पर लुटा दूँ मैं तन-मन
जो देख मुकर जाते हैं~सदा उनसे नहीं करते
नखरे जो दिखलाते~मिला उनसे नहीं करते
जो दिल में बस जाते~गिला उनसे नहीं करते

हुस्न मासूम चंचल तितली~कब गिरा दें मुझ पर बिजली
गोरा-गोरा बदन जैसे चन्दन~सज-धज मल्लिकायें निकली
करूँ दीदार उसका मैं कैसे~बन्द रखती सदा जो खिड़की
जो शब्द लिख जाते हैं~मिटा यूँ ही नहीं करते
नखरे जो दिखलाते~मिला उनसे नहीं करते
जो दिल में बस जाते~गिला उनसे नहीं करते

जो कभी ख़त्म न हो

जो कभी ख़त्म न हो~वही एहसास हैं हम
न समझना ऐसा-वैसा~कहीं कुछ ख़ास हैं हम
जो कभी ख़त्म न हो~~~~~~~~~~~~~~~

तुम चाहते हो जैसा~हम वैसा करने वाले हैं
कैसी भी हो मन्जिल~हम राही चलने वाले हैं
यूँ भी उदास न हो~कहीं तो साथ हैं हम
न समझना ऐसा-वैसा~कहीं कुछ ख़ास हैं हम
जो कभी ख़त्म न हो~~~~~~~~~~~~~~~

चन्द लम्हें ही मिले~तुम्हें रुसबा कैसे कर दें
तुम दोस्त हो हमारे~तुम्हें दुश्मन कैसे लिख दें
जो कभी जुदा न हों~वही भूली याद हैं हम
न समझना ऐसा-वैसा~कहीं कुछ ख़ास हैं हम
जो कभी ख़त्म न हो~~~~~~~~~~~~~~~

गुदगुदायेंगे सदा~तुम्हें दिलकश ये तराने
हम लायेंगे यूँ ही~नये उल्फ़त के फ़साने
जो कभी बन्द न हो~वही तो किताब हैं हम
न समझना ऐसा-वैसा~कहीं कुछ ख़ास हैं हम
जो कभी ख़त्म न हो~~~~~~~~~~~~~~~

अफ़साने मरते दम तक~लिखता है लिखने वाला
दुनिया में ख़ार बनकर~चुभता है जलने वाला
खुशबुयें कम न हों~वही तो गुलाब हैं हम
न समझना ऐसा-वैसा~कहीं कुछ ख़ास हैं हम
जो कभी ख़त्म न हो~~~~~~~~~~~~~~~

जो रिश्ते रब बनाता है

F जो रिश्ते रब बनाता है~नहीं वो टूटते ऐसे
जो रिश्ते रब बनाता है~नहीं वो टूटते ऐसे
गिला करते हैं वो अक्सर~नहीं भी रूठते ऐसे
M जो रिश्ते रब बनाता है~नहीं वो टूटते ऐसे
गिला करते हैं वो अक्सर~नहीं भी रूठते ऐसे
जो रिश्ते रब बनाता है~नहीं वो टूटते ऐसे

F कभी रोते कभी हंसते~बड़े नाजुक हैं ये रिश्ते
{जरा सी ठेस पहुँचे तो}-२~वहीं बदनाम हैं रिश्ते
चला जो दूर जाता है~उसे हम ढूंढ़ते ऐसे
गिला करते हैं वो अक्सर~नहीं भी रूठते ऐसे
M जो रिश्ते रब बनाता है~नहीं वो टूटते ऐसे

M जुड़े रिश्ते मुहब्बत से~बंधे बन्धन हैं उल्फ़त से
{मगर है खेल किस्मत का}-२~हुए रुख़सत हैं डर-डर के
जो सबका दिल दुःखाता है~उसे हम पूजते ऐसे
गिला करते हैं वो अक्सर~नहीं भी रूठते ऐसे
F जो रिश्ते रब बनाता है~नहीं वो टूटते ऐसे

F जहां पर ग़म कोई न हो~मुझे ऐसी ज़मीं दे दो
{मुहब्बत के गुलिस्ता में}-२~मुझे पल भर खुशी दे दो
जो करके कुछ दिखाता है~नहीं वो भूलते ऐसे
गिला करते हैं वो अक्सर~नहीं भी रूठते ऐसे
M जो रिश्ते रब बनाता है~नहीं वो टूटते ऐसे

झाँक कर मेरी इन आँखों में

झाँक कर,मेरी इन,आँखों में,देख तो सही, देख तो सही
दिया तुझे,कल जो था,जानेमन,प्यार है वही,इक़रार वही
झाँक कर,मेरी इन,आँखों में~~~~~~~~~~~~~

वही हैं नज़ारे,वही हैं इशारे,वही भोलापन,वही सादगी
बदला ज़माना,नहीं मैं बदला,वही बाँकपन,वही दिल्लगी
खोया हूँ,तेरी ही,यादों में,दिन है वही,रातें हैं वही
दिया तुझे,कल जो था,जानेमन,प्यार है वही,इक़रार वही
झाँक कर,मेरी इन,आँखों में~~~~~~~~~~~~~

लिखूँ मैं फ़साने,गाऊँ मैं तराने,जहां तेरे कदम,वही रास्ते
खुशियों का सावन,ग़म की रुबाई,लाया हर रंग,तेरे वास्ते
दिलरूबा,जानेमन,राज़ ये,जान तो सही,जान तो सही
दिया तुझे,कल जो था,जानेमन,प्यार है वही,इक़रार वही
झाँक कर,मेरी इन,आँखों में~~~~~~~~~~~~~

ख़्वाब बस तेरे,अरमां बस तेरा,मुझे याद आते,एहसास तेरे
शब भर मेरी,बाहों में रहना,हुये धुँधले,जवां दो वो चेहरे
बैठ कर,तन्हा तू,फिर से,पैग़ाम वही,लिख तो सही
दिया तुझे,कल जो था,जानेमन,प्यार है वही,इक़रार वही
झाँक कर,मेरी इन,आँखों में~~~~~~~~~~~~~

तन्हाईयों में लेती तू अँगड़ाई,फिर घिर वो बदरी न आई
आये-गये मौसम,दिन अलबेले,कभी फिर वो,पगली न आई
क्यों बसी,मेरी इन,सांसों में,कह तो सही,कह तो सही
दिया तुझे,कल जो था,जानेमन,प्यार है वही,इक़रार वही
झाँक कर,मेरी इन,आँखों में~~~~~~~~~~~~~

कर के बैचेन मुझे

कर के बैचेन मुझे~फिर हाल न पूछा उसने
फिर कभी मिलने का~ये सवाल न पूछा उसने
कर के बैचेन मुझे~~~~~~~~~~~~~~~~~~~~~~

चाहा कितना ही मगर~उसको पैग़ाम लिखूँ
फ़लसफ़ा प्यार का~दिल की हर बात लिखूँ
देकर आग़ाज के पल~अंजाम न पूछा उसने
फिर कभी मिलने का~ये सवाल न पूछा उसने
कर के बैचेन मुझे~~~~~~~~~~~~~~~~~~~~~~

बिखरा सपनों का महल~कोई निशां ही न रहा
हुए मदहोश जहाँ~वो ज़हां ही न रहा
जिऊंगी कैसे भला~एक बार न सोचा उसने
फिर कभी मिलने का~ये सवाल न पूछा उसने
कर के बैचेन मुझे~~~~~~~~~~~~~~~~~~~~~~

कौन कहता है ये कि~वो जुदा मुझसे हुआ
मेरी यादों का सफर~ख़त्म तुझ पे हुआ
छोड़ के तन्हा मुझे~हुई रात न सोचा उसने
फिर कभी मिलने का~ये सवाल न पूछा उसने
कर के बैचेन मुझे~~~~~~~~~~~~~~~~~~~~~~

हर सुबह 'ओ' शाम हुई~उसकी दीवानी मैं
उसके जलवों का क़हर~जग से बेगानी मैं
ज़िंदगी बोझ बनी~कोई ठौर न ढूंढा उसने
फिर कभी मिलने का~ये सवाल न पूछा उसने
कर के बैचेन मुझे~~~~~~~~~~~~~~~~~~~~~~

करूँ तो करूँ कैसे मुहब्बत करूँ

M करूँ तो करूँ कैसे मुहब्बत करूँ-2
सारी रात ठण्डी-ठण्डी आहें मैं भरूँ
करूँ तो करूँ कैसे मुहब्बत करूँ-2

सदियों से करता मैं हूँ~सनम इन्तज़ार तेरा-2
मुझे प्यार करने दे~दिल बेक़रार मेरा
दूर-दूर रह-कर कैसे प्यार मैं करूँ-2
करूँ तो करूँ कैसे मुहब्बत करूँ-2

F करूँ तो करूँ कैसे मुहब्बत करूँ-2
सारी रात ठण्डी-ठण्डी आहें मैं भरूँ
करूँ तो करूँ कैसे मुहब्बत करूँ
F करूँ तो करूँ कैसे मुहब्बत करूँ-2

लगी है ये दिल की~बुझेगी न ऐसे राजा-2
समा ले सांसों में~नज़दीक मेरे आ जा
जानेजिगर कैसे ऐतबार मैं करूँ-2
करूँ तो करूँ कैसे मुहब्बत करूँ-2

M~~
मुझे देखती क्यों है चिलमन से चोरी-चोरी-2
जनम-जनम के लिये बाँध ले ये डोरी
चाहता है दिल कि बग़ावत मैं करूँ-2
करूँ तो करूँ कैसे मुहब्बत करूँ-2

F~~
चैन और क़रार मेरे दिल का तूने लूटा-2
वादा किया वो भी किया हर बार झूठा
कैसे दगाबाज़ पर इनायत मैं करूँ-2
करूँ तो करूँ कैसे मुहब्बत करूँ-2
Male~~करूँ तो करूँ कैसे मुहब्बत करूँ-2
Female-करूँ तो करूँ कैसे मुहब्बत करूँ-2

कभी इधर से मैं गुजरा

कभी इधर से मैं गुजरा~कभी उधर से गुजर गया
तेरे प्यार-प्यार-प्यार में~मैं हद से गुजर गया
कभी इधर से मैं गुजरा~~~~~~~~~~~~~~

रहा तुझे ढूँढ़ता सखियों में मैं,रहा ख़ाक़ छानता गलियों में मैं
छिपी न जाने किन बहारों में,दिखी नहीं भी मुझे बाजारों में
कभी सुबह सा मचल गया,कभी शब सा ठहर गया
तेरे प्यार-प्यार-प्यार में~मैं हद से गुजर गया
कभी इधर से मैं गुजरा~~~~~~~~~~~~~~

दिल खो गया पहली मुलाक़ात में,कुछ हो गया भीगी बरसात में
लम्हों में कहाँ तू गुम हो गई,मुझसे ही कहीं भूल हो गयी
कभी राहों मैं भटका,कभी गिर कर संभल गया
तेरे प्यार-प्यार-प्यार में~मैं हद से गुजर गया
कभी इधर से मैं गुजरा~~~~~~~~~~~~~~

सितम कर गई तेरी अंगड़ाईयाँ,बड़ी क़ातिल तेरी रानाईयाँ
चेहरे की रंगत बदलती गयी,सिर्फ मुझको मिली रुसवाईयाँ
कभी हार सा मैं चमका,कभी टूट कर बिखर गया
तेरे प्यार-प्यार-प्यार में~मैं हद से गुजर गया
कभी इधर से मैं गुजरा~~~~~~~~~~~~~~

मुझे भा क्यों गया गोरा बदन,फूलों ने दी मुझको चुभन
पलकों में बन्द वो हो गई,न बुझी है ये कैसी अगन
कभी मय पी मैं निकला,कभी पी मैं ज़हर गया
तेरे प्यार-प्यार-प्यार में~मैं हद से गुजर गया
कभी इधर से मैं गुजरा~~~~~~~~~~~~~~

कभी न कभी कहीं न कहीं

कभी न कभी,कहीं न कहीं
आपको,ख़्याल मेरा आयेगा
हाँ..न किया ना..नहीं किया,जाने क्यों
सवाल ये तड़पायेगा
कभी न कभी,कहीं न कहीं~~~

तुमने ही यह नाम दिया,आशिक़ पहले मैं न था
यार की बदमाशियों से,वाक़िफ़ पहले मैं न था
वक़्त ने मजबूर किया,शायर पहले मैं न था
मिले राह में,देखा ही नहीं
दोस्तों पैग़ाम कहां आयेगा
हाँ..न किया ना..नहीं किया,जाने क्यों, सवाल...
कभी न कभी,कहीं न कहीं~~~

ऐसे रंग ले आयेगी,चन्द लम्हों की दिल्लगी
ख़ाक़ में मिल जायेगी,मैंने की जो बन्दगी
मेहरबां ठुकरायेगी,ऐसी होगी बेख़ुदी
सुबह न सही,शाम न सही
रात को ख़्वाब मेरा आयेगा
हाँ..न किया ना..नहीं किया,जाने क्यों, सवाल...
कभी न कभी,कहीं न कहीं~~~

बागवां रोशन हुआ,जब मिले हम गुल खिले
चहकने कलियाँ लगी,जुड़ गये नये सिलसिले
ऐसा हमसे क्या हुआ,आ गये जो जलजले
गुजरा वक़्त,जो तेरे संग में
जानेजां लौट अब न आयेगा
हाँ..न किया ना..नहीं किया,जाने क्यों, सवाल...
कभी न कभी,कहीं न कहीं~~~

कभी रोते बे-इन्तहा कभी...

कभी रोते बे-इन्तहा~कभी हम मुस्कुराते हैं
मुहब्बत किससे कर बैठे~नहीं ये समझ पाते हैं
कभी रोते बे-इन्तहा~~~~~~~~~~~~~~

सफर है यह मुहब्बत का~खड़े हैं राह में तन्हा
तुम्हें ही सोचते हरदम~किसी से क्या करें शिकवा
सदा लेते वो इम्तिहां~हमें जब-जब बुलाते हैं
मुहब्बत किससे कर बैठे~नहीं ये समझ पाते हैं
कभी रोते बे-इन्तहा~~~~~~~~~~~~~~

चलाया तीर है ऐसा~जिगर ये आहें भरता है
किया जिसने हमें घायल~उसी पर ही मरता है
कभी पाते हैं हम सजा~कभी हम ख़ौफ़ खाते हैं
मुहब्बत किससे कर बैठे~नहीं ये समझ पाते हैं
कभी रोते बे-इन्तहा~~~~~~~~~~~~~~

उठाने को उठा लेते~ज़माने भर का ये ग़म
हमें इस हाल में ला के~नहीं है आँख उनकी नम
कभी लिखते हैं फ़लसफ़ा~झूठी क्यों कसमें खाते हैं
मुहब्बत किससे कर बैठे~नहीं ये समझ पाते हैं
कभी रोते बे-इन्तहा~~~~~~~~~~~~~~

सुना करता था मैं अक्सर~बदल जाती हैं तक़दीरें
पड़ा मालूम अब ये है~नहीं टूटेंगी जन्जीरें
सभी प्यादे हैं उन्हीं के~नहीं हम जीत पाते हैं
मुहब्बत किससे कर बैठे~नहीं ये समझ पाते हैं
कभी रोते बे-इन्तहा~~~~~~~~~~~~~~

कभी तो समझो प्यार-मुहब्बत

कभी तो समझो~प्यार-मुहब्बत~का ये फ़साना
सज़दे में हम हैं~सिर को झुकाये~पल भर रुक जाना
कभी तो समझो~प्यार-मुहब्बत~का ये फ़साना

हमसफ़र तुम ही तुम हो~दूजा कोई और है नहीं
दिल लगाया आपसे है~कर लो भी हम पर यकीं
किस सौतन से~सीखा तुमने~नज़रें चुराना
सज़दे में हम हैं~सिर को झुकाये~पल भर रुक जाना
कभी तो समझो~प्यार-मुहब्बत~का ये फ़साना

चन्द ही लम्हों में सनम~कैसे तुम बदल गये
नज़रों से मय पी है क्या~कि कदम बहक गये
बैठे ही बैठे~बना है दुश्मन~सारा ज़माना
सज़दे में हम हैं~सिर को झुकाये~पल भर रुक जाना
कभी तो समझो~प्यार-मुहब्बत~का ये फ़साना

दिल कहीं लगता नहीं~तन्हा-तन्हा क्या हम करें
मन्जिलें गुम हुईं~हाल-ए-दिल किससे कहें
रोती हैं कलियाँ~पसरा है~गुलशन में वीराना
सज़दे में हम हैं~सिर को झुकाये~पल भर रुक जाना
कभी तो समझो~प्यार-मुहब्बत~का ये फ़साना

बेवज़ह क्यों ख़फ़ा हो~कम करो ये दूरियाँ
बेवफ़ा हम नहीं हैं~कैसी ये मजबूरियाँ
दिल में तुम्हारे~ढूँढ़ लिया है~हमने ठिकाना
सज़दे में हम हैं~सिर को झुकाये~पल भर रुक जाना
कभी तो समझो~प्यार-मुहब्बत~का ये फ़साना

कदम-कदम पे नया इम्तिहान

कदम-कदम पे नया इम्तहां है जीवन-2
समझ सका न वही इन्तहा है जीवन
कदम-कदम पे नया इम्तहां है जीवन

कि साथ देगा कोई क्या सभी बुझे से हैं-2
क़रार देगा कोई क्या सभी रूठे से हैं
पयाम देगा कोई क्या सभी लुटे से हैं
कदम-कदम पे ही ख़ुमार है जीवन
कदम-कदम पे नया इम्तहां है जीवन

किसी की चाह है पैसा कहीं अदालत है-2
मिले न प्यार जहां पर वहीं बगावत है
ये ज़िंदगी किसी की कोई अमानत है
कदम-कदम पे नया एक सवाल है जीवन
कदम-कदम पे नया इम्तहां है जीवन

लिये हैं हाथ में खंजर कहीं छिपी है गन-2
सुलझ न पायी पहेली फिर नई एक उलझन
बयां मैं कैसे करूँ हैं दबी-दबी धड़कन
कदम-कदम पे कहीं गिरफ़्तार है जीवन
कदम-कदम पे नया इम्तहां है जीवन

सकूंन दिल का कहाँ से मैं लाऊँ भी हमदम-2
उदास गीत मेरे हैं गुम हुई कहीं सरगम
कदम ठहर से गये और रास्ते दुर्गम
कदम-कदम पे ही बेजुवान है जीवन
कदम-कदम पे नया इम्तहां है जीवन

कलम तोड़ दी फाड़ दी डायरी

कलम तोड़ दी फाड़ दी डायरी~मुहब्बत यहाँ किस काम की
जिगर है मेरा नज़र आपकी~ये आदत बुरी बदनाम सी
कलम तोड़ दी फाड़ दी डायरी~~~~~~~~~~~

करूँ गर इबादत दिखती वो~लिखूँ गर इबारत दिखती वो
दिन मेरा गुजरे उसे याद कर~सजे कोई दुल्हन दिखती वो
हिम्मत सभी जंग में हार दी~ख़बर नहीं अब अन्जाम की
जिगर है मेरा नज़र आपकी~ये आदत बुरी बदनाम सी
कलम तोड़ दी फाड़ दी डायरी~~~~~~~~~~~

ये माना उससे न रिश्ता कोई~चलाता तीर न दिखता कोई
डूबी कश्ती मेरी मझधार में~उधर बेदाम बिकता कोई
है मुश्किल सफर बेबस घड़ी~शरारत भरी वह शाम थी
जिगर है मेरा नज़र आपकी~ये आदत बुरी बदनाम सी
कलम तोड़ दी फाड़ दी डायरी~~~~~~~~~~~

फुर्सत में तराशा नाज़ुक बदन,सांचे से झलकता हर अंग-२
बेबस करती वो शोख़ियाँ~कैसे काबू करूँ मन की उमंग
कामिनी छोड़ दी छोड़ दी रूपसी~ये जन्नत यारों नाम की
जिगर है मेरा नज़र आपकी~ये आदत बुरी बदनाम सी
कलम तोड़ दी फाड़ दी डायरी~~~~~~~~~~~

मैं शायर बना उसके वास्ते~लुटा घर दिया उसके वास्ते
दुश्मन की नज़र ऐसी लगी~जुदा फिर हुए अपने रास्ते
लिखी चिट्ठियाँ गाड़ दी कहीं~जरूरत नहीं अब पैग़ाम की
जिगर है मेरा नज़र आपकी~ये आदत बुरी बदनाम सी
कलम तोड़ दी फाड़ दी डायरी~~~~~~~~~~~

कब खोलेगी मुंह से तू ताला

कब खोलेगी मुंह से तू ताला~मैं हूँ शायर तेरा मतवाला
ज़ुल्फ़ बिखरी झुमका है आला~मैं हूँ शायर तेरा मतवाला
कब खोलेगी मुंह से तू ताला~~~~~~~~~~~~~~~~

छिप-छिप आयी तुझपे जवानी,पतली कमरिया उम्र सयानी
नैना मचलते मय के दो प्याले,हो न जाये तुझसे नादानी
कब समझेगी जयपुर की बाला~मैं हूँ शायर तेरा मतवाला
ज़ुल्फ़ बिखरी झुमका है आला~मैं हूँ शायर तेरा मतवाला
कब खोलेगी मुंह से तू ताला~~~~~~~~~~~~~~~~

कर बैठा दिल तेरी तमन्ना,भाने लगा मन को तेरा सँवरना
रूप की रानी ख़्वाबों की मल्लिका,क्या खूब अदाओं से चलना
पड़ा किस छोरी से मेरा पाला~मैं हूँ शायर तेरा मतवाला
ज़ुल्फ़ बिखरी झुमका है आला~मैं हूँ शायर तेरा मतवाला
कब खोलेगी मुंह से तू ताला~~~~~~~~~~~~~~~~

बंद किये है तू अपनी किवड़िया,दिल चुरा लूँ मैं हूँ वो छलिया
अरमां दिल में छिपायेगी कब तक,बनना तुझे है मेरी दुल्हनियां
कैसे सोचेगी है गड़बड़झाला~मैं हूँ शायर तेरा मतवाला
ज़ुल्फ़ बिखरी झुमका है आला~मैं हूँ शायर तेरा मतवाला
कब खोलेगी मुंह से तू ताला~~~~~~~~~~~~~~~~

ज़िंदगानी जवां चार दिन की,न ख़बर है कोई पल-छिन की
यूँ तो लगते यहाँ रोज मेले,दुनिया ये बड़ी उलझन सी
तेरे ख़ातिर न निकले दीवाला~मैं हूँ शायर तेरा मतवाला
ज़ुल्फ़ बिखरी झुमका है आला~मैं हूँ शायर तेरा मतवाला
कब खोलेगी मुंह से तू ताला~~~~~~~~~~~~~~~~

कर बैठा दिल को मैं किसी के लिये

कर बैठा दिल को मैं किसी के लिये, बेक़रार-बेक़रार
हरदम ही करता हूँ उसी के लिये, इन्तज़ार-इन्तज़ार
कर बैठा दिल को मैं~~~~~~~~~~~~

ऐसा कोई इरादा न था, उससे नज़रें मिलाने का मुझको
आशिकी ने दीवाना किया, उसने भेजा क्या पैग़ाम मुझको
कर बैठा किसी का मैं यूँ ही बेवज़ह, ऐतबार-ऐतबार
हरदम ही करता हूँ उसी के लिये, इन्तज़ार-इन्तज़ार
कर बैठा दिल को मैं~~~~~~~~~~~~

मुझको मालूम न ये चला, आग सी लगी कब दिल में
मुस्कुराती वो चंचल परी, सामने आ गयी महफ़िल में
लिख बैठा उसी को मैं लम्हों के लिये, दे क़रार..दे क़रार
हरदम ही करता हूँ उसी के लिये, इन्तज़ार-इन्तज़ार
कर बैठा दिल को मैं~~~~~~~~~~~~

इन्तहा की भी हद हो गयी, अच्छा उसने तमाशा किया
वो चलाया तीर-ए-नज़र, पल में मुझको बेगाना किया
लिये उसकी तमन्ना मैं रोता रहा, ज़ार-ज़ार ज़ार-ज़ार
हरदम ही करता हूँ उसी के लिये, इन्तज़ार इन्तज़ार
कर बैठा दिल को मैं~~~~~~~~~~~~

जब-जब काली घटा आयी घिर, मन-मन गुदगुदाने लगा
चाँद सी गोरी चितवन वो, सपने मैं सजाने लगा
तन्हा बैठा जहाँ मैं याद आती रही वो, बार-बार बार-बार
हरदम ही करता हूँ उसी के लिये, इन्तज़ार-इन्तज़ार
कर बैठा दिल को मैं~~~~~~~~~~~~

कर मुहब्बत या मुझको भुला दे

कर मुहब्बत या मुझको भुला दे,मेरा दिल बेकाबू हुआ है
रब सुनता नहीं अब सदायें,ये ज़माना भी संगदिल हुआ है
कर मुहब्बत या मुझको भुला दे~~~~~~~~~~~~~

तेरी गलियों में मैं रुसवा हुआ,ऐसा जिद से भरा शिकवा क्या
मीठी बातों ने मुझपे किया असर,तेरी बाहों में गुजरे लम्हें वो क्या
मय आँखों से अपनी पिला दे,कैसा मुझ पर जादू हुआ है
रब सुनता नहीं अब सदायें,ये ज़माना भी संगदिल हुआ है
कर मुहब्बत या मुझको भुला दे~~~~~~~~~~~~~

चाँदनीं में नहाया गोरा बदन,मनवा में उठे हूक कैसी अगन
तुझे पाना दिलबर मक़सद मेरा,छेड़ी मुझसे कैसी तूने ये जंग
फैसला यार अपना अब सुना दे,तन्हा मिलने का मौसम हुआ है
रब सुनता नहीं अब सदायें,ये ज़माना भी संगदिल हुआ है
कर मुहब्बत या मुझको भुला दे~~~~~~~~~~~~~

करे माथे की तेरे बिंदिया ग़ज़ब,बंद रहती जो खिड़की खुलेगी कब
तुझे पलकों की चिलमन में रखूँगा,ये तमन्ना-ए-दिल पूरी होगी कब
या ख़ुदा कोई चक्कर चला दे,बेरहम कहाँ जा छुपा है
रब सुनता नहीं अब सदायें~ये ज़माना भी संगदिल हुआ है
कर मुहब्बत या मुझको भुला दे~~~~~~~~~~~~~

मेरे गुलशन का प्यारा तू एक गुल,सादगी में तेरी हजारों हैं गुन
तेरी हर बात मैंने ले मान ली,फ़लसफ़ा ज़िंदगी मेरे यार सुन
कर इशारा तू मुझको बुला ले,तेरा आशिक़ मजनूं हुआ है
रब सुनता नहीं अब सदायें,ये ज़माना भी संगदिल हुआ है
कर मुहब्बत या मुझको भुला दे~~~~~~~~~~~~~

कानों में बाली होंठों पे लाली

कानों में बाली~होंठों पे लाली
आँखों में कज़रा~कमाल का है
यारों ये जलवा~धमाल का है
बिखरे गेसू~लाल दुपट्टा,चेहरा मानों गुलाब सा है
यारों ये जलवा धमाल का है
कानों में बाली~~~~~~~~~~~~~~~

कर रही है मुझे~पल पल बेक़रार
कब तलक मैं करूं~इसका इंतजार
ये गाती है कोयल सा~मुस्काती है फूलों सा
इतराती ये तितली सा~शरमाती है कलियों सा
गोरी कलाईयाँ~जालिम अँगड़ाईयाँ
निखरा यौवन~तेजाब सा है
यारों ये जलवा~धमाल का है
बिखरे गेसू~लाल दुपट्टा,चेहरा मानों गुलाब सा है
यारों ये जलवा धमाल का है
कानों में बाली~~~~~~~~~~~~~~~

चलती राह में जब~बजती हैं घण्टियाँ
देखने को इसे~खुलती कई खिड़कियाँ
ये कर न दे कहीं बेदम~कुछ नर्म-नर्म कुछ गरम-गरम
ये लड़की नहीं है शोला~ये ग़ज़ब के ढाती है सितम
है रसबन्ती~ये गुणवन्ती
कैसा ये किस्सा~जमाल का है
बिखरे गेसू~लाल दुपट्टा,चेहरा मानों गुलाब सा है
यारों ये जलवा धमाल का है
कानों में बाली~~~~~~~~~~~~~~~

कारे नयनों वाली रे गोरे गालों वाली

कारे नयनों वाली~रे गोरे गालों वाली
मुहब्बत करेगी क्या मुझसे
अँग तेरे कोमल~बदन तेरा चन्दन
शरारत न हो जाये मुझसे
कारे नयनों वाली~रे गोरे गालों वाली~~~~~~~~~~~

ख़्वाब मुझे आते बस तेरे ही तेरे
लब मुस्कुराते बस तेरे ही तेरे
आग सी लगाती अँगड़ाई तेरी
रंग झिलमिलाते बस तेरे ही तेरे
मय की तू प्याली~थोड़े नख़रे वाली~मुहब्बत करेगी क्या...
अँग तेरे कोमल~बदन तेरा चन्दन~शरारत न हो जाये...
कारे नयनों वाली~रे गोरे गालों वाली~~~~~~~~~~~

सांसें मेरी चलती तुझे देख कर
दिल मेरा कहता मुझे प्यार कर
देख सारी नेमत ये तेरे लिये हैं
दिल की ये दौलत मेरे तू नाम कर
कर न तू बेकाबू~चला न ऐसे जादू~मुहब्बत करेगी क्या...
अँग तेरे कोमल~बदन तेरा चन्दन~शरारत न हो जाये...
कारे नयनों वाली~रे गोरे गालों वाली~~~~~~~~~~~

छोड़ दे ये दुनिया मेरे पास चली आ
तोड़ दे ये रस्में मेरी जान इधर आ
मेरे लिये सोलह श्रृंगार तू कर
जोड़ ले ये बन्धन उम्र भर का
काहे तू घबराये~रे काहे शरमाये~मुहब्बत करेगी क्या...
अँग तेरे कोमल~बदन तेरा चन्दन~शरारत न हो जाये...
कारे नयनों वाली~रे गोरे गालों वाली~~~~~~~~~~~

काश! वो सामने होते

काश ! वो सामने होते~नज़ारा देखते हम
गुजरते पास से होकर~नजारा देखते हम
काश ! वो सामने होते~~~~~~~~~~~~

तमन्ना दिल की अधूरी~तो न रहती यारों
देखकर चेहरा बिजली~भले गिरती यारों
राज़दां मेरे जो होते~नज़ारा देखते हम
गुजरते पास से होकर~नजारा देखते हम
काश ! वो सामने होते~~~~~~~~~~~~

किये होते गर इशारे~तो बदलता मौसम
आसमां गाता, ज़मीं हंसती, संवरता आलम
भीगे बरसात में होते~नज़ारा देखते हम
गुजरते पास से होकर~नजारा देखते हम
काश ! वो सामने होते~~~~~~~~~~~~

संग चलते जो हमारे~दम भरती गलियाँ
आ गले लगते जब~मुस्कुराती सखियाँ
काश ! वो रंग में होते~नज़ारा देखते हम
गुजरते पास से होकर~नजारा देखते हम
काश ! वो सामने होते~~~~~~~~~~~~

रात भर उसके ही ख़्वाब~गुदगुदाते मुझको
अनखुले उनके कई राज़~कुलकुलाते मुझको
काश ! ये राज़-राज़ न होते~नज़ारा देखते हम
गुजरते पास से होकर~नजारा देखते हम
काश ! वो सामने होते~~~~~~~~~~~~

कितने भी दिन गुजरे

कितने भी दिन गुजरे~तुम से मिले हुए
जियें कैसे भला हम~लबों को सिले हुए
कितने भी दिन गुजरे~~~~~~~~~~~

करता नहीं है अब~कोई इशारे
दिखती नहीं अब~बागों में बहारें
ख़्वाबों में तुम नहीं~गुल से खिले हुए
जियें कैसे भला हम~लबों को सिले हुए
कितने भी दिन गुजरे~~~~~~~~~~~

चुभती हैं आँखों को~चाँदनीं रातें
अटकी हैं यादों में~वो मुलाक़ातें
कैसे ये प्यार में~शिकवे-गिले हुए
जियें कैसे भला हम~लबों को सिले हुए
कितने भी दिन गुजरे~~~~~~~~~~~

बिछायें हैं पलकें~राहों में अब भी
खुशबू है तेरी~साँसों में अब भी
बतायें ये कैसे भी~तुमसे जुदा हुए
जियें कैसे भला हम~लबों को सिले हुए
कितने भी दिन गुजरे~~~~~~~~~~~

ज़माने वो प्यार के~आये न दोबारा
खुशी या मिले ग़म~सब है गवारा
फ़साने वो गुम हुए~दिल से लिखे हुए
जियें कैसे भला हम~लबों को सिले हुए
कितने भी दिन गुजरे~~~~~~~~~~~

कुछ देर और ठहरते

कुछ देर और ठहरते~हाल-ए-दिल उनसे कहता
होता हर बात पे चर्चा~राज-ए-ग़म उनसे कहता
कुछ देर और ठहरते~~~~~~~~~~~~~~~~

होते दिन-रात सुहाने~गाते खुशियों के तराने
होती मदहोश जवानी~अँखियों-अँखियों में फ़साने
गली से मेरी गुजरते~हक़ीक़त उनसे कहता
होता हर बात पे चर्चा~राज-ए-ग़म उनसे कहता
कुछ देर और ठहरते~~~~~~~~~~~~~~~~

अधूरी प्रेम कहानी~मेरी तक़दीर न होती
पड़ी पैरों में सदा को~ऐसी जंजीर न होती
दोनों के दिल मचलते~झरना उल्फ़त बहता
होता हर बात पे चर्चा~राज-ए-ग़म उनसे कहता
कुछ देर और ठहरते~~~~~~~~~~~~~~~~

यूँ ही मैं देख न पाया~रंगी जलवों का असर
मुझपे हो जायेगा यारों~हंसी जुल्फ़ों का क़हर
थोड़ा वो और सँवरते~फ़लसफ़े उनके कहता
होता हर बात पे चर्चा~राज-ए-ग़म उनसे कहता
कुछ देर और ठहरते~~~~~~~~~~~~~~~~

क्या करूँगा झूठे-झूठे~ऐसे सपने मैं संजोकर
टूटी माला बिखरे मोती~ऐसे लड़ियों में पिरोकर
वो जो नज़दीक में होते~गिला हर उनसे कहता
होता हर बात पे चर्चा~राज-ए-ग़म उनसे कहता
कुछ देर और ठहरते~~~~~~~~~~~~~~~~

कुछ प्यारा-प्यारा मुझे लिखने दे

कुछ प्यारा-प्यारा मुझे लिखने दे
दुनिया से निराला मुझे लिखने दे
कहीं काग़ज़ ये कोरा न रह जाये
कुछ शिकवा-गिला मुझे लिखने दे
कुछ प्यारा-प्यारा मुझे लिखने दे~~~~~~~~~~~~~~

कह दे न मुहब्बत तुझसे है~मेरी सारी खुशियाँ तुझसे हैं
इन आँखों से मय तू पिला~तुझको लगाना दिल से है
आशिक मैं आवारा~मुझे लिखने दे~दुनिया से निराला~~
कहीं काग़ज़ ये कोरा न रह जाये,कुछ शिकवा-गिला मुझे~
कुछ प्यारा-प्यारा मुझे लिखने दे~~~~~~~~~~~~~~

शमा है तू मैं परवाना~कब तक पड़ेगा तुझे समझाना
अरमान तेरा मेरी फ़ितरत में~आता है मुझको जल जाना
गलियों का बंजारा मुझे लिखने दे~दुनिया से निराला~~~
कहीं काग़ज़ ये कोरा न रह जाये~कुछ शिकवा-गिला~
कुछ प्यारा-प्यारा मुझे लिखने दे~~~~~~~~~~~~~~

रातों ख़्वाब में आये तू~मुझे रोग ये कैसा लगाये तू
आँसू का मेरे मोल नहीं~अधरों का जाम पिला दे तू
अधर मधुशाला मुझे लिखने दे~दुनिया से निराला~~~
कहीं काग़ज़ कोरा न रह जाये~कुछ शिकवा-गिला मुझे~
कुछ प्यारा-प्यारा मुझे लिखने दे~~~~~~~~~~~~~~

मिल जाये तू नसीब बने~मेहमां तू मेरा अज़ीज़ बने
चलने दे चाहत का किस्सा~दुनिया में तू नाचीज़ लगे
ता रा रा रा रा मुझे लिखने दे~दुनिया से निराला~~~
कहीं काग़ज़ ये कोरा न रह जाये,कुछ शिकवा-गिला मुझे~
कुछ प्यारा-प्यारा मुझे लिखने दे~~~~~~~~~~~~~~

कैसे लिखूँ मैं तुझे मुझे तुझसे प्यार है

कैसे लिखूँ मैं तुझे~मुझे तुझसे प्यार है
हाँ इक़रार है~दिल बेक़रार है
कैसे लिखूँ मैं तुझे~मुझे तुझसे प्यार है

अंग-अंग पे मेरे~चढ़ गया तेरा ही रंग
तस्वीर तेरी देख के~उठने लगी उमंग
है चाहता मन मेरा~चलूँ तेरे संग-संग
उठती हैं आँधियाँ~कैसी है आज जंग
सदियों की दास्तां~तेरा इन्तज़ार है
हाँ इक़रार है~दिल बेक़रार है
कैसे लिखूँ मैं तुझे~मुझे तुझसे प्यार है

दिल की लगी का क्या करूं~आदत सी बन गयी
तुझे सोच-सोच कर मेरी~हालत क्या बन गयी
कदमों में तेरे सज़दा~क्या कर लूँ दो घड़ी
कैसा अजीब इम्तहां~जिद पर तू है अड़ी
तेरे तन-बदन पे नाज़नीं~मेरा इख़्तियार है
हाँ इक़रार है~दिल बेक़रार है
कैसे लिखूँ मैं तुझे~मुझे तुझसे प्यार है

चेहरा ये चाँद सा हँसी~सबसे है जुदा
जुल्फ़ों की छाँव दे~जग से मुझे बचा
नज़रें बुरी ज़माने की~बैचेन कर रही
हमदम हुआ क्या मुझे~मेरी नींद उड़ रही
कैसे यकीन मैं करूँ~तुझे ऐतबार है
हाँ इक़रार है~दिल बेक़रार है
कैसे लिखूँ मैं तुझे~मुझे तुझसे प्यार है

कैसे मैं दिल के जज़्बात

F कैसे मैं दिल के जज़्बात कह दूँ
पगले को कैसे मैं हमराज कह दूँ
तुझसे अनाड़ी को दिल कैसे दे दूँ
तू करता है मुझसे क्यों छेड़खानी
M पहले तो मुझसे नयना लड़ाये
राहों में चलते बिजुरी गिराये
रातों की नींदें और चैन चुराये
तू करती है मुझसे क्यों बेईमानी
F तू करता है मुझसे क्यों छेड़खानी
M तू करती है मुझसे क्यों बेईमानी

M जाने न तू क्या है दीवानगी
समझे न तू क्या है दिल लगी
F उल्फ़त की राहों से अन्जान तू
लोफर तू है नादान तू
M प्यार का मामला देर और न कर
F रुसबा न हों कहीं दुनिया से डर
M आ पास मेरे हर राज़ कह दूँ
F तुझसे मैं कैसे अरमान कह दूँ
M तू करती है मुझसे क्यों बेईमानी
F तू करता है मुझसे क्यों छेड़खानी

F मानूँ तुझे मैं कैसे पिया
गुप-चुप चुराता है मेरा जिया
M आँखों का तेरी है जादू सनम
गालों पे तेरे फ़िदा मैं सनम
F कर रहा मुझको बेक़रार है
M जाने जां तेरा ही इन्तज़ार है
F आ तुझको मैं ईनाम दे दूँ
M लब पे तेरे मैं पैग़ाम लिख दूँ
F तू करता है मुझसे क्यों छेड़खानी
M तू करती है मुझसे क्यों बेईमानी

कोई ख़बर दे मुझे यार की

इन्तहा...इन्तहा...इन्तहा~इन्तहा हो गयी इन्तज़ार की
कोई ख़बर दे मुझे यार की~कोई ख़बर दे मुझे यार की
इन्तहा...इन्तहा...इन्तहा~इन्तहा हो गयी इन्तज़ार की
कोई ख़बर दे मुझे यार की~कोई ख़बर दे मुझे यार की

मौसम लेता है अँगड़ाई~पल-पल बदला जाये
तन-मन लेता है हिचकोले~हरदम मचला जाये
गोरे-गोरे गाल गुलाबी~ज़ुल्फ़ों का सावन
अधर-अधर से कैसे मिलें~रूप सलौना चंदन
इम्तहां..इम्तहां..इम्तहां~इम्तहां हर घड़ी कल आज की
कोई ख़बर दे मुझे यार की~कोई ख़बर दे मुझे यार की

जंजीरों से बंध गयी हैं~किस्मत की लकीरें
पत्थर की एक शिला~बनी कैसी ये ताबीरें
हुस्न इश्क़ और ये यौवन~चन्द दिन का मेला
घर से करके कोई बहाना~चली आ मेरी लैला
दिलरूबा..जानेमन..जानेजां,कुछ ख़ता हो गयी है प्यार की
कोई ख़बर दे मुझे यार की~कोई ख़बर दे मुझे यार की

तुझसे माँगूँ मैं तुझको~और भला क्या चाहूँ
मतवारे तेरे नयनों ने~ऐसा किया है जादू
अँग-अँग कस्तूरी जैसे~हीरे सी जवानी
सामने जब हो ऐसी मूरत~कैसे न हो नादानी
देर बहुत हुई अब जाने भी~कब घड़ी आयेगी इक़रार की
कोई खबर दे मुझे यार की~कोई खबर दे मुझे यार की

कोई तो करती होगी मुझसे मुहब्बत

कोई तो करती होगी~मुझसे मुहब्बत यारों
दिलोजान से मरती होगी~तस्वीर को रखकर यारों
कोई तो करती होगी~~~~~~~~~~~~~~~

जब ख़्वाब आते होंगे~मुझको ही देखा होगा
हिचकी आने पर उसने~मुझको ही सोचा होगा
आने वाले मेहमानों से~मुझको ही पूछा होगा
बेक़रार रहती होगी~मुझे सोच-सोच कर यारों
दिलोजान से मरती होगी~तस्वीर को रखकर यारों
कोई तो करती होगी~~~~~~~~~~~~~~~

हो काश फिर वो मौसम~हों फिर वही बरसातें
दिखलाये फिर वो जल्वे~हों फिर वही मुलाकातें
आ जाये वो बाहों में~हों फिर वही हंसी रातें
इन्तज़ार करती होगी~वो अब तलक यारों
दिलोजान से मरती होगी~तस्वीर को रखकर यारों
कोई तो करती होगी~~~~~~~~~~~~~~~

एहसास उसका पाकर~मैं क्यों बन गया दीवाना
अरमान उसका दिल में~जला शमा में परवाना
जब मिलन हुआ दिलों का~दुश्मन हुआ ये ज़माना
आहें वो भरती होगी~तन्हाई में रहकर यारों
दिलोजान से मरती होगी~तस्वीर को रखकर यारों
कोई तो करती होगी~~~~~~~~~~~~~~~

कोई इससे ख़फ़ा कोई उससे ख़फ़ा

कोई इससे ख़फ़ा,कोई उससे ख़फ़ा
अब कौन सुनेगा,दिल की सदा
कोई शिक़वा करे,कोई करता गिला
दुनिया ही लगे, है ग़मज़दा
कोई इससे ख़फ़ा,कोई उससे ख़फ़ा~~~~~~~~

सभी अपने तेवर दिखाते यहां, सभी करते अपनी मर्जियाँ
सभी बैठे लगाकर क़तारों में हैं,ले हाथों में लाखों अर्जियाँ
कोई इससे भिड़ा, कोई उससे भिड़ा
आस्तीन में खंजर, सब के छिपा
कोई शिक़वा करे,कोई करता गिला,दुनिया ही लगे~~
कोई इससे ख़फ़ा,कोई उससे ख़फ़ा~~~~~~~~

खाली बर्तन हैं खाली डिब्बे लिये,अरमां हजारों दिल में लिये
इंच भर भी हटे कोई पीछे नहीं,नादां हैं बड़े होंठों को सिये
कोई ख़ुद में ख़ुदा, कोई है नाख़ुदा
सभी तो लिये हैं अपनी अदा
कोई शिक़वा करे,कोई करता गिला,दुनिया ही लगे~~
कोई इससे ख़फ़ा, कोई उससे ख़फ़ा~~~~~~~~

कहीं रोटी को कूड़ेदान मिले,कहीं भूखे को टुकड़ा भी न मिले
इक तरफ हैं इनके नख़रे बहुत,वहीं दूजे को ममता भी न मिले
कोई दर्देजिगर,कोई पाये दुआ,अब कौन करेगा ये फैसला
कोई शिक़वा करे,कोई करता गिला,दुनिया ही लगे~~
कोई इससे ख़फ़ा,कोई उससे ख़फ़ा~~~~~~~~

ले माला मुहब्बत की हाथ में,किये जा कुछ अच्छे करम
करेगा भला तो होगा भला,छोड़ जा कोई जीने का नियम
करे कोई अनसुना, किसी ने सुना
नहीं मिलता यहाँ कुछ बेवज़ह
कोई शिक़वा करे,कोई करता गिला,दुनिया ही लगे~~
कोई इससे ख़फ़ा,कोई उससे ख़फ़ा~~~~~~~~

कोरे कागज पर कहीं हलके से

कोरे कागज पर कहीं हलके से~मेरा नाम लिखा होगा
तन्हाई में कहीं छिप-छिप के~पैग़ाम लिखा होगा
कोरे कागज पर कहीं हलके से~~~~~~~~~~

काँपी तो होगी अंगुलियाँ~लिखकर फ़साने को
एक दिन ख़बर हो जायेगी~ज़ालिम ज़माने को
कुछ बातों को नज़ाक़त से~दिल थाम लिखा होगा
तन्हाई में कहीं छिप-छिप के~पैग़ाम लिखा होगा
कोरे कागज पर कहीं हलके से~~~~~~~~~~

किस बात पर करूँ गिला~यह सोचना मुश्किल
बढ़ते हुए तूफान को~अब रोकना मुश्किल
हर आहट पर कहीं चुपके से~मुझे जान लिया होगा
तन्हाई में कहीं छिप-छिप के~पैग़ाम लिखा होगा
कोरे कागज पर कहीं हलके से~~~~~~~~~~

तस्वीर पर हंसी वो क्यों~मेरी सादगी सुनकर
लड़खड़ाये भी कदम होंगे~मुझे हमनशीं चुनकर
मुस्कराहट में कहीं सहमे से~ग़ुलफाम लिखा होगा
तन्हाई में कहीं छिप-छिप के~पैग़ाम लिखा होगा
कोरे कागज पर कहीं हलके से~~~~~~~~~~

कैसे शुरू हों सिलसिले~कोई बहाना हो
नज़दीक मुझको पाये~जब दिल लगाना हो
कभी जानेजां कभी जानेमन~मुझे श्याम लिखा होगा
तन्हाई में कहीं छिप-छिप के~पैग़ाम लिखा होगा
कोरे कागज पर कहीं हलके से~~~~~~~~~~

कौन कहता तुझको पुकारा नहीं

कौन कहता तुझको पुकारा नहीं
तन्हा-तन्हा सफर गुजरता नहीं
बिन तुम्हारे कैसी घड़ी आ गयी
पतझड़ सा मौसम बदलता नहीं
कौन कहता तुझको पुकारा नहीं~~~~~~~~~~

मैं डूबा वहाँ जहाँ पानी न था,तुझ जैसा कोई हमराही न था
मैं सवालों में ही घिरता गया,तुझ जैसा कोई जबाबी न था
दी तूने पल भर इज़ाजत नहीं
अब किसी से गिला मैं करता नहीं
बिन तुम्हारे कैसी घड़ी आ गयी
पतझड़ सा मौसम बदलता नहीं
कौन कहता तुझको पुकारा नहीं~~~~~~~~~~

अंगड़ाई तेरी उलझन बनी,रुसबाई मेरी दुश्मन बनी
कलियाँ ठिठौली पर आ गयीं,मुश्किलें मेरी धड़कन बनी
अन्जाने ही हवा वो चली,दीया ऐसा बुझा कि जलता नहीं
बिन तुम्हारे कैसी घड़ी आ गयी
पतझड़ सा मौसम बदलता नहीं
कौन कहता तुझको पुकारा नहीं~~~~~~~~~~

दे दर्देदिल की दवा कोई मुझे,या दे-दे भी क़ज़ा कोई मुझे
वो रब भी अब सुनता नहीं,ये दे-दे भी ख़बर कोई उसे
वो न समझेगी अब इशारा कभी
ये वो पत्थर है जो पिघलता नहीं
बिन तुम्हारे कैसी घड़ी आ गयी
पतझड़ सा मौसम बदलता नहीं
कौन कहता तुझको पुकारा नहीं~~~~~~~~~~

खुद को कैसे समझाऊँ

खुद को कैसे समझाऊँ~जब दिल बेकरार हो
उलझन कैसे सुलझाऊँ~जब रोज़ इम्तिहान हो
खुद को कैसे समझाऊँ~~~~~~~~~~~~~

जिस राह से गुजरता हूँ~दोराहे पर ही ला देती
जिसको भी मैं समझता हूँ~वो ही मुझे दगा देती
राज़ ये कैसे बतलाऊँ~जब ग़म बेशुमार हो
उलझन कैसे सुलझाऊँ~जब रोज़ इम्तिहान हो
खुद को कैसे समझाऊँ~~~~~~~~~~~~~

देखे हजारों स्वप्न हैं~हर स्वप्न ही अधूरा है
ऐसी दवा मिलती नहीं~हर जख़्म ही हरा सा है
आज मैं कैसे उधर जाऊँ~जब बीच में दरार हो
उलझन कैसे सुलझाऊँ~जब रोज़ इम्तिहान हो
खुद को कैसे समझाऊँ~~~~~~~~~~~~~

समा तो है बहारों का~बरबादियों का मन्जर है
अपना किसे पुकारूँ मैं~हर हाथ में ही खंजर है
ऐसे मैं कैसे भिड़ जाऊँ~जब नहीं इख़्तियार हो
उलझन कैसे सुलझाऊँ~जब रोज़ इम्तिहान हो
खुद को कैसे समझाऊँ~~~~~~~~~~~~~

भीड़ तो बहुत ज़हां में~अन्जानों का है मेला
बैठे सभी खोल के गठरी~बेईमानों का है खेला
वहाँ मैं कैसे टिक जाऊँ~जहाँ रेत की दीवार हो
उलझन कैसे सुलझाऊँ~जब रोज़ इम्तिहान हो
खुद को कैसे समझाऊँ~~~~~~~~~~~~~

लफ़्ज़ों में कैसे समझाऊँ

लफ़्ज़ों में~कैसे समझाऊँ~अपनी चाहत का इशारा
धड़कन भी~तुम्हारी~और दिल भी ये तुम्हारा
लफ़्ज़ों में कैसे समझाऊँ~~~~~~~~~~~~~~~~~

हर बात का जवाब~है छिपा तेरे ज़हन में
दिलकश लाजवाब~है ज़ुदा तू चमन में
जीती-मरती मैं हूँ~अब तेरे लिये सनम
तेरे लिये ही बढ़ता~मेरा हर एक कदम
इस दिल को~कैसे बहलाऊँ~डूबा किस्मत का सितारा
धड़कन भी~तुम्हारी~और दिल भी ये तुम्हारा
लफ़्ज़ों में कैसे समझाऊँ~~~~~~~~~~~~~~~~~

महफ़िल में तेरी आयी~नज़राना दिल का ले मैं
पलकों में बन्द तू है~रंग गयी हूँ तेरे रंग में
अंग-अंग से छलके जवानी~रूप मेरा मस्ताना
बिखरे-बिखरे गेसू घटायें~आँखें हैं मयख़ाना
दुनिया में~कैसे तेरी आऊँ~तुझे होगा क्या गवारा
धड़कन भी~तुम्हारी~और दिल भी ये तुम्हारा
लफ़्ज़ों में कैसे समझाऊँ~~~~~~~~~~~~~~~~~

जंजीर कोई नहीं~फिर भी बंधे-बंधे हम
होंठों पर नाम तेरा~चली आऊँगी तेरे संग-संग
शोला अब बनने लगी~कल तक थी जो चिंगारी
सुबह हो या शाम ढले~तेरी ही ख़ुमारी
लम्हों में~कैसे लिख पाऊँ~अपने दिलबर का नज़ारा
धड़कन भी~तुम्हारी~और दिल भी ये तुम्हारा
लफ़्ज़ों में कैसे समझाऊँ~~~~~~~~~~~~~~~~~

लम्हें उदास कि दिल बेक़रार

लम्हें उदास कि दिल~बेक़रार है मेरा
लम्हें उदास कि दिल~बेक़रार है मेरा
तन्हाईयों का सफर~इन्तज़ार है तेरा
लम्हें उदास कि दिल~बेक़रार है मेरा

वे दोस्त कल थे जो अपने~जुदा-जुदा से हैं
संजोये व्यर्थ थे सपने~ख़फ़ा-ख़फ़ा से हैं
हुई है आँख ये नम~इम्तिहान है मेरा
लम्हें उदास कि दिल~बेक़रार है मेरा

दिया भी साथ था क्यों तूने~चन्द लम्हों को
कि रोक पाना हुआ मुश्किल~आज अश्कों को
मिलेंगे कहीं हम मुझे~ऐतबार है तेरा
लम्हें उदास कि दिल~बेक़रार है मेरा

कि मर के ख़त्म न होगा~फ़लसफ़ा ऐसा
जिगर ये अपनों ने तोड़ा~सिलसिला ऐसा
कि धड़कनों पे अभी~इख़्तियार है तेरा
लम्हें उदास कि दिल~बेक़रार है मेरा

कोई ख़ता न की फिर ये~सजा है कैसी
मिले न चैन 'ओ' क़रार ये~हवा है कैसी
याद आता आठों पहर~वो प्यार है तेरा
लम्हें उदास कि दिल~बेक़रार है मेरा

लगायेंगे तुम्हें दिल से सनम

लगायेंगे तुम्हें दिल से~सनम नज़दीक़ आ जाओ
बिछायेंगे पलकों को~घटा बन मुझ पर छा जाओ
लगायेंगे तुम्हें दिल से सनम~~~~~~~~~~~~~~

तमन्नाओं के सागर में~हमें अब डूब जाने दो
हटा दो आज चिलमन ये~कि खुलकर मुस्कुराने दो
बनायेंगे तुम्हें अपना~सजन कोई नग़मा गा जाओ
बिछायेंगे पलकों को~घटा बन मुझ पर छा जाओ
लगायेंगे तुम्हें दिल से सनम~~~~~~~~~~~~~~

वफ़ा का वास्ता दे दो~अरे दस्तक पर हैं ज़िन्दा
ये जीना छोड़ दें एक दिन~न कर हमको शर्मिन्दा
कदम बहकें न मंजिल पे~कसम संग रहने की खा जाओ
बिछायेंगे पलकों को~घटा बन मुझ पर छा जाओ
लगायेंगे तुम्हें दिल से सनम~~~~~~~~~~~~~~

चुरा लो हम से हम ही को~करें कैसे ये रखवाली
दिखा दो इस ज़माने को~करे तुम्हें याद मतवाली
संजोये क्या-क्या हैं सपने~भले ख़्वाबों में आ जाओ
बिछायेंगे पलकों को~घटा बन मुझ पर छा जाओ
लगायेंगे तुम्हें दिल से सनम~~~~~~~~~~~~~~

इशारे हमको करते हो~बजा कर के सुरीली धुन
घोली है कानों में मिस्री~नहीं लेते क्यों हमको चुन
निभायेंगे सभी रस्में~मेरे मन मन्दिर में आ जाओ
बिछायेंगे पलकों को~घटा बन मुझ पर छा जाओ
लगायेंगे तुम्हें दिल से सनम~~~~~~~~~~~~~~

लाख लिखे तुझे अफ़साने

लाख लिखे तुझे अफ़साने~फिर भी तू नहीं मानी
सनम...सनम...सनम...
उदास हुई मेरी अँखियाँ~करती रही मनमानी
सनम...सनम...सनम...
लाख लिखे तुझे अफ़साने~फिर भी तू नहीं मानी,सनम...

जानेजिगर~दिल अपना~नाम तेरे~मैंने लिखा
ए-मेरे~हमजोली~अरमां~तुझे~मैंने लिखा
मनवा में उठने लगी~उल्फ़त की उमंगें हैं
मिलने हमको देती नहीं~कैसी ये रस्में हैं
दिल की लगी क्या जाने~शमा में जले परवाने
सनम...सनम...सनम...
लाख लिखे तुझे अफ़साने~फिर भी तू नहीं मानी,सनम...

तड़पन ही~तड़पन है~बेताब दिल~तुझे पाने को
करवट ले~शब गुजरी~अन्जाम मिले~अफ़साने को
घुट-घुट कर गुजरे दिन~दिल को चैन नहीं आता
हमदम तू बनी मेरी~दूजा कोई नहीं भाता
नयन तेरे दो पैमाने~कैसे न तू पहचाने
सनम...सनम...सनम...
लाख लिखे तुझे अफ़साने~फिर भी तू नहीं मानी,सनम...

जां पर मेरी~बन आये~जब तू लेती~अँगड़ाई
झुकी-झुकी~सी नज़र~चिलमन से तू~मुस्काये
हिरनी जैसे निकलती तू~चंदन सा बदन तेरा
ख़ुद का मैं होश गंवा बैठा~अंगारों सा यौवन तेरा
कब तक रहेंगे बेगाने~दोनों ही हम दीवाने
सनम...सनम...सनम...
लाख लिखे तुझे अफ़साने~फिर भी तू नहीं मानी,सनम...

लिखना है तुझे क्या लिखूँ सनम

लिखना है तुझे,क्या लिखूँ सनम,इक़रार लिखूँ इन्कार लिखूँ
सदा दिल की मेरे,सुने न रे तू,बेक़रार मैं हूँ क्या और लिखूँ
लिखना है तुझे क्या लिखूँ सनम~~~~~~~~~~

किया वादा तूने और भूल गया,बेवज़ह मुझसे तू रूठ गया
कब सांझ ढली कब भोर हुई,सिर्फ यादें ही तू छोड़ गया
खिड़की से राह निहारूँ सनम,तेरे प्यार में मैं इन्तज़ार करूँ
सदा दिल की मेरे,सुने न रे तू,बेक़रार मैं हूँ क्या और लिखूँ
लिखना है तुझे क्या लिखूँ सनम~~~~~~~~~~

उस रब से तुझे मैं माँग चुकी,एक तेरे लिये सब हार चुकी
सर उठाने लगी मजबूरियाँ,कैसा ये बंधन मैं बांध चुकी
तेरे कदमों पर मैं चली सनम,एक नाम तेरा सुबहोशाम लिखूँ
सदा दिल की मेरे,सुने न रे तू,बेक़रार मैं हूँ क्या और लिखूँ
लिखना है तुझे क्या लिखूँ सनम~~~~~~~~~~

कोई आहट नहीं,दस्तक नहीं,किया तूने कभी गिला तक नहीं
किस मतलब की दीवानगी,की उल्फ़त मगर सिला कुछ नहीं
कहीं ऐसा न हो फिर लें जनम,ऐसे-कैसे मैं यह बात लिखूँ
सदा दिल की मेरे,सुने न रे तू,बेक़रार मैं हूँ क्या और लिखूँ
लिखना है तुझे क्या लिखूँ सनम~~~~~~~~~~

तेरी नज़रों से नज़रें ऐसी मिली,मैं खो गयी तेरे जज़्बात में
चैन मेरा खोया नींदें मेरी उड़ी,मजा आने लगा तेरी हरबात में
बुत तेरा बनाकर रखा सनम,नग़मों ही में मैं हर हाल लिखूँ
सदा दिल की मेरे,सुने न रे तू,बेक़रार मैं हूँ क्या और लिखूँ
लिखना है तुझे क्या लिखूँ सनम~~~~~~~~~~

लिखवाकर लाते हैं सब

लिखवाकर लाते हैं सब~अपनी किस्मत
न जाने कब हो जाये~किससे उल्फ़त
लिखे हैं नाम लकीरों में कितने
कोई नहीं ये पढ़ पाया~है किसकी जुर्रत
लिखवाकर लाते हैं सब अपनी किस्मत~~~~~

वैसे तो आशिक़ हजारों~घूरते हैं हुस्न को
अरमानों के ले पुलिन्दे~रोकते हैं राह को
लिखने यूँ ही लगते हैं~प्यार भरे अफ़साने
एक-दूजे को देने लगते~मस्त-मस्त नज़राने
आगे-पीछे मँडराते~शमा के संग परवाने
दिखती हर एक तितली अब~इनको जन्नत
न जाने कब हो जाये~किससे उल्फ़त
लिखे हैं नाम लकीरों में कितने
कोई नहीं ये पढ़ पाया~है किसकी जुर्रत
लिखवाकर लाते हैं सब अपनी किस्मत~~~~~

रंग-बिरंगी सारी दुनिया~है नुमाईश जिस्म की
गाल गोरे नयन शराबी~है फरमाईश आज की
मन ही मन छूटी जाती~लाखों फुलझड़ियाँ
जी करता करने को~किसी के संग रंगरलियाँ
मिल अगर जाये तो~मुश्किल होती घड़ियाँ
जग वालों के आगे नहीं~चलती हिक़मत
न जाने कब हो जाये~किससे उल्फ़त
लिखे हैं नाम लकीरों में कितने
कोई नहीं ये पढ़ पाया~है किसकी जुर्रत
लिखवाकर लाते हैं सब अपनी किस्मत~~~~~

लिखा मैंने फसाना प्यार का है

लिखा मैंने फसाना प्यार का है,लिखा मैंने फसाना प्यार का है
हुआ...दिल दीवाना आपका है,हुआ...दिल दीवाना आपका है
बसे हो दिल में तुम तो हमारे,कि हुस्न क़ातिलाना आपका है
कि हुस्न क़ातिलाना आपका है,लिखा मैंने फसाना प्यार का है
लिखा मैंने फसाना प्यार का है~~~~~~~~~~

न जाने कब तलक ज़िंदगी ये,न जाने कब तलक ज़िंदगी ये
झुका सर है तुम्हारी बंदगी में,झुका सर है तुम्हारी बंदगी में
मेरा घर आशियाना आपका है,मेरा घर आशियाना आपका है
कि हुस्न क़ातिलाना आपका है,इधर क्यों आना-जाना आपका है
हुआ...दिल दीवाना आपका है,हुआ...दिल दीवाना आपका है
लिखा मैंने फसाना प्यार का है~~~~~~~~~~

नहीं कटती है तन्हा ये जवानी,नहीं कटती है तन्हा ये जवानी
करीब आओ तुम्हारी मेहरबानी,करीब आओ तुम्हारी मेहरबानी
ये माना हर ज़माना आपका है,ये माना हर ज़माना आपका है
कि हुस्न क़ातिलाना आपका है,मुसाफिर बस यहाँ एक रात का है
हुआ...दिल दीवाना आपका है,हुआ... दिल दीवाना आपका है
लिखा मैंने फसाना प्यार का है~~~~~~~~~~

हैं कहना चाहती कुछ मस्त फ़िज़ायें
हैं कहना चाहती कुछ मस्त फ़िज़ायें
ग़ज़ब सा ढा रही है ये अदायें,ग़ज़ब सा ढा रही है ये अदायें
कि ज़ालिम मुस्कुराना आपका है,कि ज़ालिम मुस्कुराना आपका है
कि हुस्न क़ातिलाना आपका है,न जाने कहाँ निशाना आपका है
हुआ...दिल दीवाना आपका है,हुआ... दिल दीवाना आपका है
लिखा मैंने फसाना प्यार का है~~~~~~~~~~

लिखूँगा अफ़साने जब तक मैं

लिखूँगा~अफ़साने~जब तक मैं~ज़िन्दा हूँ
लिखूँगा~अफ़साने~जब तक मैं~ज़िन्दा हूँ
दिल ये क्यों~ ना माने~ उड़ता मैं~परिन्दा हूँ
खुशियों का~सावन तू~मस्ती का~आँगन तू
लिखूँगा~अफ़साने~जब तक मैं~ज़िन्दा हूँ

उल्फ़त का पैगाम तुझे~सुबह लिखा~शाम लिखा
उल्फ़त का पैगाम तुझे~सुबह लिखा~शाम लिखा
रफ़्ता-रफ़्ता जानेजिगर~सब कुछ तेरे~नाम लिखा
शब सारी~जग-जग कर~मैं तारे~गिनता हूँ
शब सारी~जग-जग कर~मैं तारे~गिनता हूँ
खुशियों का~सावन तू~मस्ती का~आँगन तू
लिखूँगा~अफ़साने~जब तक मैं~ज़िन्दा हूँ

इतनी मुहब्बत तुझसे मुझे~ख़ुद ही का अब होश नहीं
इतनी मुहब्बत तुझसे मुझे~ख़ुद ही का अब होश नहीं
तुझको भूल के ए-हमदम~कैसे दूजे पर कर लूँ यकीं
भूल हुई~क्या मुझसे~ख़ुद ही से~शर्मिन्दा हूँ
भूल हुई~क्या मुझसे~ख़ुद ही से~शर्मिन्दा हूँ
खुशियों का~सावन तू~मस्ती का~आँगन तू
लिखूँगा~अफ़साने~जब तक मैं~ज़िन्दा हूँ

अंजानी सी दस्तक पर~क्यों उठते हर बार कदम
अंजानी सी दस्तक पर~क्यों उठते हर बार कदम
इतना भी क्यों डूब गये~एक-दूजे के प्यार में हम
महलों की~तू मल्लिका~मैं मुफ़्लिस~बाशिन्दा हूँ
महलों की~तू मल्लिका~मैं मुफ़्लिस~बाशिन्दा हूँ
खुशियों का~सावन तू~मस्ती का~आँगन तू
लिखूँगा~अफ़साने~जब तक मैं~ज़िन्दा हूँ

मचलती शाम सनम

मचलती शाम सनम...तेरा नशा छाया है मुझे
बहकते आज कदम...तेरा चेहरा खींच लाया मुझे
मचलती शाम सनम...तेरा नशा छाया है मुझे

जज़्बात दिल के मेरे~आँखों से मेरी पढ़ ले
लम्हात साथ गुजरे~आँखों से मेरी पढ़ ले
अब ज़िंदगी में मेरी~सिवा तेरे और क्या है
एहसास बिखरे-बिखरे~आँखों से मेरी पढ़ ले
पिघलती शमा सनम...और तेरा ख़याल आया है मुझे
बहकते आज कदम...तेरा चेहरा खींच लाया मुझे
मचलती शाम सनम...तेरा नशा छाया है मुझे

ललचाई हैं ये नज़रें~जवां बेक़रारियाँ हैं
मिलन की राह में~कई दुश्वारियाँ हैं
टूटा हर एक वादा~झूठी हर एक आशा
पल-पल नई उलझन~कैसी ये ख़ुमारियाँ हैं
सहूँ अब कैसे सितम...कोई दूजा रास आया है तुझे
बहकते आज कदम...तेरा चेहरा खींच लाया मुझे
मचलती शाम सनम...तेरा नशा छाया है मुझे

दो प्यार करने वाले~नहीं हद से हैं गुजरते
वे आँधियों के आगे~नहीं राह हैं बदलते
लब पे फ़साना तेरा~हरसू ही छाये हम
इतिहास लिखने वाले~नहीं जंग से हैं डरते
ये कैसा राज़ सनम...किसी ने फिर गुदगुदाया है मुझे
बहकते आज कदम...तेरा चेहरा खींच लाया मुझे
मचलती शाम सनम...तेरा नशा छाया है मुझे

मस्त नज़ारों में~तू ही तू~तू ही तू

मस्त नज़ारों में~तू ही तू~तू ही तू~तू ही तू है सनम
तुझको ही पाने की~हर घड़ी~जानेमन~आरजू है सनम
मस्त नज़ारों में~तू ही तू~तू ही तू~~~~~~~~~~

मौसम हंसी होता है~तू याद आये मुझको
फूल बनी सब कलियाँ~तू तड़पाये मुझको
ठण्डी हवाओं में~तू ही तू~तू ही तू~तू ही तू है सनम
तुझको ही पाने की~हर घड़ी~जानेमन~आरजू है सनम
मस्त नज़ारों में~तू ही तू~तू ही तू~~~~~~~~~

गालों पर तेरे शोख़ी~खिंचा चला आता मैं
महके जो तेरा गजरा~मचल-मचल जाता मैं
बहकी निग़ाहों में~तू ही तू~तू ही तू~तू ही तू है सनम
तुझको ही पाने की~हर घड़ी~जानेमन~आरजू है सनम
मस्त नज़ारों में~तू ही तू~तू ही तू~~~~~~~~~

जवानी के शोले तुझमें~बिजुरी है अंग-अंग में
संजोये है तूने सपने~मचलती सी चितवन में
रातों को ख़्वाबों में~तू ही तू~तू ही तू~तू ही तू है सनम
तुझको ही पाने की~हर घड़ी~जानेमन~आरजू है सनम
मस्त नज़ारों में~तू ही तू~तू ही तू~~~~~~~~~

मुहब्बत लुटा दे मुझपे~संभालेगी कब तक दिल
हूँ हमदम मैं तेरा जानम~बुलाती तुझे मन्जिल
दिल की सदाओं में~तू ही तू~तू ही तू~तू ही तू है सनम
तुझको ही पाने की~हर घड़ी~जानेमन~आरजू है सनम
मस्त नज़ारों में~तू ही तू~तू ही तू~~~~~~~~~

महबूबा की तारीफ मैं क्या लिखूँ

महबूबा की तारीफ में क्या लिखूँ
चाँद लिखूँ या सूरज लिखूँ~अजूबा उसे या जन्नत लिखूँ
खुशबू उसे या गुलशन लिखूँ~नदिया उसे मैं चंचल लिखूँ
महबूबा की तारीफ में क्या लिखूँ~~~~~~~~~

गोरे गालों पर लिख दी ढेरों ग़जल
उसके अधरों को लिखा मैंने कमल
घनी जुल्फ़ों को नागिन मैं लिख गया
कारे नयनों को मय़खाना मैं लिख गया
उसको लैला की तस्वीर मैं लिख गया
उसको सदियों की जागीर मैं लिख गया
महबूबा की तारीफ में क्या लिखूँ
चाँद लिखूँ या सूरज लिखूँ~अजूबा उसे या जन्नत लिखूँ
खुशबू उसे या गुलशन लिखूँ~नदिया उसे मैं चंचल लिखूँ
महबूबा की तारीफ में क्या लिखूँ~~~~~~~~~

उसकी बातों में मिस्री का स्वाद है
उसकी हर एक अदा ही ख़ास है
उसे पाने का दिल में अरमान है
उसकी ख़ातिर जाँ भी ये कुर्बान है
उसके यौवन से पल-पल छलके नूर
मूरत वो अजन्ता 'ओ' बसरा की हूर
महबूबा की तारीफ में क्या लिखूँ
चाँद लिखूँ या सूरज लिखूँ~अजूबा उसे या जन्नत लिखूँ
खुशबू उसे या गुलशन लिखूँ~नदिया उसे मैं चंचल लिखूँ
महबूबा की तारीफ में क्या लिखूँ~~~~~~~~~

जब लेती वो तन्हा अँगड़ाईयाँ,बड़ी क़ातिल उसकी रानाईयाँ
रे खुदा ने बनाया क्या फुर्सत से,वो हैरां अपनी हिक़मत पे
मैं हैरां अपनी किस्मत पे हूँ~मैं पशेमां अपनी गुरबत से हूँ
महबूबा की तारीफ में क्या लिखूँ
चाँद लिखूँ या सूरज लिखूँ~अजूबा उसे या जन्नत लिखूँ
खुशबू उसे या गुलशन लिखूँ~नदिया उसे मैं चंचल लिखूँ
महबूबा की तारीफ में क्या लिखूँ~~~~~~~~

महबूबा मेरी बन जा

महबूबा मेरी बन जा~दुनिया दिखलाऊँगा
चाँद-सितारों में तुझको ले जाऊँगा
तू न मिली जो कुँवारा मर जाऊँगा
महबूबा मेरी बन जा~~~~~~~~~~~~~~~

सौगंध खाता हूँ मैं~गोरे-गोरे गालों की
बिखरे-बिखरे बालों की~चिकने-चिकने शानों की
तारीफ करता तेरी~मीठी-मीठी बातों की
कज़रारी आँखों की~रस भरे होंठों की
खिड़की से बाहर तो आ~कुल्फी खिलवाऊँगा
चाँद सितारों में तुझको ले जाऊँगा
तू न मिली जो कुँवारा मर जाऊँगा
महबूबा मेरी बन जा~~~~~~~~~~~~~~~

लागा तुझही से दिल~लिखूँ तुझे अफ़साना
दूँगा मैं नज़राना~सुन मेरी जाने जां
ले बात मेरी मान~लेना है दिल तेरा
होना तुझे मेरी~चुन मुझे जाने जां
झूठे ही गर कह जा~सच मान जाऊंगा
चाँद-सितारों में तुझको ले जाऊँगा
तू न मिली जो कुँवारा मर जाऊँगा
महबूबा मेरी बन जा~~~~~~~~~~~~~~~

दीवानगी समझ~ढूँढेगी तू कहाँ
मुझ जैसा है नहीं~कर मुझ पे तू यकीं
मतवाला पंछी मैं~नाज़नीं तू हंसी
तुझ जैसा कोई नहीं~कर न यूँ दिल्लगी
कहीं जाकर छिप जा तुझको ढूँढ लाऊंगा
चाँद-सितारों में तुझको ले जाऊँगा
तू न मिली जो कुँवारा मर जाऊँगा
महबूबा मेरी बन जा~~~~~~~~~~~~~~~

महक उठती सुबह मेरी

महक उठती सुबह मेरी~एक तेरे एहसास से
बदल जाती तकदीरें~बस तेरे अन्दाज से
महक उठती सुबह मेरी~~~~~~~~~~~~

तमन्ना तेरी करती हूँ~मिले सच में या ख़्वाबों में
तुझही को चाहता है दिल~तू हमदम है लाखों में
मैं भिड़ बैठी ज़माने से~एक तेरे विश्वास से
बदल जाती तकदीरें~बस तेरे अन्दाज से
महक उठती सुबह मेरी~~~~~~~~~~~~

मेरी कश्ती का माझी तू~मेरी मंजिल का साथी तू
मुहब्बत में दीवानी मैं~सारे जग से निराला तू
बहल जाता है दिल मेरा~तेरे ही अल्फ़ाज़ से
बदल जाती तकदीरें~बस तेरे अन्दाज से
महक उठती सुबह मेरी~~~~~~~~~~~~

तुझे सावन कहूँगी मैं~तुझे भादो कहूँगी मैं
तू है मनमीत रंगीला~तुझे रांझा कहूँगी मैं
बहुत तंग आ चुकी जानम~मैं तेरे इस राज़ से
बदल जाती तकदीरें~बस तेरे अन्दाज से
महक उठती सुबह मेरी~~~~~~~~~~~~

तेरी तस्वीर को रखकर~नज़र तुझसे लड़ाऊँगी
लबों की प्यास बढ़ती है~भला कब तक छिपाऊँगी
बदन तेरा ये जां तेरी~ज़िंदा तेरे जज़्बात से
बदल जाती तकदीरें~बस तेरे अन्दाज से
महक उठती सुबह मेरी~~~~~~~~~~~~

मनमानियाँ गुस्ताख़ियाँ तेरे संग करने को

मनमानियाँ~गुस्ताख़ियाँ~तेरे संग करने को जी चाहता है
जानेजिगर~ए-हमसफर~तेरे संग चलने को जी चाहता है
मनमानियाँ~गुस्ताख़ियाँ~~~~~~~~~~~~~~

तन्हाई में कुछ बातें करें~ऐसे क्यों ठण्डी आहें भरें
बैठें क्यों दूर-दूर बेगानों से~चल आ थोड़ी मस्ती करें
नादान तू~अन्जान मैं~अटखेली करने को जी चाहता है
जानेजिगर~ए-हमसफर~तेरे संग चलने को जी चाहता है
मनमानियाँ~गुस्ताख़ियाँ~~~~~~~~~~~~~~

क्यों न दीवाने हो जायें हम~एक-दुजे में खो जायें हम
सज़दे करूँ तेरे कदमों में मैं~तोड़ पिंजड़ा उड़ जायें हम
परदेसिया~सुन जानिया~बग़ावत करने को जी चाहता है
जानेजिगर~ए-हमसफर~तेरे संग चलने को जी चाहता है
मनमानियाँ~गुस्ताख़ियाँ~~~~~~~~~~~~~~

बलखाये तेरी पतली कमर~नादां अभी कमसिन उमर
अंग-अंग तेरा जादू भरा~तन्हा कटेगा न ये सफर
तुझको ही रब माना मैंने~इबादत करने को जी चाहता है
जानेजिगर~ए-हमसफर~तेरे संग चलने को जी चाहता है
मनमानियाँ~गुस्ताख़ियाँ~~~~~~~~~~~~~~

चाहत में यूं निकले न दम~कर दे मुझ पर तू करम
होने दे जग में रुसबाईयाँ~कर न मुझ पर तू सितम
दे हाथ ये मेरे हाथ में~तेरे संग में मरने को जी चाहता है
जानेजिगर~ए-हमसफर~तेरे संग चलने को जी चाहता है
मनमानियाँ~गुस्ताख़ियाँ~~~~~~~~~~~~~~

मत पूछो मुहब्बत का कोई हिसाब

मत पूछ~मुहब्बत का~कोई हिसाब जानेजिगर
फूलों जैसा~है मुख सुन्दर~लाजवाब जानेजिगर
मत पूछ~मुहब्बत का कोई हिसाब~~~~~~~

नज़रों में इशारे हैं~अधरों पर अंगारे हैं
बल्ला क्या जवानी है... हीरे जैसी
आंखों के मयख़ाने~छलके हों पैमाने
चंचल-चंचल चितवन... हिरनी सी
इन शोख़ अदाओं पर~दूँ ईनाम क्या जानेजिगर
फूलों जैसा~है मुख सुन्दर~लाजवाब जानेजिगर
मत पूछ~मुहब्बत का कोई हिसाब~~~~~~~

नज़दीक आ मेरे~सीने से लगा लूँगा
उलझी लट सुलझा दूँगा... दीवानी
लिखूँगा अफ़साना~गोरे इन गालों पर
तुझको पुकारूँगा मैं... दिलजानी
आग़ाज़ मैं~उल्फ़त का~अन्जाम मैं जानेजिगर
फूलों जैसा~है मुख सुन्दर~लाजवाब जानेजिगर
मत पूछ~मुहब्बत का कोई हिसाब~~~~~~~

तन्हा-तन्हा ज़िन्दगी~गुजरेगी तेरे बिन
बदलेगी ये दुनिया... बदलूँ न मैं
तूने गर तड़पाया~दिल मेरा न लौटाया
गलियों से न तेरी... गुजरूँगा मैं
एक रोज़~बगावत कर~मर जाऊँगा जानेजिगर
फूलों जैसा~है मुख सुन्दर~लाजवाब जानेजिगर
मत पूछ~मुहब्बत का कोई हिसाब~~~~~~~

मिलने आ तन्हाई में होने दे

मिलने आ तन्हाई में~होने दे रुसवाईयाँ
बुझने दे दिल की लगी~कहती हैं अँगड़ाईयाँ
खो जायें एक दूजे में~कब तक रहें यूँ जुदा
सिलसिले चलते रहें~मिलकर करें ये सदा
मिलने आ तन्हाई में~~~~~~~~~~~~~

आगे-पीछे तेरे मैं तो सज़दा करूँगा
चोरी-चोरी मिलने मैं आया करूँगा
तन्हाई में मुझको तू सोचा करेगी
होले-होले चिलमन उठाया करूँगा
बन जा मेरी साथिया मिटने दे ये दूरियाँ
बुझने दे दिल की लगी~कहती हैं अँगड़ाईयाँ
मिलने आ तन्हाई में~~~~~~~~~~~~~

कुछ खट्टा है कुछ मीठा है दिल का फ़साना
आ जा जानम मिल के गायें कोई तराना
कुछ दिन की मेहमां होती है जवानी
जीवन भर न टूटे अब ये याराना
चलने दे ये दास्तां नहीं कोई दरमियाँ
बुझने दे दिल की लगी~कहती हैं अँगड़ाईयाँ
मिलने आ तन्हाई में~~~~~~~~~~~~~

तेरे-मेरे वास्ते हैं ये रंगीन नज़ारे
प्यारी-प्यारी वादियाँ हैं महकी बहारें
हो जाने दे आज जनमों का मिलन
जाने जां तेरे लिये किये कितने इशारे
भीगी इस बरसात में मिलने दे दिल जवां
बुझने दे दिल की लगी~कहती हैं अँगड़ाईयाँ
मिलने आ तन्हाई में~~~~~~~~~~~~~

मुहब्बत की बातें करेगी तू क्या

मुहब्बत की बातें करेगी तू क्या~अभी से जो है इतनी ख़फ़ा
अदाओं में तेरी नख़रे बड़े~न जाने कब क्या दे तू सजा
मुहब्बत की बातें करेगी तू क्या~~~~~~~~~~~

मिलने को तुझसे नहीं बेक़रार~नहीं चढ़ा मुझे ऐसा ख़ुमार
मुझे इश्क़ का नहीं फितूर~नहीं मैं करता तेरा इन्तज़ार
अरे चार आंखें करेगी तू क्या~अभी से जो है इतनी ख़फ़ा
अदाओं में तेरी नख़रे बड़े~न जाने कब क्या दे तू सजा
मुहब्बत की बातें करेगी तू क्या~~~~~~~~~~~

गालों पर तेरे नहीं शोख़ियाँ~अधरों पे दिखती नहीं गर्मियाँ
नज़दीक़ आऊँ तेरे मैं क्या~मुझपे गिरा न दे तू बिजलियाँ
तन्हा ठंडी आहें भरेगी तू जा~अभी से जो है इतनी ख़फ़ा
अदाओं में तेरी नख़रे बड़े~न जाने कब क्या दे तू सजा
मुहब्बत की बातें करेगी तू क्या~~~~~~~~~~~

उल्फ़त की राह में ख़तरे बड़े~ले शमा की चाह परवाने जले
तुझसे मिलन हो सकता नहीं~लगाये कतार दिलवाले खड़े
गर्दिशेदिल में बसेगी तू क्या~अभी से जो है इतनी ख़फ़ा
अदाओं में तेरी नख़रे बड़े~न जाने कब क्या दे तू सजा
मुहब्बत की बातें करेगी तू क्या~~~~~~~~~~~

नहीं मैं करता हूँ हसरत तेरी~बदन छुऊँ तेरा न जुर्रत मेरी
हूँ शायर मगर दीवाना नहीं~लिपट जाऊँ तुझसे आदत नहीं
अरे मुलाक़ात करेगी तू क्या~अभी से जो है इतनी ख़फ़ा
अदाओं में तेरी नख़रे बड़े~न जाने कब क्या दे तू सजा
मुहब्बत की बातें करेगी तू क्या~~~~~~~~~~~

मुझे-ए-दिल उधर ले चल

मुझे-ए-दिल उधर ले चल~जहाँ दूजा कोई न हो
कि मैं ही मैं नज़र आऊँ~जहाँ अपना कोई न हो
मुझे-ए-दिल उधर ले चल~~~~~~~~~~~~~

न रिश्तों की बंधे डोरी~न दिल मेरा हो चोरी
न देखूँ ख़्वाब मैं ऐसे~कि आये सामने गोरी
न मिलने को हो मन बेकल~जहाँ रुसवा कोई न हो
कि मैं ही मैं नज़र आऊँ~जहाँ अपना कोई न हो
मुझे-ए-दिल उधर ले चल~~~~~~~~~~~~~

तमन्ना की गली न हो~बहारों की कली न हो
नज़र भरकर जिसे देखूँ~गुलाबों सी महक न हो
न सज़दे में झुके ये सिर~जहाँ पूजा कोई न हो
कि मैं ही मैं नज़र आऊँ~जहाँ अपना कोई न हो
मुझे-ए-दिल उधर ले चल~~~~~~~~~~~~~

न खिड़की हों न दरवाजे~न आँगन हो न चौबारे
न सावन ही सा हो मौसम~न नफ़रत की बुनियादें
बड़ी जल्दी है धीरे चल~जहाँ मल्लिका कोई न हो
कि मैं ही मैं नज़र आऊँ~जहाँ अपना कोई न हो
मुझे-ए-दिल उधर ले चल~~~~~~~~~~~~~

मैं हूँ पन्छी मतवाला~मुहब्बत की पी है हाला
बग़ावत मैं न कर पाया~हुआ ये खेल है आला
क़यामत सी न हो चितवन~जहाँ रूठा कोई न हो
कि मैं ही मैं नज़र आऊँ~जहाँ अपना कोई न हो
मुझे-ए-दिल उधर ले चल~~~~~~~~~~~~~

मुझे बेवज़ह न याद कर

मुझे बेवज़ह न याद कर~तुझे प्यार करके क्या मिला
मुझे घेरती तन्हाईयाँ~तुझे ज़िंदगी का सिला मिला
मुझे बेवज़ह न याद कर~~~~~~~~~~~~~~

कभी बुझ सकी न ये दिल लगी~तूने की है अच्छी दिल्लगी
मैं रास्तों में भटक रहा~मिली ख़ाक़ में मेरी बन्दगी
ख़्वाबों में भी न तू बात कर~मुझे ख़ुद ही से है अब गिला
मुझे घेरती तन्हाईयाँ~तुझे ज़िंदगी का सिला मिला
मुझे बेवज़ह न याद कर~~~~~~~~~~~~~~

मैं क्यों मर गया तेरे नाम पर~उल्फ़त के एक पैग़ाम पर
लिखता रहा अफ़सानों में~हर बात को मैं रात भर
झूठा भी न इज़हार कर~तुझे मानता मैं हूँ शिला
मुझे घेरती तन्हाईयाँ~तुझे ज़िंदगी का सिला मिला
मुझे बेवज़ह न याद कर~~~~~~~~~~~~~~

मैं मौसमों सा बदल गया~तू एक शमा सी पिघल गयी
मुझ पर लगी सभी बंदिशें~तू बन हवा सी निकल गयी
जानेजिगर इसे राज़ रख~था चमन में कभी गुल खिला
मुझे घेरती तन्हाईयाँ~तुझे ज़िंदगी का सिला मिला
मुझे बेवज़ह न याद कर~~~~~~~~~~~~~~

कब जुदा हुये तेरे रास्ते~मैं चला सदा तेरे वास्ते
कहीं गुम हुईं परछाईयाँ~मैं खड़ा रहा तेरी राह में
मैं लुटा तेरा अरमान कर~मुझे मौत आये वो मय पिला
मुझे घेरती तन्हाईयाँ~तुझे ज़िंदगी का सिला मिला
मुझे बेवज़ह न याद कर~~~~~~~~~~~~~~

मुझे दर्देजिगर दे गया

मुझे दर्देजिगर दे गया,मेरा चैन 'ओ' क़रार ले गया
अपनी दुनिया में मैं मस्त थी,सिर्फ इन्तज़ार दे गया
मुझे दर्देजिगर दे गया~~~~~~~~~~~~~~

जाने कैसी नज़र उसकी लगी,उसकी आँखों का जलवा ख़ास था
उसकी बाहों में आ मैं खो गई,जाने कैसा ये एहसास था
अलविदा बेरहम कह गया,मेरा चैन 'ओ' क़रार ले गया
अपनी दुनिया में मैं मस्त थी,सिर्फ इन्तज़ार दे गया
मुझे दर्देजिगर दे गया~~~~~~~~~~~~~~

बन गया फ़साना कैसा अजब,नहीं जानी अभी जीने का ढब
गुल जैसा पल-२ निखरती रही,कब हुई सहर,कब हुई शब
कर जुल्मोसितम वो गया,मेरा चैन 'ओ' क़रार ले गया
अपनी दुनिया में मैं मस्त थी,सिर्फ इन्तज़ार दे गया
मुझे दर्देजिगर दे गया~~~~~~~~~~~~~~

ज़िंदगानी कैसे बदल सी गयी,नाक़ामी दिनोंदिन बढ़ती गयी
तड़पी मैं तन्हा ही रात भर,शमा ये बराबर जलती गयी
मुझे ज़न्नत के पल दे गया,मेरा चैन 'ओ' क़रार ले गया
अपनी दुनिया में मैं मस्त थी,सिर्फ इन्तज़ार दे गया
मुझे दर्देजिगर दे गया~~~~~~~~~~~~~~

आहट न कोई न कोई ख़बर,मीलों सी लम्बी मेरी डगर
संगदिल न हो उस सा कोई,हुआ जीना ही पल-२ दूभर
पीने को ज़हर दे गया,मेरा चैन 'ओ' क़रार ले गया
अपनी दुनिया में मैं मस्त थी,सिर्फ इन्तज़ार दे गया
मुझे दर्देजिगर दे गया~~~~~~~~~~~~~~

मुझे दे इन्तहा के ग़म

मुझे दे इन्तहा के ग़म~मुहब्बत तुझसे होगी न कम
बराबर इम्तिहां दूँगा~कि जब तक यार दम में दम
मुझे दे इन्तहा के ग़म~मुहब्बत तुझसे होगी न कम

दिल लगाना मुझे सिखाकर~फेर बैठी तू निगाहें ख़ुद
भेज-भेज मुझको मैसेज~कर रही थी तू इशारे ख़ुद
कि खेल तू किसी के संग~तड़प सदियों होगी न कम
बराबर इम्तिहां दूँगा~कि जब तक यार दम में दम
मुझे दे इन्तहा के ग़म~मुहब्बत तुझसे होगी न कम

रोऊँ मैं या बहें ये आँसू~तुझे इन अश्क़ों से मतलब क्या
रंगरलियाँ ये तुझे मुबारक~तुझे गैरों से फुरसत कहाँ
मुझे तो लड़नी है ये जंग~हटेंगे अब न पीछे कदम
बराबर इम्तिहां दूँगा~कि जब तक यार दम में दम
मुझे दे इन्तहा के ग़म~मुहब्बत तुझसे होगी न कम

दर्द बेवज़ह दिया है~भूल जाऊँ कैसे तुझको सुन
हुई बस इतनी ख़ता~धड़कनों न तुझे लिया है चुन
मिले जो ज़िंदगी के रंग~तमन्ना दिलबर होगी न कम
बराबर इम्तिहां दूँगा~कि जब तक यार दम में दम
मुझे दे इन्तहा के ग़म~मुहब्बत तुझसे होगी न कम

जा रहा था तन्हा-तन्हा~ज़िंदगी को मोड़ दिया ऐसा
पा चुका मंजिल जब अपनी~गर्दिशों का दौर अब कैसा
बदलते कितने हों मौसम~ये उलझन यूँही होगी न कम
बराबर इम्तिहां दूँगा~कि जब तक यार दम में दम
मुझे दे इन्तहा के ग़म~मुहब्बत तुझसे होगी न कम

मुझे पसन्द आने लगी तू

मुझे पसन्द आने लगी तू~तुझे पसन्द आने लगा मैं
मेरे सपने सजाने लगी तू~तेरे सपने सजाने लगा मैं
मुझे पसन्द आने लगी तू~~~~~~~~~~

रंगी-रंगी लगता है समां~तेरे जीवन में आने से
खिल गयी मन की अली-कली~तेरे नज़दीक आने से
हरसू नज़र आने लगी तू~नग़में प्यार गाने लगा मैं
मेरे सपने सजाने लगी तू~तेरे सपने सजाने लगा मैं
मुझे पसन्द आने लगी तू~~~~~~~~~~

क्या भी ग़ज़ब हो जाये~पल भर जो तू मुस्काये
बिजुरी सी मुझ पर गिरती~चिलमन से जब तू शरमाये
कहने लगा दिल इलू-इलू~ख़्वाबों में क्या पाने लगा
मेरे सपने सजाने लगी तू~तेरे सपने सजाने लगा मैं
मुझे पसन्द आने लगी तू~~~~~~~~~~

बिखरे-बिखरे गेसू तेरे~दिल बेक़रार कर बैठे
लम्हा-लम्हा नैन मेरे~तेरा इन्तज़ार कर बैठे
कैसी आग लगाने लगी तू~तुझे पलकों में समाने लगा मैं
मेरे सपने सजाने लगी तू~तेरे सपने सजाने लगा मैं
मुझे पसन्द आने लगी तू~~~~~~~~~~

चिकना-चिकना गोरा बदन~अंगारों सा दहकता यौवन
तितली जैसी चंचल अदा~भंवरे जैसा मचलता तन-मन
मुझे यूँ रोज़ बुलाने लगी तू~तुझे यूँ रोज़ बुलाने लगा मैं
मेरे सपने सजाने लगी तू~तेरे सपने सजाने लगा मैं
मुझे पसन्द आने लगी तू~~~~~~~~~~

मुझे तू पसंद तुझे मैं पसंद

मुझे तू पसंद तुझे मैं पसंद,मुझे तू पसंद तुझे मैं पसंद
दोनों मिलकर कसम उठायें,हो जायें रजामंद-रजामंद
मुझे तू पसंद तुझे मैं पसंद~~~~~~~~~~~~~~~

खिड़की से झांके दिन-रात अपनी,मुझसे मुहब्बत तुझको कितनी
लबों पे ना-ना दिल में हाँ-हाँ,करती शरारत काहे को इतनी
झूम-झूम कर आया है बसंत,झूम-झूम कर आया है बसंत
दोनों मिलकर कसम उठायें,हो जायें रजामंद-रजामंद
मुझे तू पसंद तुझे मैं पसंद~~~~~~~~~~~~~~~

चंदा सा मुख नैना कजरारे,पतली कमर कितने दिल हारे
होंठ कमल गरदन सुराही,क़ातिल मगर दिलक़श इशारे
करे तू श्रृंगार लगे आई बहार,करे तू श्रृंगार लगे आई बहार
दोनों मिलकर कसम उठायें~हो जायें रजामंद-रजामंद
मुझे तू पसंद तुझे मैं पसंद~~~~~~~~~~~~~~~

फूलों सी नाज़ुक-नाज़ुक कलाईयाँ,जीने न दें मुझे तन्हाईयाँ
मिलता सकूं बाहों में तेरी,बैचेन करती तेरी अंगड़ाईयाँ
उठे हूक सी मन में उमंग,उठे हूक सी मन में उमंग
दोनों मिलकर कसम उठायें,हो जायें रजामंद-रजामंद
मुझे तू पसंद तुझे मैं पसंद~~~~~~~~~~~~~~~

हुस्न का आशिक़ मजनूं दीवाना,शमा के संग जले न परवाना
कैसे-२ करके दिल समझाया,अब ये राज़ आगे क्या समझाना
पलकों में मेरी तू कब से बंद,पलकों में मेरी तू कब से बंद
दोनों मिलकर कसम उठायें,हो जायें रजामंद-रजामंद
मुझे तू पसंद तुझे मैं पसंद~~~~~~~~~~~~~~~

मुझे उससे मुहब्बत अचानक में हो गयी

मुझे उससे मुहब्बत,अचानक-अचानक-अचानक में हो गयी
उल्फ़त की ख़बर ये, अदालत-अदालत-अदालत में हो गयी
मुझे उससे मुहब्बत~~~~~~~~~~~~~~~~~~~~

ठंडी-ठंडी हवा के झोंके,तन्हा सफर और लड़की जवां
गुलोगुल सा महकता चेहरा,अंजान डगर और मंजिल कहाँ
कैसे मेरी ये हालत,शराफ़त-शराफ़त-शराफ़त में हो गयी
उल्फ़त की ख़बर ये, अदालत-अदालत-अदालत में हो गयी
मुझे उससे मुहब्बत~~~~~~~~~~~~~~~~~~~~

छूटी मन में हजार फुलझड़ियाँ,दिल मेरा भी मचलने लगा
मीठी-मीठी उभर आयी सरगम,समां रंगीन बदलने लगा
उफ ये कैसी क़यामत,इनायत-इनायत-इनायत में हो गयी
उल्फ़त की ख़बर ये, अदालत-अदालत-अदालत में हो गयी
मुझे उससे मुहब्बत~~~~~~~~~~~~~~~~~~~~

बढ़ती जाती बराबर धड़कन,कैसे दो हों एक,कैसे हो मिलन
दो पल में दिल से मिले दिल,कोई बतलाये बुझे कैसे अगन
जाने कब शरारत,सदाक़त-सदाक़त-सदाक़त में हो गयी
उल्फ़त की ख़बर ये, अदालत-अदालत-अदालत में हो गयी
मुझे उससे मुहब्बत~~~~~~~~~~~~~~~~~~~~

लगे पंख अरमानों को ऐसे,जज़्बातों के सब बंद खुल गये
सच होगा कभी ये सपना,तन्हाई में दो बदन मिल गये
जन्म जन्मों की उल्फ़त,रफ़ाक़त-रफ़ाक़त-रफ़ाक़त में हो गयी
उल्फ़त की ख़बर ये, अदालत-अदालत-अदालत में हो गयी
मुझे उससे मुहब्बत~~~~~~~~~~~~~~~~~~~~

मुमकिन हुआ तो फिर मिलेंगे

मुमकिन हुआ तो~फिर मिलेंगे~वादा कोई करते नहीं
याद तुम्हें...किये बगैर~नग़मा कोई लिखते नहीं
मुमकिन हुआ तो फिर मिलेंगे~~~~~~~~~~~~~~~

धड़कता जोरों से यह दिल~मचलता काहे को यह दिल
क्यों लगता ऐसा पल-पल~तेरे कदमों में है मंजिल
हसरतों के गुल~फिर खिलेंगे~शिकवा कोई करते नहीं
याद तुम्हें...किये बगैर~नग़मा कोई लिखते नहीं
मुमकिन हुआ तो फिर मिलेंगे~~~~~~~~~~~~~~~

खिले हैं बाग में गुन्चे~मुहब्बत की गवाही ले
चले आओ बहाना कर~कि की हमने सदायें हैं
तुमसे हाल-ए-दिल~हम कहेंगे~ग़मजदा दिखते नहीं
याद तुम्हें...किये बगैर~नग़मा कोई लिखते नहीं
मुमकिन हुआ तो फिर मिलेंगे~~~~~~~~~~~~~~~

वहाँ भी तुम नज़र आये~किये सज़दे जहाँ हमने
देखा है गर्दिशों का दौर~वहाँ तुमने यहाँ हमने
दुश्मनों के दिल~अब जलेंगे~कि हैं मगर ये रिश्ते नहीं
याद तुम्हें...किये बगैर~नग़मा कोई लिखते नहीं
मुमकिन हुआ तो फिर मिलेंगे~~~~~~~~~~~~~~~

नज़र टकराई अगर फिर से~घड़ी भर मुस्कुरा देना
खुली रखना सदा खिड़की~न ये पलकें झुका लेना
तन्हाईयों में~आहें भरेंगे~राज़ कोई रखते नहीं
याद तुम्हें...किये बगैर~नग़मा कोई लिखते नहीं
मुमकिन हुआ तो फिर मिलेंगे~~~~~~~~~~~~~~~

मुसाफिर हैं तेरे शहर में हम

मुसाफिर हैं तेरे शहर में हम,जायेंगे कल लौट सनम
बस एक मैं शायर नहीं~आयेंगे कल और सनम
मुसाफिर हैं तेरे शहर में हम~~~~~~~~~~

तेरा ये रास्ता,मेरा वो रास्ता,दोनों के रस्ते जुदा-जुदा
तू हुस्न है,मैं इश्क़ हूँ,दोनों के जलवे जुदा-जुदा
कभी उधर~कभी इधर हैं हम, आयेंगे कई दौर सनम
बस एक मैं शायर नहीं~आयेंगे कल और सनम
मुसाफिर हैं तेरे शहर में हम~~~~~~~~~~

तू बात मेरी,माने न माने,न ही है शिकवा न गिला
किया क़रार,कभी था हमने,तेरी ख़ता न है मेरी ख़ता
कि रहते हैं तेरे जिगर में हम,आयेंगे कई मोड़ सनम
बस एक मैं शायर नहीं~आयेंगे कल और सनम
मुसाफिर हैं तेरे शहर में हम~~~~~~~~~~

गोरा सा मुखड़ा है चाँद सा,अधर ये तेरे खिला कमल
कैसे भी कोई दिल संभाले,अदा पे तेरी लिखे ग़ज़ल
है टूटना दिल तन्हा हैं हम,जायेंगे झकझोर सनम
बस एक मैं शायर नहीं~आयेंगे कल और सनम
मुसाफिर हैं तेरे शहर में हम~~~~~~~~~~

लबों का प्याला पिलाने वाले,अब नहीं पिला अब मैं गिरा
क्यों सौंप खुद को~मुझे दिया,उदासियों में मैं घिरा
डर गये हैं तेरी ज़ुल्फ़ से हम, छायेगी घनघोर सनम
बस एक मैं शायर नहीं~आयेंगे कल और सनम
मुसाफिर हैं तेरे शहर में हम~~~~~~~~~~

मेरी पहली 'ओ' आखिरी वफ़ा

मेरी पहली 'ओ' आखिरी वफ़ा तू है सनम
कई जनमों से है जुदा, सदा तू है सनम
मेरी पहली 'ओ' आखिरी वफ़ा~~~~~~~~~~

घड़ी भर को करीब आ, कर बहाना कोई
कहीं छिपकर तन्हाई में, लिख फ़साना कोई
मेरी धड़कन बुला रही, सुन तराना कोई
तुझे सज़दे मैं आ करूँ, कहाँ तू है सनम
कई जनमों से है जुदा, सदा तू है सनम
मेरी पहली 'ओ' आखिरी वफ़ा~~~~~~~~~~

दिल में दूजा नहीं अब तक, तेरी आँखों की कसम
तन्हा-तन्हा रहा अब तक, बिखरे गेसू की कसम
तुझे भूला नहीं पल भर, तेरे जलवों की कसम
मेरी सांसों में आज भी, रवां तू है सनम
कई जनमों से है जुदा, सदा तू है सनम
मेरी पहली 'ओ' आखिरी वफ़ा~~~~~~~~~~

न मिलेगा तुझे भी चैन, मैं मुकद्दर तेरा
मैंने रखा जानेजां, नाम मुहब्बत तेरा
यकीं कैसे ये दिलाऊँ, मैं हूँ हमदम तेरा
मेरे नग़मों की ताज़गी, सिला तू है सनम
कई जनमों से है जुदा, सदा तू है सनम
मेरी पहली 'ओ' आखिरी वफ़ा~~~~~~~~~~

मेरे ग़म की तू दवा है

मेरे ग़म की तू दवा है~तेरे ग़म की मैं दवा हूँ
तू बुझा-बुझा सा क्यों है~मैं तेरी ही दिलरूबा हूँ
मेरे ग़म की तू दवा है~तेरे ग़म की मैं दवा हूँ

तेरे गीतों की मैं सरगम~तेरी आशिकी की चितवन
तेरे नाम लिख दिया है~मैंने जिस्मोजां ये तन-मन
तू अगर समा सुहाना~महकी-महकी मैं सुबह हूँ
तू बुझा-बुझा सा क्यों है~मैं तेरी ही दिलरूबा हूँ
मेरे ग़म की तू दवा है~तेरे ग़म की मैं दवा हूँ

दिन-रात तेरे सपने~पलकों में बन्द तू है
भूली मैं सारे जग को~एक तेरी आरजू है
तू खुशी का मेरे सागर~मैं मनचली नदिया हूँ
तू बुझा-बुझा सा क्यों है~मैं तेरी ही दिलरूबा हूँ
मेरे ग़म की तू दवा है~तेरे ग़म की मैं दवा हूँ

मुझे ज़िंदगी बना ले~किस बात की है देरी
ले हाथ में ये माला~तेरे नाम की है फेरी
माना कि ये ख़ता है~मैं नहीं बेवफ़ा हूँ
तू बुझा-बुझा सा क्यों है~मैं तेरी ही दिलरूबा हूँ
मेरे ग़म की तू दवा है~तेरे ग़म की मैं दवा हूँ

जब याद आये मेरी~मुझको पैग़ाम लिखना
मिलना नहीं जरूरी~ख़्वाबों में मुझको दिखना
तू कहीं तो सुन रहा है~अरे तुझपे मैं फ़िदा हूँ
तू बुझा-बुझा सा क्यों है~मैं तेरी ही दिलरूबा हूँ
मेरे ग़म की तू दवा है~तेरे ग़म की मैं दवा हूँ

मेरे को तुझसे कुछ कहना है

मेरे को तुझसे कुछ कहना है~चुप मुझे अब नहीं रहना है
जो कहना है चुपके-चुपके~दूर तुझसे अब नहीं रहना है
मेरे को तुझसे कुछ कहना है~~~~~~~~~~~~~~~

सिर्फ इशारों की भाषा में~कहूँगी मैं अल्फ़ाजों को
होले-होले ही जानेजां~कहूँगी मैं अरमानों को
दिल का दिल से कुछ रिश्ता~हाल तुझसे अब सब कहना है
जो कहना है चुपके-चुपके~दूर तुझसे अब नहीं रहना है
मेरे को तुझसे कुछ कहना है~~~~~~~~~~~

भाने लगा है ए दीवाने~तेरा ये दीवानापन
जलने लगी अगन ये कैसी~देख तेरा आवारापन
रंग में तेरे मुझे ढलना है~कोई गिला अब नहीं करना है
जो कहना है चुपके-चुपके~दूर तुझसे अब नहीं रहना है
मेरे को तुझसे कुछ कहना है~~~~~~~~~~

तन्हा-तन्हा और रहूँ मैं~ऐसे अब हालात नहीं
अपना समझ तुझसे कहूँगी~छिपेगी कोई बात नहीं
सुख दुःख मिलकर सहना है~तेरी बाहों में ही रहना है
जो कहना है चुपके-चुपके~दूर तुझसे अब नहीं रहना है
मेरे को तुझसे कुछ कहना है~~~~~~~~~~~

हुई तेरे प्यार में दीवानी~कर लिया इक़रार सनम
उल्फ़त की इन राहों में~बढ़ गया एक और कदम
सादगी तेरी मेरा गहना है~आगे कुछ अब नहीं कहना है
जो कहना है चुपके-चुपके~दूर तुझसे अब नहीं रहना है
मेरे को तुझसे कुछ कहना है~~~~~~~~~~~

मैं दुआ करूँ अरजी लिखूँ

मैं दुआ करूँ~अरजी लिखूँ~या दिल की मैं ख़्वाहिश कहूँ
शिकवा कहूँ~गिला करूँ~या देखा कोई था ख़्वाब कहूँ
मैं दुआ करूँ~अरजी लिखूँ~या दिल की मैं ख़्वाहिश कहूँ

बाहें तरस रही हैं~तुझे सीने से लगाने को
क्यों भुला मुझे दिया~जरा याद कर फ़साने को
बुझी-बुझी~शमा मैं हूँ~जो पसंद तुझे वो रुबाई कहूँ
शिकवा कहूँ~गिला करूँ~या देखा कोई था ख़्वाब कहूँ
मैं दुआ करूँ~अरजी लिखूँ~या दिल की मैं ख़्वाहिश कहूँ

पलकों में बन्द तू है~मुझे रोग यह दिया कैसा
चन्द लम्हें प्यार देकर~कहीं दूर तू जा बैठा
क्या बात मैं~अपनी कहूँ~कैसे तुझसे मैं ये ख्वाईश कहूँ
शिकवा कहूँ~गिला करूँ~या देखा कोई था ख़्वाब कहूँ
मैं दुआ करूँ~अरजी लिखूँ~या दिल की मैं ख़्वाहिश कहूँ

सावन है सूखा-सूखा~भादो अगन बरसाये है
पतझड़ सा हर एक मौसम~अश्रु नयन छलकाये हैं
उदास मैं~पशेमान हूँ~आगे और क्या दास्तान कहूँ
शिकवा कहूँ~गिला करूँ~या देखा कोई था ख़्वाब कहूँ
मैं दुआ करूँ~अरजी लिखूँ~या दिल की मैं ख़्वाहिश कहूँ

कभी बेबसी ने लूटा~कभी दिल्लगी ने है लूटा
सपने मुझे दिखाकर~कभी बेख़ुदी ने है लूटा
ये जो दर्द है~क्या बयां करूँ~या जख़्म ये लाईलाज कहूँ
शिकवा कहूँ~गिला करूँ~या देखा कोई था ख़्वाब कहूँ
मैं दुआ करूँ~अरजी लिखूँ~या दिल की मैं ख़्वाहिश कहूँ

मैं उल्फ़त किससे कर बैठा

मैं उल्फ़त किससे कर बैठा~मैं उल्फ़त किससे कर बैठा
नहीं देती जो दिल मुझको~बड़ी है संगदिल-संगदिल वो
मुहब्बत उससे कर बैठा

वो महलों की रहने वाली~मैं गलियों का बंजारा
गोरे गाल नैन शराबी~मैं लोफर 'ओ' आवारा
शरारत किस संग कर बैठा~शरारत किस संग कर बैठा
नहीं देती जो दिल मुझको~बड़ी है संगदिल-संगदिल वो
मुहब्बत उससे कर बैठा

जां पर मेरी बन आती~जब लेती वो अँगड़ाई
मतलब की कोई बात नहीं~हुई मेरी रुसवाई
उलझ मैं उससे क्यों बैठा~उलझ मैं उससे क्यों बैठा
नहीं देती जो दिल मुझको~बड़ी है संगदिल-संगदिल वो
मुहब्बत उससे कर बैठा

दिल का चैन और क़रार लेती~ऋतु कैसी ये अलबेली
कलियाँ बाग की रोक मुझको~मुझसे करती अटखेली
नादां था मजनूं बन बैठा~नादां था मजनूं बन बैठा
नहीं देती जो दिल मुझको~बड़ी है संगदिल-संगदिल वो
मुहब्बत उससे कर बैठा

मैं समझ जाऊँगी तू इशारा तो कर

मैं समझ जाऊँगी तू इशारा तो कर
मुझसे मिलने के लिये कोई बहाना तो कर
मैं समझ जाऊँगी तू इशारा तो कर

मिलते हैं रोज़ मुझे यूँ तो हजारों आशिक़
भरते दम मुझे पाने का हैं मुझसे वाक़िफ़
क्यों नहीं करता पुरजोर दिल से कोशिश
मैं नज़र आऊँगी घर से निकला तो कर
मुझसे मिलने के लिये कोई बहाना तो कर
मैं समझ जाऊँगी तू इशारा तो कर

गुजरते दिन और रात तमन्ना में तेरी
बदलते राज़ हैं रोज़ कैसी फ़ितरत तेरी
बैठी पलकों को बिछाए दस्तक में तेरी
मैं न पछताएँगी मुझे रुसवा तो कर
मुझसे मिलने के लिये कोई बहाना तो कर
मैं समझ जाऊँगी तू इशारा तो कर

हर सू ही प्यार का मौसम और मैं प्यासी
थाम ले आ ये दामन मैं हूँ तेरी दासी
गलियों-गलियों उल्फ़त भरे नग़में गाती
मैं यूँ मर जाऊँगी ठण्डी ज्वाला तो कर
मुझसे मिलने के लिये कोई बहाना तो कर
मैं समझ जाऊँगी तू इशारा तो कर

न ही इक़रार किया है

न ही इक़रार किया है~न ही इन्कार किया है
जाने जां दिल मेरा तूने~बेक़रार किया है
न ही इक़रार किया है~~~~~~~~~~~~~~~~~~~~

कभी तन्हाई में~याद आती~जो तेरी बातें
मुझे ख़्वाब में~नज़र आती~नशीली आँखें
दीवाना कर गयी~मुझे तेरी~महकी सांसें
न ही ऐतबार किया है~न ही इन्तहां लिया है
जाने जां दिल मेरा तूने~बेक़रार किया है
न ही इक़रार किया है~~~~~~~~~~~~~~~~~~~~

हक़ीक़त तूने~न समझी~हुई मुझसे तू ख़फ़ा
पास अपने~बुला कर~किया मुझसे है दगा
सुनी न तूने~हैं सदाऐं~बनी तू है बेवफ़ा
न ही आग़ाज़ किया है~न ही अंजाम दिया है
जाने जां दिल मेरा तूने~बेक़रार किया है
न ही इक़रार किया है~~~~~~~~~~~~~~~~~~~~

जाने ये कैसे~मोड़ पर~आ गयी ज़िंदगी
मिली है ख़ाक़ में~वर्षों की~मेरी बन्दगी
हर घड़ी मुझको~तड़पाती~कैसी ये दोस्ती
न ही जीने मुझे दिया है~न ही मरने मुझे दिया है
जाने जां दिल मेरा तूने~बेक़रार किया है
न ही इक़रार किया है~~~~~~~~~~~~~~~~~~~~

नहीं है कोई जुस्तजू इस दिल में

नहीं है कोई जुस्तजू~इस दिल में ए-सनम
तुम ही हो मेरी आरजू~सिर्फ तुम... ए-सनम
नहीं है कोई जुस्तजू~इस दिल में~~~~~~~~~~

धड़कनें हैं तेरी~जब तक ज़िन्दा रही
चाहतों के ये पल~मुमकिन हरदम रहें
लब पे शिकवा न गिला~बंधन टूटे अब ये न
रंग ले अपने ही रंग में~लगी बुझे अब ये न
मेरी पलकों में बंद तू~सुख दुःख में ए-सनम
तुम ही हो मेरी आरजू~सिर्फ तुम... ए-सनम
नहीं है कोई जुस्तजू~इस दिल में~~~~~~~~~~

हाथों की अँगुलियाँ~जरा कस के पकड़
आ मुझमें सिमट~बाहों में जकड़
दिल का तू मेरे राजा~दुनिया मेरी बसा जा
हुई मैं तेरी हूँ दीवानी~छोड़ मुझे यूँ न जा
हंसी मैं जवां है रे तू~मुश्किल क्या ए-सनम
तुम ही हो मेरी आरजू~सिर्फ तुम... ए-सनम
नहीं है कोई जुस्तजू~इस दिल में~~~~~~~~~~

जां ये क़ुरबान मैं~तुझपे कर जाऊँगी
हर सू हर जगह मैं~तुझको दिख जाऊँगी
लिख दे मुझको अफ़साना~मैं तेरी हूँ दिलजाना
चाहा तुझको कब से है~रब तुझको ही माना
कैसे मैं तेरा नाम लूँ~डर लगता ए-सनम
तुम ही हो मेरी आरजू~सिर्फ तुम... ए-सनम
नहीं है कोई जुस्तजू~इस दिल में~~~~~~~~~~

न घर का पता दिया आपने

न घर का पता दिया आपने,न मोबाइल नं० दिया आपने
न ख़त ही कोई लिखा मुझे,न मैसेज कोई दिया आपने
न घर का पता दिया आपने~~~~~~~~~

ऐसे कहाँ मैं तलाशूँ तुझे,तस्वीर कब तक छिपाऊँ ऐसे
तू रहती है कौन से गाँव में,सोयी कब से जगाऊँ ऐसे
न लाने को तोहफ़ा कहा आपने
न छूने को अंबर कहा आपने
न ख़त ही कोई लिखा मुझे,न मैसेज कोई दिया आपने
न घर का पता दिया आपने~~~~~~~~~

बुत एक बनाकर मैं यूँही तेरा,करने लगा मैं बन्दगी
हर वक़्त तेरे इन्तज़ार में,कटने लगी ये ज़िन्दगी
न पल भर को बैठी मेरे पास में
न मिलने का वादा किया आपने
न ख़त ही कोई लिखा मुझे,न मैसेज कोई दिया आपने
न घर का पता दिया आपने~~~~~~~~~

समझता तुझे था मैं चाँदनीं,मगर चाँदनीं भी जलाने लगी
समझता रहा घर की रोशनी,शमा तू जली ही बुझाने लगी
न बाहर कदम रखा आपने,
न आने को अन्दर कहा आपने
न ख़त ही कोई लिखा मुझे,न मैसेज कोई दिया आपने
न घर का पता दिया आपने~~~~~~~~~

न जाने कब बात करेगी

न जाने कब बात करेगी~प्यार का इज़हार करेगी
मैसेज वो करती रोज़ है~कब मेरा ऐतबार करेगी
न जाने कब बात करेगी~प्यार का इज़हार करेगी
मैसेज वो करती रोज़ है~कब मेरा ऐतबार करेगी

गुन-गुन गुन-गुन गुन-गुन गुन-गुन भंवरा बोले
कू-कू कू-कू कू-कू कू कोयलिया बोले
गीत मिलन के किसे सुनाऊँ~उल्फ़त क्या,क्या बतलाऊँ
बेक़रार दिल लम्बी रातें~कब तक यूँ इन्कार करेगी
न जाने कब बात करेगी~प्यार का इज़हार करेगी
मैसेज वो करती रोज़ है~कब मेरा ऐतबार करेगी

करवट बदलूँ सारी रात मुझे चैन न आये
दूजी कोई और हंसी मुझे रास न आये
इंतज़ार में सदियाँ गुजरी~किस फ़िराक़ में हुई वो पगली
भरती है वो ठण्डी आहें~कैसे कर इन्तख़ाब करेगी
न जाने कब बात करेगी~प्यार का इज़हार करेगी
मैसेज वो करती रोज़ है~कब मेरा ऐतबार करेगी

गोरे-गोरे गाल गुलाबी नैना कज़रारे
शबनम जैसा हुस्न हंसी कितने दिल हारे
रूप की मल्लिका बला का जादू~जब से देखा हुआ बेक़ाबू
चंदन जैसी महकी सांसें~अँखियाँ मुझसे चार करेगी
न जाने कब बात करेगी~प्यार का इज़हार करेगी
मैसेज वो करती रोज़ है~कब मेरा ऐतबार करेगी

नज़र उठा के जो उसने देखा

नज़र उठा के जो उसने देखा~जनाबेआली मजा आ गया
घटा सी जुल्फ़ें गुलाब चेहरा~क़रार दिल को मेरे आ गया
नज़र उठा के जो उसने देखा~~~~~~~~~

हंसीन मौसम जवान ऋतु~अदा से उनका क़रीब आना
गोरा बदन हो चाँदनीं~अदा से पलकों का उठाना
बज़्म में मेरी कदम जो रखा~ख़ुमार मुझपे क्यों छा गया
घटा सी जुल्फ़ें गुलाब चेहरा~क़रार दिल को मेरे आ गया
नज़र उठा के जो उसने देखा~~~~~~~~~

कमर लचकती सुराही गर्दन~कलाईयों में खनकते कंगन
अधर से जैसे छलकती मय~तितलियों सी मचलती चितवन
कदम जो पीछे हटाया मैंने~पैग़ाम उनका मुझे आ गया
घटा सी जुल्फ़ें गुलाब चेहरा~क़रार दिल को मेरे आ गया
नज़र उठा के जो उसने देखा~~~~~~~~~~

बुलन्दियों का अलग नज़ारा~वो कनखियों से करे इशारा
मैं पास आऊँ वो दूर जाये~ये बात कैसे करूँ गवारा
लहराया उसने रंगीन दामन~कहीं से उठकर चमन आ गया
घटा सी जुल्फ़ें गुलाब चेहरा~क़रार दिल को मेरे आ गया
नज़र उठा के जो उसने देखा~~~~~~~~~

जी चाहा तोड़ूँ ये सारे बंधन~छुऊँ मैं उसकी हंसीन बैयाँ
बाहों में भर के तन्हाईयों में~चूमूँ मैं उसके लबों की कलियाँ
मगर खींची जो उसने रेखा~स्वप्न यह कैसा मुझे आ गया
घटा सी जुल्फ़ें गुलाब चेहरा~क़रार दिल को मेरे आ गया
नज़र उठा के जो उसने देखा~~~~~~~~~~

नाम किसके लिखूँ मैं ख़त

नाम किसके लिखूँ मैं ख़त~कोई अपना ही नहीं
उठे किस पर मेरी निग़ाह~कोई जंचता ही नहीं
नाम किसके लिखूँ मैं ख़त~~~~~~~~~~~~~~

सादगी तेरी~बांकपन तेरा~वो तेरा जलवा
रात-दिन चाहा~करता मैं जाऊँ~सब तेरे मन का
चाह किसकी करूं मैं अब~कोई सपना ही नहीं
उठे किस पर मेरी निग़ाह~कोई जंचता ही नहीं
नाम किसके लिखूँ मैं ख़त~~~~~~~~~~~~~~

सांझ ढलते ही~भोर होते ही~बन्दगी में तू
जज़्ब तू हुई है~मेरी सांसों में~ज़िंदगी में तू
चाल कैसे चलूँ मैं अब~कोई जज़्बा ही नहीं
उठे किस पर मेरी निग़ाह~कोई जंचता ही नहीं
नाम किसके लिखूँ मैं ख़त~~~~~~~~~~~~~~

काश मुझ पर~क़यामत हो~और तू आये
नग़में जो मैंने~लिखे इतने~कोई तू गाये
आज किसको कहूँ मैं रब~कोई जमता ही नहीं
उठे किस पर मेरी निग़ाह~कोई जंचता ही नहीं
नाम किसके लिखूँ मैं ख़त~~~~~~~~~~~~~~

सोचता हूँ मैं~न आये तू~मेरे सपनों में
न दखल दे तू~आ-आ कर~मेरी नींदों में
साथ किसके चलूँ मैं अब~कोई चलता ही नहीं
उठे किस पर मेरी निग़ाह~कोई जंचता ही नहीं
नाम किसके लिखूँ मैं ख़त~~~~~~~~~~~~~~

नारी हूँ मैं नारी हूँ मैं नारी हूँ

नारी हूँ मैं~नारी हूँ मैं~नारी हूँ~मैं नारी हूँ
कहीं बहन~कहीं मैं माँ~कहीं मैं बेटी~कुँवारी हूँ
नारी हूँ मैं~नारी हूँ मैं~नारी हूँ~~~~~~~~~~~~

जनम से पहले निग़ाह~चुराकर हत्या मेरी मत करना
नहीं मैं बोझ तुम्हारा~पलकें नम कभी मत करना
कहीं कदम बहके मेरा~आग़ाह मुझको तुम करना
प्यारी हूँ मैं~दुलारी हूँ मैं~नारी हूँ~मैं नारी हूँ
कहीं बहन~कहीं मैं माँ~कहीं मैं बेटी~कुँवारी हूँ
नारी हूँ मैं~नारी हूँ मैं~नारी हूँ~~~~~~~~~~~~

कितने ही जख़्म झेले हैं मैंने~सहे हैं कितने ग़म
अपनों की खुशियों की ख़ातिर~बदले मैंने कितने रंग
इसमें ख़ता क्या मेरी बोलो~मुझे आँका लड़कों से कम
आधी नहीं~सारी हूँ मैं~नारी हूँ~मैं नारी हूँ
कहीं बहन~कहीं मैं माँ~कहीं मैं बेटी~कुँवारी हूँ
नारी हूँ मैं~नारी हूँ मैं~नारी हूँ~~~~~~~~~~~~

पति धर्म निभाने को~चली हूँ जंगल-जंगल मैं
छुड़ाये छक्के दुश्मनों के~बनी हूँ झाँसीबाई मैं
भुला न पाया कोई मुझको~बसी हूँ धड़कन-धड़कन में
मुझसे ही है रंगी दुनिया~नारी हूँ~मैं नारी हूँ
कहीं बहन~कहीं मैं माँ~कहीं मैं बेटी~कुँवारी हूँ
नारी हूँ मैं~नारी हूँ मैं~नारी हूँ~~~~~~~~~~~~

निकल जाये मतलब तो

निकल जाये मतलब~तो~रिश्ते भी टूट जाते हैं
पड़े जो मुश्किल~साथ~अपने भी छोड़ जाते हैं
निकल जाये मतलब तो~~~~~~~~~~~~~~

तक़दीर के आगे अरे जोर किसका है
बेवज़ह ये दुनिया में शोर किसका है
दिल को दुःखा कर के हँसते यहाँ लोग
बेवज़ह यहाँ हर सू मशहूर किस्सा है
लुटेरे यहाँ जन-जन को दिन को ही लूट जाते हैं
पड़े जो मुश्किल~साथ~अपने भी छोड़ जाते हैं
निकल जाये मतलब तो~~~~~~~~~~~~~~

आँखों ही आँखों में दिल को चुरा लेते
बातों ही बातों हम सब कुछ गंवा बैठे
सपने दिखाना ही बस काम है इनका
नज़दीक़ आये तो गुल क्या खिला बैठे
नज़र आयें पल-पल वो~कसमें भी भूल जाते हैं
पड़े जो मुश्किल~साथ~अपने भी छोड़ जाते हैं
निकल जाये मतलब तो~~~~~~~~~~~~~~

जिस तरह उलझा मैं इनके ख़यालों में
क्या राज़ है ऐसा इनके सवालों में
दिन-रात सज़दे में झुकता रहा हूँ मैं
यह जाम है कैसा कजरारे नयनों में
जो हट जाये चिलमन तो~संगदिल चहचहाते हैं
पड़े जो मुश्किल~साथ~अपने भी छोड़ जाते हैं
निकल जाये मतलब तो~~~~~~~~~~~~~~

निकला था खोजने मैं

निकला था खोजने मैं~खुशियों के चन्द लम्हें
किस्मत ने मेरी मुझको~मुसाफिर बना दिया
चाहा था काट लूँगा~मैं तन्हा ज़िंदगी ये
गुरबत ने मेरी मुझको~वहाँ भी दगा दिया
निकला था खोजने मैं~~~~~~~~~~~~~~

तमन्ना जिसकी कर बैठा~उसी ने मुझको ठुकराया
मुकद्दर ही कुछ ऐसा था~नहीं भी मुझको अपनाया
दिखाता आया जिसको राह~उसी ने मुझको सिखलाया
किस किसको मैं बताऊँ~ऐसे-ऐसे हैं वो किस्से
अपनों ने ऐसी मन्जिल पर ला दिया
चाहा था काट लूँगा~मैं तन्हा ज़िंदगी ये,गुरबत ने मेरी~~
निकला था खोजने मैं~~~~~~~~~~~~~~

शिकायत की वज़ह मुझको~बताये कोई तो जानूँ
शरारत एक भी गर है~गिनाये कोई तो मानूँ
लिखी गयी है इबारत जो~मिटाये कोई तो जानूँ
संभला था पल दो पल मैं~जाने क्या मन में उसके
उल्फ़त ने मेरी मुझको~मुंतज़िर बना दिया
चाहा था काट लूँगा~मैं तन्हा ज़िंदगी ये,गुरबत ने मेरी~~
निकला था खोजने मैं~~~~~~~~~~~~~~

ये ऐसी-कैसी दुनिया है~बिछाती राहों में काँटे
किसी का साथ देगी क्या~जो करती बेसबब बातें
जहाँ पग-पग पे है मुश्किल~तो कैसे ज़िंदगी कांटें
कूदा मैं ऐसी जंग में~खो बैठा होश अपने
इस जंग ने ही मुझको~रे शायर बना दिया
चाहा था काट लूँगा~मैं तन्हा ज़िंदगी ये,गुरबत ने मेरी~~
निकला था खोजने मैं~~~~~~~~~~~~~~

निकलो न इस तरह जनाब

निकलो न इस तरह जनाब~बजती हैं घण्टियाँ
गुस्ताख़ ये ज़माना है~क्या भी गारन्टियाँ
निकलो न इस तरह~~~~~~~~~~~~~~

जुल्फ़ों से पूछिए जरा~इनके बिखरने का सबब
यौवन से पूछिए जरा~इसके निखरने का सबब
जाने कब हो नीयत खराब~गिरें न बिजलियाँ
गुस्ताख़ ये ज़माना है~क्या भी गारन्टियाँ
निकलो न इस तरह~~~~~~~~~~~~~~

उलझेगा कोई बेवज़ह~तुमको क्या है ख़बर
चूमेगा गोरे गालों को~तड़पोगे रात भर
उड़ो न इस तरह जनाब~जैसे कि तितलियाँ
गुस्ताख़ ये ज़माना है~क्या भी गारन्टियाँ
निकलो न इस तरह~~~~~~~~~~~~~~

गुलशन से तेरे जिस्म को~पल भर निहार लूँ जरा
देखूँ मैं तुझको जाँचकर~सोना क्या है ख़रा
माना कि तू है गुलाब~होवेंगी गलतियाँ
गुस्ताख़ ये ज़माना है~क्या भी गारन्टियाँ
निकलो न इस तरह~~~~~~~~~~~~~~~

सपना ही बनकर आ कभी~तू मेरी नींदों में
गुजरेगी वरना ये उम्र~यूँ ही उम्मीदों में
देखा तुम्हें हजारों ने~भरते हैं सिसकियाँ
गुस्ताख़ ये ज़माना है~क्या भी गारन्टियाँ
निकलो न इस तरह~~~~~~~~~~~~~~

नींद चुराने वाले पूछे है क्या

नींद चुराने वाले~पूछे है क्या~(मैं सोयी क्यों नहीं)-२
ऐसी मुहब्बत क्या~जानेजिगर~(दीवाने चल कहीं)-२
नींद चुराने वाले पूछे है क्या~~~~~~~~~~~~~~~

रफ़्ता-रफ़्ता तेरे प्यार में~खोने लगी~खोने लगी
लम्हा-लम्हा बेक़रार मैं~होने लगी~होने लगी
लगी कैसी ये बीमारी~हर समय तेरी ख़ुमारी
संगदिल तू हो गया~हर घड़ी मुझ पर है भारी
ख़्वाब में आने वाले~पूछे है क्या~(मैं सोयी क्यों नहीं)-२
ऐसी मुहब्बत क्या~जानेजिगर~(दीवाने चल कहीं)-२
नींद चुराने वाले पूछे है क्या~~~~~~~~~~~~~~~

धक-धक बोले जियरा मेरा~क्या है हुआ~कुछ है हुआ
दर्देदिल बढ़ता ही जाये~दे कोई दवा~दे कोई दवा
चल न पाऊँ दो कदम~क्यों तू करता ये सितम
बाहों में भर ले आ मुझे~हरजाई तू है बेरहम
हरदम सताने वाले~पूछे है क्या~(मैं सोयी क्यों नहीं)-२
ऐसी मुहब्बत क्या~जानेजिगर~(दीवाने चल कहीं)-२
नींद चुराने वाले पूछे है क्या~~~~~~~~~~~~~~~

सावन-भादो मैं क्या जानूं~तेरे बिना~तेरे बिना
दुआओं में बस तुझको माँगूँ~सुबहोशाम~सुबहोशाम
चूम ले मुखड़ा ये गोरा~चुरा ले होंठों से लाली
प्यासा-प्यासा है यौवन~बन भी जा इसका तू हाली
भूला तू अपने वादे~पूछे है क्या~(मैं सोयी क्यों नहीं)-२
ऐसी मुहब्बत क्या~जानेजिगर~(दीवाने चल कहीं)-२
नींद चुराने वाले पूछे है क्या~~~~~~~~~~~~~~~

पहली ही नज़र में

पहली ही नज़र में,दीवाना कर गयी वो
बैठे-बैठे कैसा,फ़साना कर गयी वो
पहली ही नज़र में~~~~~~~~~~~~~

फूल सा मुख होंठ गुलाबी,जलपरी वो हुस्न शराबी
यार घटा से बिखरे गेसू, रूपनगर की वो शहजादी
देखा भी पलट के,अन्जाना कर गयी वो
देखा भी पलट के,अन्जाना कर गयी वो
पहली ही नज़र में~~~~~~~~~~~~~

चिलमन से वो शरमाये,नूर ज़मीं पे बिखरता जाये
मूरत सी वो एक हसीना,चाँद धरा पे उतरता आये
कितनों को न जाने,निशाना कर गयी वो
कितनों को न जाने,निशाना कर गयी वो
पहली ही नज़र में~~~~~~~~~~~~~

चंचल नैना मय के प्याले,आशिक आगे-पीछे भागे
सावन सी वो ऋतु अलबेली,दिल दीवाना उसको माँगे
मिलने का फिर मुझसे,बहाना कर गयी वो
मिलने का फिर मुझसे,बहाना कर गयी वो
पहली ही नज़र में~~~~~~~~~~~~~

वो है नार छैलछबीली,लगती है वो एक पहेली
प्रीत का बन्धन जाने न,साथ उसके न कोई सहेली
झूठा ही सही,पर याराना कर गयी वो
झूठा ही सही,पर याराना कर गयी वो
पहली ही नज़र में~~~~~~~~~~~~~

पहली मुलाकात में ही

पहली मुलाकात में ही दिल को गंवा बैठे हम
देखे जो हंसी अन्दाज, खुद को भुला बैठे हम
पहली मुलाकात में ही~~~~~~~~~~~~~~

लम्हों का खेल हम ही पे भारी क्यों पड़ गया
इतनी सी बात क्या हुई अफ़साना बन गया
आये वो पास पल दो पल सब कुछ सुना बैठे हम
देखे जो हंसी अन्दाज, खुद को भुला बैठे हम
पहली मुलाकात में ही~~~~~~~~~~~~~~

गालों की सुर्खियाँ थी क्या जन्नत के सिलसिले
आँखों से मय बरस रही मानो जिगर जले
अपने जज़्बात में ही ग़म को छिपा बैठे हम
देखे जो हंसी अन्दाज, खुद को भुला बैठे हम
पहली मुलाकात में ही~~~~~~~~~~~~~~

हमने जो चाही चाहतें मौसम बदल गया
पत्थर से दिल को क्या हुआ क्यों कर पिघल गया
पहली बरसात में ही तन-मन भिगा बैठे हम
देखे जो हंसी अन्दाज, खुद को भुला बैठे हम
पहली मुलाकात में ही~~~~~~~~~~~~~~

इतना करीब आये कि दिल को वो छू गये
मानों हजारों फूल ही बागों में खिल गये
सदियों तलक जमा किया पल में लुटा बैठे हम
देखे जो हंसी अन्दाज, खुद को भुला बैठे हम
पहली मुलाकात में ही~~~~~~~~~~~~~~

पहने है कानों में बाली

पहने है कानों में बाली~गोरे-गोरे मुखड़े बाली
पहने है कानों में बाली~गोरे-गोरे मुखड़े बाली
पीले-पीले वस्त्र हैं उसके~करके चली श्रृंगार
छबीली...कर गयी दीवाना मुझे

नयना लड़ा बैठा ऐसे इश्तहार से
नयना लड़ा बैठा ऐसे इश्तहार से
पूछूँ सवाल कैसे दिले बेक़रार से
उसी के हवाले करूं ज़िंदगानी
उसी के हवाले करूं ज़िंदगानी
मेरी जाने जां ना तेरी मेहरबानी
रंगीली...लिख गयी फ़साना मुझे
पहने है कानों में बाली~गोरे-गोरे मुखड़े बाली
पीले-पीले वस्त्र हैं उसके~करके चली श्रृंगार
छबीली...कर गयी दीवाना मुझे

पहने है कानों में बाली~गोरे-गोरे मुखड़े बाली
पहने है कानों में बाली~गोरे-गोरे मुखड़े बाली
पीले-पीले वस्त्र हैं उसके~करके चली श्रृंगार
छबीली...कर गयी दीवाना मुझे
चलने दे प्यार की जानेमन दास्तां
चलने दे प्यार की जानेमन दास्तां
तन्हा ऐसे यूँ कटेगा न रास्ता
तुझ ही से मैं ग़म की दवा माँगता हूँ
तुझ ही से मैं ग़म की दवा माँगता हूँ
दुआओं में हरदम तुझे माँगता हूँ
चमेली... कर न बहाना मुझे...पहने है ....

पलकें झुकी कभी पलकें उठी

पलकें झुकी~कभी पलकें उठी~दिल बेक़रार रहने लगा
नजरें मिली~जाने क्या हुआ~क्यों इन्तज़ार रहने लगा
पलकें झुकी~कभी पलकें उठी~~~~~~~~~~

माथे पे बिन्दिया का चम-चम चमकना
कानों में बाली का पल-पल लटकना
सोने की नथनियाँ की अजब कहानी
सिर से उनके पल्लू का सरकना
सज़दे करूँ~तो कैसे करूँ~मुझे ये ख़ुमार रहने लगा
नजरें मिली~जाने क्या हुआ~क्यों इन्तज़ार रहने लगा
पलकें झुकी~कभी पलकें उठी~~~~~~~~~~

शोलों सी मदमाती गर्म जवानी
गुलाबी गालों की दुनिया दीवानी
मय से छलकते लबों के पैमाने
सोलह-सत्रह उमर यह सयानी
देखे बिन उसे~दिल न लगे~उसे मैं बहार कहने लगा
नजरें मिली~जाने क्या हुआ~क्यों इन्तज़ार रहने लगा
पलकें झुकी~कभी पलकें उठी~~~~~~~~~~

दिल मेरा ऐसे क्यों सपने संजोये
चुन-चुन माला में मोती पिरोये
नहीं है हक़ीक़त ये सब है पराया
थक मैं गया हूं कर-कर के सदायें
मिलने से पहले~जुदा हुए~ग़म बेशुमार रहने लगा
नजरें मिली~जाने क्या हुआ~क्यों इन्तज़ार रहने लगा
पलकें झुकी~कभी पलकें उठी~~~~~~~~~~

पलकें जो बन्द मैंने की एक बार

पलकें जो बन्द मैंने... की एक बार
तुम ही तुम~तुम ही तुम~नज़र आये यार
पलकें जो बन्द मैंने... की एक बार
तुम ही तुम~तुम ही तुम~नज़र आये यार
पलकें जो बन्द मैंने...की एक बार~~~~

चाहा छू लूँ गालों को~चाहा चूमूँ अधरों को
चाहा देखूँ यौवन को~देखूँ रुककर जलवों को
सदियों से दिल मेरा... है बेक़रार
तुम ही तुम~तुम ही तुम~नज़र आये यार
पलकें जो बन्द मैंने...की एक बार~~~~

रंगरंगीली चितवन तू~बन गयी मेरी धड़कन तू
बंध गयी है प्रीत की डोर~मैं पतझड़ 'ओ' सावन तू
पल-पल ही अब तेरा... करूँ इन्तज़ार
तुम ही तुम~तुम ही तुम~नज़र आये यार
पलकें जो बन्द मैंने...की एक बार~~~~

जब से तुझ संग आँख लड़ी~चिंगारी एक शोला बनी
खिल गये गुल मुरादों के~तन्हाई का जाम बनी
अनजानी पर मैंने... किया ऐतबार
तुम ही तुम~तुम ही तुम~नज़र आये यार
पलकें जो बन्द मैंने...की एक बार~~~~

तिरछी तेरी तीरेनज़र~घायल करती दिल-जिगर
ख़्वाबों में तू आने लगी~देखूँ तुझे होती सहर
कब तलक लेगी मेरा... तू इम्तिहान
तुम ही तुम~तुम ही तुम~नज़र आये यार
पलकें जो बन्द मैंने...की एक बार~~~~

पलकें प्यार से झुका दीजिए

M पलकें प्यार से झुका दीजिए-2
सिर ये सज़दे में तेरे झुकायेंगे हम-2
F हमें भी प्यार का सिला दीजिए-2
तुमसे वादा किया तो निभायेंगे हम-2

F भीगी-भीगी रातों में तुम याद आये-2
राज़ ये कैसा हो तुम छिपाये-2
M लाख तुम हमको भुला दीजिए-2
भूलकर भी तुम्हें न भुलायेंगे हम-2
F हमें भी प्यार का सिला दीजिए
तुमसे वादा किया तो निभायेंगे हम

M भा गयी हमें अदायें तेरी-2
भा गयी हमें है ये सादगी-2
F शमा है बुझी जला दीजिए-2
घर तुम से ही अपना बसायेंगे हम-2
M पलकें प्यार से झुका दीजिए
सिर ये सज़दे में तेरे झुकायेंगे हम

F कर दिया तुमने कैसा ये जादू-2
मनवा चंचल हुआ है बेकाबू-2
M भूल गर हुई है गिला कीजिए-2
हमें उल्फ़त है तुमसे दिखायेंगे हम-2
F हमें भी प्यार का सिला दीजिए
तुमसे वादा किया तो निभायेंगे हम
M पलकें प्यार से झुका दीजिए
सिर ये सज़दे में तेरे झुकायेंगे हम

पसन्द-पसन्द-पसन्द, मुझे आ गई तू पसन्द

पसन्द...पसन्द...पसन्द...मुझे आ गई तू पसन्द
मामला मनपसन्द का~फ़ैसला तुझ पर मल्लिका
पसन्द...पसन्द...पसन्द...मुझे आ गई तू पसन्द

कू-कू कर गाये कोयलिया~छिप कोई बजाये मुरलिया
चंचल मचलती जवानी~बलखाती नाजुक कमरिया
मुखड़ा चाँद सा तेरा गोरा~कैसा सुन्दर रूप सलौना
कोमल-कोमल हैं कलैय्याँ~मुझ पर कर गई जादू टोना
पसन्द...पसन्द...पसन्द...मुझे आ गई तू पसन्द
मामला मनपसन्द का~फ़ैसला तुझ पर मल्लिका
पसन्द...पसन्द...पसन्द...मुझे आ गई तू पसन्द

चाहा रब से जो मैंने~तुझमें सभी हैं वो रंग
गरदन सुराही का जलवा~मनवा हुआ मलंग
अधर तेरे हैं अंगारे~नयनवा तेरे कजरारे
हवा में लहराते गेसू~रोशन तुझसे गलियारे
पसन्द...पसन्द...पसन्द...मुझे आ गई तू पसन्द
मामला मनपसन्द का~फ़ैसला तुझ पर मल्लिका
पसन्द...पसन्द...पसन्द...मुझे आ गई तू पसन्द

पंख लगे गर जो होते~उड़कर तेरे पास आता
होता कबूतर जो साथी~पैगाम तेरे नाम लाता
लम्हा-लम्हा दिलबर जानी~चलती तेरी-मेरी प्रेम कहानी
खुल जाते सारे बन्धन~होती तेरी मेहरबानी
पसन्द...पसन्द...पसन्द...मुझे आ गई तू पसन्द
मामला मनपसन्द का~फ़ैसला तुझ पर मल्लिका
पसन्द...पसन्द...पसन्द...मुझे आ गई तू पसन्द

रंगीन सुहानी ये शाम

रंगीन~सुहानी~ये शाम~छलकाती आयी है जाम
दिलकश~नज़ारे~ये रात~उल्फ़त का लायी है पैग़ाम
रंगीन सुहानी ये शाम~~~~~~~~~~~~~~~~~

गगन मस्त है सितारे जवां~फ़िज़ाओं में रंग है कुछ नया
हम-तुम मिले तक़दीर से~कर दें न क्यों सब कुछ बयां
उल्फ़त के लाखों ईनाम~समझाती आयी है छाँव
दिलकश~नज़ारे~ये रात~उल्फ़त का लायी है पैग़ाम
रंगीन सुहानी ये शाम~~~~~~~~~~~~~~~~~

नशीला बदन यौवन हंसी~रंगीले अधर तू फुलझड़ी
गुस्ताख़ियाँ कैसे न हों~आती तुझे है जादूगरी
अम्बुआ पे झूले तमाम~बड़ा प्यारा गोरी तेरा गाँव
दिलकश~नज़ारे~ये रात~उल्फ़त का लायी है पैग़ाम
रंगीन सुहानी ये शाम~~~~~~~~~~~~~~~~~

नादान तू दीवाना मैं~अदायें शोख़ घबराता मैं
हैं बेवफ़ा यहाँ पर बड़े~वफ़ायें रोज़ सिखलाता मैं
मैं ठहरा बुद्धू गंवार~क्यों लगाने आयी है दाँव
दिलकश~नज़ारे~ये रात~उल्फ़त का लायी है पैग़ाम
रंगीन सुहानी ये शाम~~~~~~~~~~~~~~~~~

मुहब्बत का अब सिला दीजिए,अगर भूल हुई क्षमा कीजिए
आ जाओ बाहों में मेरी~जी भर के अजी गिला कीजिए
कब तक रहेगा इम्तिहान~अभी रखा मंजिल पे पाँव
दिलकश~नज़ारे~ये रात~उल्फ़त का लायी है पैग़ाम
रंगीन सुहानी ये शाम~~~~~~~~~~~~~~~~~

रखूँगा आबाद लफ़्ज़ों में तुझे

रखूँगा आबाद लफ़्ज़ों में तुझे,चाहे ज़िंदगी नीलाम हो जाये
लिखूँगा तुझही पर गीत 'ओ' ग़ज़ल चाहे भोर से शाम हो जाये
रखूँगा आबाद लफ़्ज़ों में तुझे~~~~~~~~~~~~~~

हंसते-हंसते कट जाये जीवन~यही है तमन्ना
कितने ही जनम मैं लूँ~तुझे मेरी है बनना
बीते लम्हें लौटे नहीं~दुनिया में दोबारा
यही तो एक किस्सा है~तुझ पर दिल मैं हारा
दिखूँगा दिन-रात ख़्वाबों में तुझे,चाहे नाम बदनाम हो जाये
लिखूँगा तुझही पर गीत 'ओ' ग़ज़ल चाहे भोर से शाम हो जाये
रखूँगा आबाद लफ़्ज़ों में तुझे~~~~~~~~~~~~~~

पल दो पल में ही कर डाला~मुझे तूने बेगाना
कहीं आग में जल न जाये~गुस्ताख़ परवाना
क़ुदरत ने की हम संग~ये कैसी अन्होनी
जुदा किया दुनिया ने~कहीं मोना कहीं मोनी
कहूँगा हर बात इशारों में तुझे,चाहे कुछ मेरा अंजाम हो जाये
लिखूँगा तुझही पर गीत 'ओ' ग़ज़ल चाहे भोर से शाम हो जाये
रखूँगा आबाद लफ़्ज़ों में तुझे~~~~~~~~~~~~~~

तन्हाई में बैठ मैं लिखता~अफ़साना इस दिल का
कहाँ है जाना भूल गया मैं~पता नहीं मन्जिल का
अब कैसे मैं बात करूँ~अँखियों ही अँखियों में
कब तलक ख़ामोश रहूँ~तेरी इन गलियों में
उस रब से रोज़ माँगूँगा तुझे~चाहे मौत का एलान हो जाये
लिखूँगा तुझही पर गीत 'ओ' ग़ज़ल चाहे भोर से शाम हो जाये
रखूँगा आबाद लफ़्ज़ों में तुझे~~~~~~~~~~~~~~

राहों में फूल बिछायेंगे हम

राहों में फूल बिछायेंगे हम~आओ कभी शहर में हमारे
गालों की शोख़ी तुम्हारे लिये~सहेजे हमने जन्नत के नज़ारे
राहों में फूल बिछायेंगे हम~आओ कभी शहर में हमारे

तन्हा-तन्हा बैठे हैं हम~लिखते तुम्हें अफ़साना
जब-जब दस्तक देंगे हम~चुपके से आ जाना
ज़ुल्फ घनी बिखरायेंगे हम~कैसे कहें तुम गगन के सितारे
गालों की शोख़ी तुम्हारे लिये~सहेजे हमने जन्नत के नज़ारे
राहों में फूल बिछायेंगे हम~आओ कभी शहर में हमारे

शब भर सारी जाग-जाग कर~लेते हैं हम अँगड़ाई
न भेजा कोई प्रेम संदेशा~ठण्डी चले पुरबाई
नज़राने क्या-क्या न लायेंगे हम,देखो न कैसे मचलती बहारें
गालों की शोख़ी तुम्हारे लिये~सहेजे हमने जन्नत के नज़ारे
राहों में फूल बिछायेंगे हम~आओ कभी शहर में हमारे

तुमको पाने की दिल में~रखते कब से तमन्ना
आवारा से हो गये हैं~मुश्किल अब सँभलना
कसमें वादे निभायेंगे हम~हंसीन लम्हें चमन में गुजारें
गालों की शोख़ी तुम्हारे लिये~सहेजे हमने जन्नत के नज़ारे
राहों में फूल बिछायेंगे हम~आओ कभी शहर में हमारे

आओ चुरा लो हमसे हमको~देखो दिल न तोड़ो
बेगाना न समझो हमको~कोई तो बन्धन जोड़ो
जां ये तुम पर लुटायेंगे~आओ कभी ये बिरहन पुकारे
गालों की शोख़ी तुम्हारे लिये~सहेजे हमने जन्नत के नज़ारे
राहों में फूल बिछायेंगे हम~आओ कभी शहर में हमारे

रात 'ओ' दिन हम तेरी यादों में

रात 'ओ' दिन हम तेरी~यादों में तड़पते रहे
तुम नहीं आये तो~तन्हा ही मचलते रहे
रात 'ओ' दिन हम~~~~~~~~~~~~~~~~

बदलियाँ आ-आ कर~बरसती रहीं~बरसती रहीं
शमा भी रह-रह कर~पिघलती रही~पिघलती रही
धड़कनें नदिया सी~उफनती रही~उफनती रही
अरमां ले हम तेरा~ख़ुद ही में सिमटते रहे
तुम नहीं आये तो~तन्हा ही मचलते रहे
रात 'ओ' दिन हम~~~~~~~~~~~~~~~~

अब जिया जानेजिगर~बस में नहीं~बस में नहीं
पछतायी यार पर~कर के यकीं~कर के यकीं
न बुझे किसी तरह~दिल की लगी~दिल की लगी
नित नयी-नयी उलझनें~जाल में उलझते रहे
तुम नहीं आये तो~तन्हा ही मचलते रहे
रात 'ओ' दिन हम~~~~~~~~~~~~~~~~

रोशनी हुई मद्धम~कभी कोई ग़म~कभी कोई ग़म
फासले बढ़ गये~चले छोड़ संग~चले छोड़ संग
हवाओं की तरह वो गये~हुई आँख नम~हुई आँख नम
मरते दम तक~हम तुम्हें~अपना ही समझते रहे
तुम नहीं आये तो~तन्हा ही मचलते रहे
रात 'ओ' दिन हम~~~~~~~~~~~~~~~~

रहने दे रहने दे चेहरे को चेहरे के पास

रहने दे,रहने दे,चेहरे को चेहरे के पास
कहने दे,दिल की बात
चलने दे,चलने दे,प्यार का सिलसिला
पहली-पहली मुलाक़ात
रहने दे,रहने दे,चेहरे को चेहरे के पास~~~~~~~

छूने दे गोरे गाल मुझको,जुल्फ़ों के इस सावन में
जाने क्या-क्या छिपा लिया,पलकों के इस उपवन में
करने दे,करने दे,गोरी इन आँखों को चार,कहने दे~~~
चलने दे,चलने दे,प्यार का सिलसिला, पहली-२ मुलाक़ात
रहने दे,रहने दे,चेहरे को चेहरे के पास~~~~~~~

तितली जैसी मस्त अदायें,पहले कभी न देखी
सदियों से ही छिप-छिप जानम,दिल में मेरे तू रहती
औरों से मुझे क्या,तुझसे मुझे है आस,कहने दे~~~
चलने दे,चलने दे,प्यार का सिलसिला, पहली-२ मुलाक़ात
रहने दे,रहने दे,चेहरे को चेहरे के पास~~~~~~~

हमदम ये मग़रूर जवानी,कुछ दिन की मेहमान है
जानेतमन्ना खुलकर कह दे,जो दिल का अरमान है
खिलने दे,खिलने दे,यूँही रख न हिसाब,कहने दे~~~
चलने दे,चलने दे,प्यार का सिलसिला, पहली-२ मुलाक़ात
रहने दे,रहने दे,चेहरे को चेहरे के पास~~~~~~~

जितना तुझको चाहा मैंने,उल्फ़त से इन्कार न कर तू
अपना सब तेरे नाम लिखा,बस इतना ऐतबार कर तू
पढ़ने दे,पढ़ने दे,मुझको ये दिल की किताब,कहने दे~~~
चलने दे,चलने दे,प्यार का सिलसिला, पहली-२ मुलाक़ात
रहने दे,रहने दे,चेहरे को चेहरे के पास~~~~~~~

समझ गया तेरी हर बात को

M	समझ गया तेरी हर बात को
समझ गया तेरे हर राज़ को
समझ गया तेरे अन्दाज को
समझ गया तेरे जज़्बात को दिलजानियां...दिलजानियां...

F	समझ गयी तेरी हर बात को
समझ गयी तेरे हर राज़ को
समझ गयी तेरे अन्दाज को~
समझ गयी तेरे जज़्बात को दिलजानियां...दिलजानियां...

M	याद बनकर तू तड़पा रही,ख़्वाबों में मेरे आ आ के तू
क़हर मुझ पर बरपा रही,सांसों में मेरी आ आ के तू
(F)	मुझे बदनाम तू कर रहा,नहीं समझा है अफ़साने को
जब रस्ते में मिलता है तू,मुझे कहता है घर जाने को
(M)	बड़ी नादान है	(F)तू भी अन्जान है
(M)	तू कैसी मन्चली	(F)तू बेईमान है
(M)	समझ गया तेरे हालात को
(F)	समझ गयी तेरे अल्फ़ाज को
(M)	दिलजानियां...दिलजानियां...(F)दिलजानियां...दिलजानियां...

F	मार डालें न ये अँगड़ाईयाँ,लम्बी लम्बी तन्हा तन्हाईयाँ
मत न ऐसे मुझे दीवानी कर,होती हैं होने दे रुसवाईयाँ
M	आ करीब मेरे तुझे चूम लूँ~तुझे बाहों में ले मैं झूम लूँ
ज़िंदगानी मेरी हवाले तेरे,तूने सोचा ये क्या कि मैं दूर हूँ
(F)	मैं तेरी दिलरूबा	(M)तू मेरी जानेमन
(F)	मैं तेरी चाँदनीं	(M)तू मेरी गुलबदन
(F)	समझ गयी मैं अन्जाम को
(M)	समझ गया तेरी अरमान को
(M&F)	दिलजानियां...दिलजानियां...दिलजानियां...दिल...

सरक-सरक जाये चुनर

सरक-सरक जाये~चुनर तेरी धानी
ख़बर ये थोड़ी-थोड़ी~मम्मी-डेडी तक पहुंचानी
सरक-सरक जाये~चुनर तेरी धानी
ख़बर ये थोड़ी-थोड़ी~मम्मी-डेडी तक पहुंचानी
होंठ गुलाबी~फूल सा मुखड़ा~उम्र सयानी
तौबा अन्दाज ये~कितना है प्यारा
नूरानी हुस्न~जन्नत का नज़ारा

देख छटा यह~हुआ मैं तुझ पे फ़िदा
तराना दिल ये गाये~दे-दे न इसका सिला
जानेतमन्ना~बुझे न दिल की लगी
करीब आ के कह दे~है मुझसे कैसा गिला
बना तेरे प्यार में मजनूँ आवारा
तौबा अन्दाज ये~कितना है प्यारा
नूरानी हुस्न~जन्नत का नज़ारा
तौबा अन्दाज ये~कितना है प्यारा
नूरानी हुस्न~जन्नत का नज़ारा

रफ़्ता-रफ़्ता~कली से फूल है बनी
इसी उल्फ़त से ही~अरे ये दुनिया बनी
जनम-जनम~करूँगा तुझको सज़दे
बड़ी मुद्दत बाद~आकर ये बात बनी
सनम तेरे वास्ते सब कुछ गवारा
तौबा अन्दाज ये~कितना है प्यारा
नूरानी हुस्न~जन्नत का नज़ारा
तौबा अन्दाज ये~कितना है प्यारा
नूरानी हुस्न~जन्नत का नज़ारा

संग तेरे कैसे शरारत करूँ

संग तेरे कैसे शरारत करूँ~दिल कहता है बग़ावत करूँ
तुझसा कोई जंचता नहीं~इंतहा से ज्यादा उल्फ़त करूँ
संग तेरे कैसे शरारत करूँ~~~~~~~~~~~~~~

पलकें बिछाए बैठी इंतजार में~दिन-रात रहती बेक़रार मैं
नज़दीक आ मिला ले नज़र~कब तक दूँ इम्तिहान मैं
कदमों में कैसे सज़दा करूँ~मौसम सुहाना ये आहें भरूँ
तुझसा कोई जंचता नहीं~इंतहा से ज्यादा उल्फ़त करूँ
संग तेरे कैसे शरारत करूँ~~~~~~~~~~~~~~

तू भी तो करता मुझको पसन्द~हो जायें क्यों न रजामंद
होंठों से चूम अधरों को तू~खा लें आ मिल कोई सौगन्ध
कैसी अगन न जल-जल मरूँ~तू जो चाहे वो सब करूँ
तुझसा कोई जंचता नहीं~इंतहा से ज्यादा उल्फ़त करूँ
संग तेरे कैसे शरारत करूँ~~~~~~~~~~~~~~

अंग-अंग से छलके जवानी मेरी~उड़ती तितली मैं मंचली
खिलने को बैचेन मैं हूँ कली~शमा मचलती मैं फुलझड़ी
बोल भी क्या ख़िदमत करूँ~चाहती कहना पर मैं डरूँ
तुझसा कोई जंचता नहीं~इंतहा से ज्यादा उल्फ़त करूँ
संग तेरे कैसे शरारत करूँ~~~~~~~~~~~~~~

जब से लगन तेरी लागी~रातों की निन्दिया मेरी उड़ी
शब भर ही तारे मैं गिनूँ~बाहों की दे मुझे हथकड़ी
नज़दीक आ तेरे पैयां पड़ूँ~इससे ज्यादा कहाँ तक कहूँ
तुझसा कोई जंचता नहीं~इंतहा से ज्यादा उल्फ़त करूँ
संग तेरे कैसे शरारत करूँ~~~~~~~~~~~~~~

संगदिल-संगदिल है ज़माना

संगदिल-संगदिल है ज़माना~सब मेरे ही पीछे पड़े
कोई मेरे लिये भी लड़े~कोई मेरे लिये भी लड़े
संगदिल-संगदिल है ज़माना~~~~~~~~~~~~~~

समझे मेरी बात~दिल का मेरे राज़
पल-पल नयी उलझन है~तन्हा-तन्हा रात
सुबह हो या शाम~लिखता मैं पैगाम
बनी दुनिया दुश्मन है~अनमने एहसास
खोजा पर यह ना जाना~ले शमशीर हैं खड़े
कोई मेरे लिये भी लड़े~कोई मेरे लिये भी लड़े
संगदिल-संगदिल है ज़माना~~~~~~~~~~~~~~

जग में है ये शोर~मैं कोई चितचोर
मन ही मन मुस्काऊँ मैं~नाचे मन का मोर
रंगरंगीला दिल~न कोई मन्जिल
ऊपरवाले ने बाँधी~जाने कैसी ये डोर
भीड़ है फिर भी मैं अन्जाना~सब जिद पर अपनी अड़े
कोई मेरे लिये भी लड़े~कोई मेरे लिये भी लड़े
संगदिल-संगदिल है ज़माना~~~~~~~~~~~~~~

उल्फ़त का अन्जाम~ऐसा होगा आज
पतझड़ जैसा सावन है~रूठी है बरसात
जीवन का हर मोड़~ग़म का है एक दौर
कर लूँ किस पर मैं यकीं~झूठी है हर बात
चन्द लफ़्जों का ये अफ़साना~नियम कैसे हैं कड़े
कोई मेरे लिये भी लड़े~कोई मेरे लिये भी लड़े
संगदिल-संगदिल है ज़माना~~~~~~~~~~~~~~

सारे शहर में हैं अफ़साने तेरे-मेरे

सारे शहर में हैं अफ़साने तेरे-मेरे,तू तो दिल ले चली...मंचली
कैसे मैं छोड़ दूँ,इस तरह तेरी गलियाँ,आग दिल में लगी मंचली...
सारे शहर में हैं अफ़साने तेरे-मेरे~~~~~~~~~

भीगा-भीगा रंगीन समां,दे रहा है क्या दस्तक ये सुन
हंसी है तू जवां हूं मैं,साथिया मुझको जानेमन चुन
कहाँ जायेगी तू,दीवाने पीछे तेरे,तू तो दिल ले चली...मंचली
कैसे मैं छोड़ दूँ इस तरह तेरी गलियाँ,आग दिल में लगी मंचली...
सारे शहर में हैं अफ़साने तेरे-मेरे~~~~~~~~~

बिखरे-बिखरे तेरे गेसू~जैसे घिर-घिर के आयी घटा
लचकी-लचकी पतली कमर~दिल दहलाती ज़ालिम अदा
क्या हैं ग़ज़ब नैना कजरारे,तू तो दिल ले चली...मंचली
कैसे मैं छोड़ दूँ इस तरह तेरी गलियाँ,आग दिल में लगी मंचली...
सारे शहर में हैं अफ़साने तेरे-मेरे~~~~~~~~~

कब तलक आहें भरूं~जिया बस में ये मेरा नहीं
देखता बस तुझे रहूँ और दूजा कोई भाता नहीं
काहे ठुकराये नज़राने तूने मेरे,तू तो दिल ले चली...मंचली
कैसे मैं छोड़ दूँ इस तरह तेरी गलियाँ,आग दिल में लगी मंचली...
सारे शहर में हैं अफ़साने तेरे-मेरे~~~~~~~~~

बन्दगी तेरी करूँगा~ये वादा रहा मेरा तुझसे
सज़दे मैं तुझको करूँगा~यही कहना जानेजां तुझसे
आ कहीं चल ले लें सातों फेरे,तू तो दिल ले चली...मंचली
कैसे मैं छोड़ दूँ इस तरह तेरी गलियाँ,आग दिल में लगी मंचली...
सारे शहर में हैं अफ़साने तेरे-मेरे~~~~~~~~~

सुधारो अपनी गलतियाँ

सुधारो अपनी गलतियाँ
नहीं पछताना एक दिन होगा~नहीं कोई साथ फिर होगा
संभालो अपनी अर्जियाँ
अरे अग़ाज़ ही मुश्किल है~तो फिर अन्जाम क्या होगा
सुधारो अपनी गलतियाँ~~~~~~~~~~~~~

हवा के झोंके आयेंगे~लूयें बनकर सतायेंगे
तू जिनकी आस में बैठा~जो गये हैं वो न आयेंगे
न लूटो इतनी मस्तियाँ
नहीं अफ़साना एक दिन होगा~नहीं कोई रास्ता फिर होगा
अरे अग़ाज़ ही मुश्किल है~तो फिर अन्जाम क्या होगा
सुधारो अपनी गलतियाँ~~~~~~~~~~~~~

सभी कागज के फूलों से~दिखावट ही दिखावट है
नहीं क्षमता कि सह लें ग़म~नज़ाक़त ही नज़ाक़त है
किसी के आ न दरमियाँ
नहीं बदनाम एक दिन होगा~उलझता उम्र भर फिर होगा
अरे अग़ाज़ ही मुश्किल है~तो फिर अन्जाम क्या होगा
सुधारो अपनी गलतियाँ~~~~~~~~~~~~~

मुहब्बत में लिखे पैग़ाम~बने हैं दर्द का दरिया
वो सागर भी करेगा क्या~सूखी है जहां नदिया
बेचारा दिल है दिल का क्या
यही बेगाना एक दिन हो~कहीं उदास फिरता होगा
अरे अग़ाज़ ही मुश्किल है~तो फिर अन्जाम क्या होगा
सुधारो अपनी गलतियाँ~~~~~~~~~~~~~

सुन मेरे लफ़्ज़ों में तेरी झलक

सुन मेरे लफ़्ज़ों में~तेरी झलक दिखती है
छोड़ दिया दुनिया को~एक तू मुझे जंचती है
सुन मेरे लफ़्ज़ों में~~~~~~~~~~~~~

बदलेंगे नहीं जज़्बात~मौसम की तरह
धड़केगा दिल सुबहोशाम~उलझन की तरह
दिल मुझको ये दे-दे~चाहे तू जो ले-ले
हीरा,मोती,मोटर,बंगला~ध्यान लगा ये सुन
सुन मेरे गीतों में~तेरी अदा दिखती है
छोड़ दिया दुनिया को~एक तू मुझे जंचती है
सुन मेरे लफ़्ज़ों में~~~~~~~~~~~~~

चाहा जो मैंने~हर बात तुझमें वही है
माँगा जो रब से~हमराज हाँ तू वही है
मन मेरा ये डोले~जब-जब ले तू अँगड़ाई
मुझे लगी है अब जानम~एक तेरी ही धुन
सुन मेरी अँखियों में~बिजुरी चमक उठती है
छोड़ दिया दुनिया को~एक तू मुझे जंचती है
सुन मेरे लफ़्ज़ों में~~~~~~~~~~~~~

बँध सी गयी तुझ संग~जीवन की डोर
देखा जो तुझे मनवा का~नाच उठा मोर
खोल के रखना खिड़की~रात को मेरे हमदम
भूलना तुझको नामुमकिन~जब से लिया चुन
सुन मेरी दुनिया को~तू ही बदल सकती है
छोड़ दिया दुनिया को~एक तू मुझे जंचती है
सुन मेरे लफ़्ज़ों में~~~~~~~~~~~~~

सुना है दिल पर तूने मेरा

सुना है दिल पर तूने मेरा~कहीं न कहीं नाम लिखा है
ज़माने भर से छिप-छिप के~मुझे पैग़ाम लिखा है
सुना है दिल पर तूने मेरा~~~~~~~~~~~~~~

लिखा है क्या अफ़साने में~मुझे एक बार दिखलाईये
बसी मैं तेरे ही दिल में~अजी अपनी फरमाईये
लिखा है शाम और सवेरा~क्या ये अन्जाम लिखा है
ज़माने भर से छिप-छिप के~मुझे पैग़ाम लिखा है
सुना है दिल पर तूने मेरा~~~~~~~~~~~~~~

चुराया है मेरा ये दिल~न मैं समझी, न तू समझा
बंधा है प्रीत का धागा~हूँ मैं उलझी, 'ओ ' तू उलझा
किया रूसवा मुझे गलियों में~कि कर बदनाम रखा है
ज़माने भर से छिप-छिप के~मुझे पैग़ाम लिखा है
सुना है दिल पर तूने मेरा~~~~~~~~~~~~~~

न ख़्वाबों में ही तू आया~शरारत को मन मचला
कि शोहरत देखकर तेरी~मेरा भी कदम फिसला
डाला मुझ पर तूने घेरा~सुबह 'ओ' शाम लिखा है
ज़माने भर से छिप-छिप के~मुझे पैग़ाम लिखा है
सुना है दिल पर तूने मेरा~~~~~~~~~~~~~~

शमा पल-पल पिघलती है~बदन गोरा सुलगता है
मुझे पाकर अकेले में~तेरा साया लिपटता है
चलाया तीर तूने कैसा~कि कर परेशान रखा है
ज़माने भर से छिप-छिप के~मुझे पैग़ाम लिखा है
सुना है दिल पर तूने मेरा~~~~~~~~~~~~~~

सो जाऊँ तो जगा देती हैं

सो जाऊँ तो जगा देती हैं~जग जाऊँ तो हंसा देती हैं
रुक जाऊँ तो सजा देती हैं~लौट जाऊँ तो बुला लेती हैं
सनम तेरी यादें हैं कैसी~मुहब्बत तुझसे कर बैठी
सो जाऊँ तो जगा देती हैं~~~~~~~~~~~~~

ऐतबार किया तेरी बातों पर~तेरा नाम लिखा इस दिल पर
जब थाम लिया बाहों में~एहसान किया तूने मुझ पर
तन्हा आहें भरती मैं~दिन-रात सदा करती मैं
बुत तेरा एक बनाकर के~सज़दे तुझे करती मैं
सनम तेरी यादें हैं कैसी~मुहब्बत तुझसे कर बैठी
सो जाऊँ तो जगा देती हैं~~~~~~~~~~~~~

मुझे ख़्वाब में आ परेशां न कर,दिल तोड़ने वाली बात न कर
है चाँद सा गोरा मुखड़ा~सब भुलाकर मुलाकात कर
मतवाली फ़िज़ा कहती है~दीवानी सी तू रहती है
इसे कैसे मैं समझाऊँ~ख़ुमारी तेरी ही रहती है
सनम तेरी यादें हैं कैसी~मुहब्बत तुझसे कर बैठी
सो जाऊँ तो जगा देती हैं~~~~~~~~~~~~~

तुझे सौंप चुकी दिल अपना~अरमां तुझे है पाने का
अब लायेगा तब लायेगा~इन्तज़ार है नज़राने का
रोज़ शमा जला देती मैं~खुद होश गंवा बैठी मैं
कोई आये ये समझाये~क्या रोग लगा बैठी मैं
सनम तेरी यादें हैं कैसी~मुहब्बत तुझसे कर बैठी
सो जाऊँ तो जगा देती हैं~~~~~~~~~~~~~

सोचा मगर कह पाये नहीं

सोचा मगर कह पाये नहीं~चंद लफ़्ज़ों में आज कहते हैं
इस दिल में आप रहते हैं~इस दिल में आप रहते हैं
सोचा मगर कह पाये नहीं~~~~~~~~~~~~~~~~

जीने की वज़ह बस तुम ही तुम~पलकों में बंद बस तुम ही तुम
अच्छी नहीं सदा दिल्लगी~करते इन्तहा दिन-रात तुम
चाहा मगर लिख पाये नहीं~अफ़सानों में आज लिखते हैं
इस दिल में आप रहते हैं~इस दिल में आप रहते हैं
सोचा मगर कह पाये नहीं~~~~~~~~~~~~~~~~

हम पे है चढ़ा दीवानापन~नहीं बुझती है अब कैसी अगन
करने लगे हम मनमर्जियाँ~जले चाँदनीं में मेरा गोरा बदन
तन्हाई में रह पाये नहीं~ग़म उल्फ़त आज सहते हैं
इस दिल में आप रहते हैं~इस दिल में आप रहते हैं
सोचा मगर कह पाये नहीं~~~~~~~~~~~~~~~~

कब तक भला ये दूरियाँ~ऐसी सनम क्या मजबूरियाँ
दे दो हमें बाहों के हार~की हमने क्या गुस्ताख़ियाँ
नज़दीक़ियाँ मिल पायी नहीं~आँसू आंखों से आज बहते हैं
इस दिल में आप रहते हैं~इस दिल में आप रहते हैं
सोचा मगर कह पाये नहीं~~~~~~~~~~~~~~~~

चल देंगे हम हर उस तरफ~जिस राह पर तुम ले चलो
सह लेंगे हम वो सारे ग़म~जी भर के तुम शिकवा करो
आगे कदम रख पाये नहीं~इन गलियों में आज बहके हैं
इस दिल में आप रहते हैं~इस दिल में आप रहते हैं
सोचा मगर कह पाये नहीं~~~~~~~~~~~~~~~~

शायरी न समझ इसको

शायरी न समझ इसको~मैं दिल का हाल लिखती हूँ
लिखाना चाहा तूने जो~वही पैग़ाम लिखती हूँ
शायरी न समझ इसको~~~~~~~~~~~~

लिखा जाता नहीं फिर भी~लिखा मजबूर होकर है
मेरी उल्फ़त को ही रुसबा~किया मशहूर होकर है
दोस्ती न समझ इसको~मैं दुश्मन तुझको लिखती हूँ
लिखाना चाहा तूने जो~वही पैग़ाम लिखती हूँ
शायरी न समझ इसको~~~~~~~~~~~~

हक़ीक़त जो छिपी अब तक~उसी को तूने खोला है
तराजू लेकर ये कैसी~मुझही को तूने तौला है
आशिकी न समझ इसको~मैं ये इल्ज़ाम लिखती हूँ
लिखाना चाहा तूने जो~वही पैग़ाम लिखती हूँ
शायरी न समझ इसको~~~~~~~~~~~~

बनाकर रोज़ ये किस्से~बढ़ाता रोज़ है धड़कन
मैं तन्हाई में जीती हूँ~कि सूना मेरा है आँगन
ज़िंदगी न समझ इसको~सुबह को शाम लिखती हूँ
लिखाना चाहा तूने जो~वही पैग़ाम लिखती हूँ
शायरी न समझ इसको~~~~~~~~~~~~

ज़माने से गिला कैसा~गिला तुझसे है हमदम
मेरी हर सांस जानेमन~रवां तुझसे है हमदम
कि खुशी न समझ इसको~मैं हुई बेज़ार लिखती हूँ
लिखाना चाहा तूने जो~वही पैग़ाम लिखती हूँ
शायरी न समझ इसको~~~~~~~~~~~~

शुक्रिया आपका चन्द लम्हों के लिये

शुक्रिया आपका~चन्द लम्हों के लिये~सकून तो दिया
मंजिलें एक हुई~जानेजां-दिलरूबा~करार तो किया
शुक्रिया आपका~~~~~~~~~~~~~~~~~

गुजर रही थी यूँ ही बेसबब ज़िंदगी
बहक रहे थे कदम बेवज़ह बेख़ुदी
इन्तहा हो गयी जिद कहाँ ले चली
शुक्रिया आपका~मेरे नग़मों को पसन्द~आपने है किया
मंजिलें एक हुई~जानेजां-दिलरूबा~करार तो किया
शुक्रिया आपका~~~~~~~~~~~~~~~~~

किसी को क्या बतायें सोचते हम रहे
शमा के पास बैठे सहते हर ग़म रहे
मन्जिलों की धुन में दौड़ते हम रहे
शुक्रिया आपका~कोरा काग़ज ही सही~मजमून तो दिया
मंजिलें एक हुई~जानेजां-दिलरूबा~करार तो किया
शुक्रिया आपका~~~~~~~~~~~~~~~~~

मेरी भी बगिया में यारों प्यार का गुल खिला
भूल-बिसरा ये बंधन आज फिर से जुड़ा
दिल से टकराये दिल ऐसा क्या जलजला
शुक्रिया आपका~ख़त मैंने जो लिखा~जबाब तो दिया
मंजिलें एक हुई~जानेजां-दिलरूबा~करार तो किया
शुक्रिया आपका~~~~~~~~~~~~~~~~~

तन्हा डगर और राही दो

M तन्हा डगर और राही दो
प्यार कैसे न हो...प्यार कैसे न हो
प्यार कैसे न हो...प्यार कैसे न हो
F मस्ती में मैं और मस्ती में तू
प्यार कैसे न हो...प्यार कैसे न हो
प्यार कैसे न हो...प्यार कैसे न हो
M तन्हा डगर और राही दो~~~~~~~

M अब दूर-दूर क्यों हम रहें~अब दूर-दूर क्यों हम रहें
नज़दीक आयें~कुछ दिल की कहें~कब तक चुप रहें
F आ-जा करें गुस्ताख़ियाँ~आ-जा करें गुस्ताख़ियाँ
नज़रें मिलायें~आ शरारत करें~मनमर्जी करें
हंस-हंस गुजारें इन लम्हों को
प्यार कैसे न हो...प्यार कैसे न हो
प्यार कैसे न हो...प्यार कैसे न हो
M तन्हा डगर और राही दो~~~~~~~

F जवां है दिल और दिलकश समां
जवां है दिल और दिलकश समां
जानेजिगर~मौसम है हंसी~अरे तू है कहाँ
M लग जा गले से बाहों में आ
लग जा गले से बाहों में आ
नूरेनज़र~अरे तू है जहाँ~मेरी मंजिल वहाँ
चलने भी दे अफ़साने को
प्यार कैसे न हो...प्यार कैसे न हो
प्यार कैसे न हो...प्यार कैसे न हो
F तन्हा डगर और राही दो
प्यार कैसे न हो...प्यार कैसे न हो
प्यार कैसे न हो...प्यार कैसे न हो
M मस्ती में मैं और मस्ती में तू
प्यार कैसे न हो...प्यार कैसे न हो
प्यार कैसे न हो...प्यार कैसे न हो

तन्हा-तन्हा तुझसे मिलना

तन्हा-तन्हा तुझसे मिलना अच्छा मुझे लगता
दिल की बातें तुझसे करना अच्छा मुझे लगता
बस गयी तू मेरी आँखों में~रफ़्ता-रफ़्ता सांसों में
जानेमन~जानेजां...जानेमन~जानेजां-(2)
तन्हा-तन्हा तुझसे मिलना अच्छा मुझे लगता...

तेरा-मेरा संगम एक दिन होना है
आज नहीं कल नहीं परसों होना है
ठण्डी-ठण्डी आहें काहे तू भरती है
गोरा मुख निखरा बदन मेरा होना है
दिल का मैं ये राज़ कहूं~सब कुछ तेरे नाम लिखूँ
जानेमन~जानेजां...जानेमन~जानेजां-(2)
तन्हा-तन्हा तुझसे मिलना अच्छा मुझे लगता...

देखें हैं जो सपने वो सच हो जायेंगे
नीले-नीले आसमां पर उड़ हम जायेंगे
मिलते जब दो दिल तक़दीरें बनती हैं
सारे जग में रोशनी सा छा हम जायेंगे
यादों में तेरी शाम ढली~ख़्वाबों में तेरे सहर हुई
जानेमन~जानेजां...जानेमन~जानेजां-(2)
तन्हा-तन्हा तुझसे मिलना अच्छा मुझे लगता...

छू लेने दे मुझको इन गोरे गालों को
लहराते बलखाते बिखरे बालों को
जनम-जनम से जानम तेरे रूप का प्यासा मैं
कब तलक तू रोकेगी इन तूफानों को
कर ले मुझ पर यार यकीं~बंधन यह कोई पाप नहीं
जानेमन~जानेजां...जानेमन~जानेजां-(2)
तन्हा-तन्हा तुझसे मिलना अच्छा मुझे लगता...

तन्हाईयों में तेरी तस्वीर

तन्हाईयों में तेरी तस्वीर देखूँ तो,सकूं इस दिल को मिलता है
फ़साना दिल कहीं छिपकर लिखूँ तो,लगा ऐसा वो पढ़ता है
तन्हाईयों में तेरी तस्वीर~~~~~~~~~~~~~

फिर तन्हा-तन्हा तेरी ही बातें,मदहोश करते इशारे
खुशबू से तेरी महकी गलियाँ,गुमनामियों में अपने सितारे
ज़माने ने ऐसी लकीर खींची,लबों को कौन सिलता है
फ़साना दिल कहीं छिपकर लिखूँ तो,लगा ऐसा वो पढ़ता है
तन्हाईयों में तेरी तस्वीर~~~~~~~~~~~~~

फूलों के जैसी मेरी जवानी,नाजुक-नाजुक गोरी कलाईयाँ
ख़्वाबों में आ के वो मझको छेड़े,नहीं पास आकर ले बलैयाँ
कि पैरों में पड़ी जंजीर देखी तो,कहाँ रहता फरिश्ता है
फ़साना दिल कहीं छिपकर लिखूँ तो,लगा ऐसा वो पढ़ता है
तन्हाईयों में तेरी तस्वीर~~~~~~~~~~~~~

जीना तो चाहूँ जी न लगे पर,मजबूर करती है ज़िंदगानी
पल-पल बदलता उसका नजरिया,भूला वो मेरी क़द्रदानी
ख़िज़ां में गिरा वो फूल देखा तो,कहां कोई गुल वो चुनता है
फ़साना दिल कहीं छिपकर लिखूँ तो,लगा ऐसा वो पढ़ता है
तन्हाईयों में तेरी तस्वीर~~~~~~~~~~~~~

तड़पता मैं यहाँ पर हूँ

तड़पता मैं यहाँ पर~तड़पती वो वहाँ पर है
तड़पता मैं यहाँ पर~तड़पती वो वहाँ पर है
ये रिश्ता कौन सा यारों~बन आयी मेरी जां पर है
तड़पता मैं यहाँ पर~तड़पती वो वहाँ पर है
ये रिश्ता कौन सा यारों~बन आयी मेरी जां पर है
तड़पता मैं यहाँ पर~~~~~~~~~~~~~~

फ़साना है ही ये ऐसा~सुनाना है जिसे मुश्किल
कि डूबी है वहाँ क़श्ती~नज़र आयी मुझे मंजिल
मचलता मैं यहाँ पर हूँ~मचलती वो वहाँ पर है
तड़पता मैं यहाँ पर~तड़पती वो वहाँ पर है
ये रिश्ता कौन सा यारों~बन आयी मेरी जां पर है
तड़पता मैं यहाँ पर~~~~~~~~~~~~~~

सभी हैं दोस्त अन्जाने~नहीं अब साथ कोई देता
निग़ाहें फेर कर चलते~नहीं दमसाज़ कोई ऐसा
समझता मैं यहाँ पर हूँ~समझती वो वहाँ पर है
तड़पता मैं यहाँ पर~तड़पती वो वहाँ पर है
ये रिश्ता कौन सा यारों~बन आयी मेरी जां पर है
तड़पता मैं यहाँ पर~~~~~~~~~~~~~~

बरसती आज हैं अँखियाँ~मुसव्विर ही पशेमां है
ज़माना है ख़फ़ा मुझसे~मुकद्दर ही कुछ ऐसा है
न टिकता मैं यहाँ पर हूँ~न टिकती वो वहाँ पर है
तड़पता मैं यहाँ पर~तड़पती वो वहाँ पर है
ये रिश्ता कौन सा यारों~बन आयी मेरी जां पर है
तड़पता मैं यहाँ पर~~~~~~~~~~~~~~

तुझपे निख़ार क्या आया

तुझपे निख़ार क्या आया~बेक़रारी मेरी बढ़ी
बागों में चटकी कलियाँ~और ख़ुमारी मेरी बढ़ी
तुझपे निख़ार क्या आया~~~~~~~~~~~~~~~

हसीना मान जा~तुझे सज़दे करूं
तेरे जलवों का मैं~बयाँ कैसे करूं
ज़माने में है नहीं~तुझसी नाज़नीं
तू दिलकश बड़ी~चाँदनी मैं कहूँ
जब-जब दीदार तेरा पाया~बेक़रारी मेरी बढ़ी
बागों में चटकी कलियाँ~और ख़ुमारी मेरी बढ़ी
तुझपे निख़ार क्या आया~~~~~~~~~~~~~~~

कि जुल्फ़ें घनी~मुखड़ा चाँद सा
आंखें झील सी~नशा तू जाम सा
तेरी अँगड़ाईयाँ~ग़ज़ब का है सरूर
नज़ारा है तेरा~अवध की शाम सा
तूने यह क्या फ़रमाया~बेक़रारी मेरी बढ़ी
बागों में चटकी कलियाँ~और ख़ुमारी मेरी बढ़ी
तुझपे निख़ार क्या आया~~~~~~~~~~~~~~~

तेरे अन्दाजों से~मुहब्बत हो गयी
तेरे अल्फ़ाजों से~मुहब्बत हो गयी
तेरे अरमानों का~फ़साना बन गया
तेरे जज़्बातों से~मुहब्बत हो गयी
दिल ये सौ बार समझाया~बेक़रारी मेरी बढ़ी
बागों में चटकी कलियाँ~और ख़ुमारी मेरी बढ़ी
तुझपे निख़ार क्या आया~~~~~~~~~~~~~~~

तुझसे हुई है मुझे मुहब्बत

तुझसे हुई है मुझे मुहब्बत~आज मुझे कहना है
छोड़ दिया सारी दुनिया को~बाहों में तेरी रहना है
तुझसे हुई है मुझे मुहब्बत~~~~~~~~

नैना तुझसे लड़ जाने को~कब से हैं बेताब मेरे
लब से लब टकराने को~खिल उठते सुबह-शाम मेरे
दिल के राज़ किसे बतलाऊँ~अफ़सानों में लिखता हूँ
ऩ है दौलत और न शोहरत~मारा मैं गुरबत का हूँ
करनी मुझको अब बग़ावत~नहीं मुझे चुप रहना है
तुझसे हुई है मुझे मुहब्बत~~~~~~~~

जब-जब याद तेरी आती है~धक-धक कर धड़कता दिल
जो चाहा वो सब है तुझमें~तुझे ही अपना समझता दिल
नज़राने उल्फ़त के हजारों~पास तेरे मैं रख दूँगा
एक दिन अपना सब कुछ जानम~नाम तेरे मैं लिख दूँगा
प्यार भरा ऐसा कोई नग़मा~आज मुझे फिर लिखना है
तुझसे हुई है मुझे मुहब्बत~~~~~~~~

अपनी प्रेम कहानी का~आगे अब अन्जाम जो हो
दीवानों की इस नगरी में~अपना भी एक नाम तो हो
भोर कहाँ अब होगी मेरी~और कहाँ शब हो जाये
ख़्वाब था एक और सुहाना~जाने कब सच हो जाये
लम्हा-लम्हा एक और मुसीबत~यूँ ही मुझे गुम रहना है
तुझसे हुई है मुझे मुहब्बत~~~~~~~~

तुझे देखने को मन कर रहा है

तुझे देखने को,मन कर रहा है,तुझे देखने को मन,कर रहा है
निग़ाहें मिलाने को दिल कर रहा है
तुझे देखने को~~~~~~~~~~~~~~~~~

दीवाना नहीं था,सुन मेरी राधा,तुझे देखकर,हो गया और ज्यादा
कदम बेख़ुदी में,हैं लड़खड़ाये,ए-जानेजिगर,कर कोई वादा
तुझे चूमने को मन कर रहा है
निग़ाहें मिलाने को दिल कर रहा है
तुझे देखने को~~~~~~~~~~~~~~~~~

ये दिल आज जानम,मेरे नाम कर,बिछाये हूँ पलकें,तेरी राह पर
चला तीर दिल पे,चाहे मगर,लग जा गले से,आ लौटकर
कहीं भागने को मन कर रहा है
निग़ाहें मिलाने को दिल कर रहा है
तुझे देखने को~~~~~~~~~~~~~~~~~

मुहब्बत की बातें,आ खुलकर करें,दुनिया से कब तक,डर कर रहें
हैं जख़्म दिल के,अभी हरे से,दीवाने हम-तुम मिलकर रहें
तुझे लूटने को मन कर रहा है
निग़ाहें मिलाने को दिल कर रहा है
तुझे देखने को~~~~~~~~~~~~~~~~~

गुलों सा ये तेरा,नशीला बदन,मेरे यार आ,कर मुझ पे करम
उल्फ़त का मुझको,दे सिला,बुझेगी न ऐसे,तन की अगन
तुझे जीतने को मन कर रहा है
निग़ाहें मिलाने को दिल कर रहा है
तुझे देखने को~~~~~~~~~~~~~~~~~

तुझे ही चाहा तुझे ही चाहूँगा

तुझे ही चाहा~तुझे ही चाहूँगा~जनम-जनम
प्रीत का धागा ये~तुझ संग बांधा है~मेरे सनम
तुझे ही चाहा~तुझे ही चाहूँगा~जनम-जनम
प्रीत का धागा ये~तुझ संग बांधा है~मेरे सनम
दिल की लगी को कोई क्या जाने
दिल की लगी को कोई क्या जाने...मेरे सिवा
रब से दुआ में तुझे ही माँगूंगा~जनम-जनम,जनम-जनम

नींदें उड़ायी हैं~चैन चुराया है~ऐसा जादू किया
तन्हा-तन्हा~बाहों में आकर~प्यार मुझको दिया
नींदें उड़ायी हैं~चैन चुराया है~ऐसा जादू किया
तन्हा-तन्हा~बाहों में आकर~प्यार मुझको दिया
दिल ये दीवाना तुझको ही माने
दिल ये दीवाना तुझको ही माने... अपना ख़ुदा
रब से दुआ में तुझे ही माँगूंगा~जनम-जनम,जनम-जनम

खोया रहता~हरदम हूँ मैं~तेरी ही यादें लिये
बढ़ता मेरा~हर कदम है~तेरा ही अरमां लिये
खोया रहता~हरदम हूँ मैं~तेरी ही यादें लिये
बढ़ता मेरा~हर कदम है~तेरा ही अरमां लिये
लिखता हूँ हरदम मैं अफ़साने
लिखता हूँ हरदम मैं अफ़साने...जानेवफ़ा
रब से दुआ में तुझे ही माँगूंगा~जनम-जनम,जनम-जनम

तुझे ही चाहा~तुझे ही चाहूँगा~जनम-जनम
प्रीत का धागा ये~तुझ संग बांधा है~मेरे सनम
दिल की लगी को कोई क्या जाने
दिल की लगी को कोई क्या जाने...मेरे सिवा
रब से दुआ में तुझे ही माँगूंगा~जनम-जनम,जनम-जनम

तुझे लिखे प्रेम पत्र

(M) तुझे लिखे प्रेम पत्र गीत बन गये हैं-2
तन्हा ये सफर मनमीत बन गये हैं
(F) तुझे लिखे प्रेम पत्र गीत बन गये हैं-2
तन्हा ये सफर मनमीत बन गये हैं
(M) तुझे लिखे प्रेम पत्र गीत बन गये हैं-2

(F) ज़माने के डर से टूटा है बंधन,
नहीं हैं जुदा कि झूठा दर्पण
(M) कहने को माना हुए फासले,
वही हैं चौबारे वही है आंगन
यहाँ से वहाँ तक रीत बन गये हैं
(M) तुझे लिखे प्रेम पत्र गीत बन गये हैं-2

(M) लगी है ये दिल की बुझे न बुझी,
बहारों की कश्ती रोके न रुकी
(F) नहीं डर यारों हमें आंधियों का,
जहां प्यार की ये शमा जली
(M) दो बोल मीठे संगीत बन गये हैं
(F) तुझे लिखे प्रेम पत्र गीत बन गये हैं-2

मिला है मुझे वो जो मैंने चाहा,मुझे और रब से क्या चाहिए
मुलाक़ात ख़्वाबों में होती रहे,मुझे और तुमसे क्या चाहिए
अपनों से हार कर जीत बन गये हैं

(F+M) तुझे लिखे प्रेम पत्र गीत बन गये हैं-2

तुझे पाया था मैंने मुश्किल से

M तुझे पाया था मैंने मुश्किल से-2
ऐसे-कैसे भुलाऊँ तुझे दिल से-2
छोड़ा तन्हा मुझे~तुझसे शिकवा मुझे-2
कभी अपने दिल से पूछ ले-2
F तुझे पाया था मैंने मुश्किल से-2

M रंगीन रातें~कैसे वो दिन थे-2
F हंसीन बातें~कैसे वो पल थे-2
M खोये यादों में हम~खोये सांसों में तुम
F खोये यादों में हम~खोये सांसों में तुम
M बाहों में आये तुम छिप-छिप के-2
F तुझे पाया था मैंने मुश्किल से-2

M न जी था बस में~बहकते कदम-2
F आँखों की भाषा~समझते थे हम-2
M लब से लब मिल गये~गुल हजार खिल गये
F लब से लब मिल गये~गुल हजार खिल गये
M हंसती थी ये दुनिया हम-तुम पर-2
F तुझे पाया था मैंने मुश्किल से-2
M तुझे पाया था मैंने मुश्किल से-2
F ऐसे-कैसे भुलाऊँ तुझे दिल से-2

तुम्हारी यादों ने घेरा

तुम्हारी यादों ने घेरा~कहाँ भी हम अकेले हैं
मुहब्बत चीज है ऐसी~झमेले ही झमेले हैं
तुम्हारी यादों ने घेरा~~~~~~~~~~~~

तुम्हें मिलने की फुरसत है नहीं~तो क्या हम करते
बयां इस दिल का हम~दीवारों से किया करते
हुआ जब करता अंधेरा~कि लाखों ग़म समेटे हैं
मुहब्बत चीज है ऐसी~झमेले ही झमेले हैं
तुम्हारी यादों ने घेरा~~~~~~~~~~~~

खुशी का नाम लेकर तन्हा-तन्हा~छेड़ लेते सरगम
यह कैसा वास्ता देकर लम्हा-लम्हा~हुए जज़्बात में बेदम
किया किस्मत ने है खेला~नहीं अब लगते मेले हैं
मुहब्बत चीज है ऐसी~झमेले ही झमेले हैं
तुम्हारी यादों ने घेरा~~~~~~~~~~~~

बहारों को सुना बैठे~जाने क्यों दास्तां अपनी
निग़ाहों में बसा बैठे~हुई बस है ख़ता इतनी
खेला है खेल ये कैसा~हजारों ग़म यूँ झेले हैं
मुहब्बत चीज है ऐसी~झमेले ही झमेले हैं
तुम्हारी यादों ने घेरा~~~~~~~~~~~~

मुझे ही ले के डूबी है~ये कैसी बेबसी यारों
कदम बहके इस तरह~है कैसी बेख़ुदी यारों
कि डाला नींद ने डेरा~हुए गुम सब सबेरे हैं
मुहब्बत चीज है ऐसी~झमेले ही झमेले हैं
तुम्हारी यादों ने घेरा~~~~~~~~~~~~

तुम्हारे शहर का मौसम

तुम्हारे शहर का मौसम~अब हमेशा ही बदलता है
तुम्हारे शहर का मौसम~अब हमेशा ही बदलता है
जहाँ अँगड़ाई लेते तुम~दीवाना हर मचलता है
तुम्हारे शहर का मौसम~अब हमेशा ही बदलता है
जहाँ अँगड़ाई लेते तुम~दीवाना हर मचलता है
तुम्हारे शहर का मौसम~~~~~~~~~~~

जिसे दिलशाद कहते हैं~वही एक चीज तो तुम हो
बड़ी मुश्किल से मिलती जो~वही तकदीर तो तुम हो
तेरा जो देख ले जल्वा~वो पत्थर भी पिघलता है
तुम्हारे शहर का मौसम~अब हमेशा ही बदलता है
जहाँ अँगड़ाई लेते तुम~दीवाना हर मचलता है
तुम्हारे शहर का मौसम~~~~~~~~~~~

बहारें झूम उठती हैं~नज़ारे खिलखिलाते हैं
नशीले प्यार के नग़में~कि भँवरे गुनगुनाते हैं
गर हो तन्हाई का आलम~कदम ख़ुद ही फिसलता है
तुम्हारे शहर का मौसम~अब हमेशा ही बदलता है
जहाँ अँगड़ाई लेते तुम~दीवाना हर मचलता है
तुम्हारे शहर का मौसम~~~~~~~~~~~

लिखे कागज पे कोरे तू~लगे ऐसा कि बरसे फूल
मुसाफिर राह चलता कोई~कहीं न तोड़ बैठे रूल
अजी तुम हो हंसी इतना~ज़माना पीछे चलता है
तुम्हारे शहर का मौसम~अब हमेशा ही बदलता है
जहाँ अँगड़ाई लेते तुम~दीवाना हर मचलता है
तुम्हारे शहर का मौसम~~~~~~~~~~~

तुम्हें अपना समझ बैठे

तुम्हें अपना समझ बैठे~तमन्ना दिल की इतनी थी
अगर पत्थर जिगर होता~फ़िक्र क्या हमको इसकी थी
तुम्हें अपना समझ बैठे~~~~~~~~~~~~~~~

मनाने ही मनाने में~जवानी ही फ़ना हुई है
शरारत चंद लम्हों की~क़यामत बेवज़ह हुई है
कहाँ हम ही उलझ बैठे~उम्मीद कम न इतनी थी
अगर पत्थर जिगर होता~फ़िक्र क्या हमको इसकी थी
तुम्हें अपना समझ बैठे~~~~~~~~~~~~~~~

खुशी से गर जो कहते तुम~नहीं रखते कदम आगे
लगी पर क़ाबू हम करते~नहीं बढ़ता सफ़र आगे
कि पल भर क्या कदम बहके~ख़बर क्या तुमको इतनी थी
अगर पत्थर जिगर होता~फ़िक्र क्या हमको इसकी थी
तुम्हें अपना समझ बैठे~~~~~~~~~~~~~~~

फ़साना ही फ़साना बन~रह गयी ज़िंदगी अपनी
दीवारों से ही टकराकर~रह गयी बन्दगी अपनी
तुम्हारा ग़म क्यों ले बैठे~कि उलझन पहले इतनी थी
अगर पत्थर जिगर होता~फ़िक्र क्या हमको इसकी थी
तुम्हें अपना समझ बैठे~~~~~~~~~~~~~~~

तड़पते दिल हजारों हैं~मगर तड़पन अलग ये है
मचलते थे कभी अरमां~मगर धड़कन अलग ये है
क्यों दे अपना जिगर बैठे~ढली नहीं रात इतनी थी
अगर पत्थर जिगर होता~फ़िक्र क्या हमको इसकी थी
तुम्हें अपना समझ बैठे~~~~~~~~~~~~~~~

तुम्हें हम पा न सके तो क्या

तुम्हें हम पा न सके तो क्या~तुम्हीं से प्यार करेंगे
चाहे तुम दूर कितने हो~तुम्हीं को याद करेंगे
तुम्हें हम पा न सके तो क्या~~~~~~~~~~~~

बांधकर प्यार का बंधन~तोड़ा फिर से नहीं जाता
थामा जो हाथ हमदम का~छोड़ा फिर से नहीं जाता
टूटा जो प्रीत का धागा~जोड़ा फिर से नहीं जाता
तुम्हें बुला न सके तो क्या~तुम्हीं से आस रखेंगे
चाहे तुम दूर कितने हो~तुम्हीं को याद करेंगे
तुम्हें हम पा न सके तो क्या~~~~~~~~~~~~

याद तुमको भी होंगी~भीगी-भीगी बरसातें
साथ हम-तुम कभी थे~तन्हा-तन्हा मुलाक़ातें
बन्द कमरे में संग-संग~कैसे काटी थी रातें
उम्र भर साथ नहीं तो क्या~लम्हें वो याद करेंगे
चाहे तुम दूर कितने हो~तुम्हीं को याद करेंगे
तुम्हें हम पा न सके तो क्या~~~~~~~~~~~~

फ़ासले जिस्मों में होते हैं~यारा रूहों में नहीं
शिकवे गैरों से होते हैं~यारा अपनों से नहीं
रिश्ते जन्मों से होते हैं~ऐसे चंद दिन में नहीं
तुम्हें हम खो चुके तो क्या~फिर से इक़रार करेंगे
चाहे तुम दूर कितने हो~तुम्हीं को याद करेंगे
तुम्हें हम पा न सके तो क्या~~~~~~~~~~~~

तुम अगर जो पास होती

तुम अगर जो पास होती, ये ज़िंदगी कितनी खूबसूरत होती
नित तुझे पैग़ाम लिखता,नाचीज़ की हर घड़ी हक़ीक़त होती
तुम अगर जो पास होती~~~~~~~~~~~~~~~~

लम्बी-लम्बी रातों में~होती जी भर बातें
चोरी-चोरी बागों में~करते हम मुलाक़ातें
शमा की चाहत ले~जल जाते परवाने
खुशबू तेरी सांसों में~नैन तेरे मयख़ाने
शाम-सहर मेरी ख़ास होती,ये ज़िंदगी कितनी खूबसूरत होती
नित तुझे पैग़ाम लिखता,नाचीज़ की हर घड़ी हक़ीक़त होती
तुम अगर जो पास होती~~~~~~~~~~~~~~~~

हँसते-गाते तेरा-मेरा~गुजरता एक-एक लम्हा
चुपके से तू देती दिल~सच होता हर सपना
मस्ती में होकर तू~लेती जब अँगड़ाई
खिलता गुल आँगन में~खिल उठती अँगनाई
सुरमई कोई राग होती~ये ज़िंदगी कितनी खूबसूरत होती
नित तुझे पैग़ाम लिखता,नाचीज़ की हर घड़ी हक़ीक़त होती
तुम अगर जो पास होती~~~~~~~~~~~~~~~~

देता मैं तुझको रोज़~प्यार भरा नज़राना
महबूबा जानेजिगर~होती गर दिलजाना
बन्धन ये प्यार के~कब जुड़ गये कब टूटे
छोटी सी एक बात में~दो दिल ऐसे टूटे
अन्जाने ही ना न होती~ये ज़िंदगी कितनी खूबसूरत होती
नित तुझे पैग़ाम लिखता,नाचीज़ की हर घड़ी हक़ीक़त होती
तुम अगर जो पास होती~~~~~~~~~~~~~~~~

तुम आने का बहाना ढूँढ़ लेना

तुम आने का बहाना ढूँढ़ लेना
हम रोकेंगे तुम्हें मेहमान की तरह
भूल जाना न हमको याद रखना
हम छेड़ेंगे तुम्हें सरकार बेवज़ह
तुम आने का बहाना ढूँढ़ लेना~~~~~~~~~~~~~~~

पाँव जो रखना दहलीज़ पर,करना जो बातें इशारों में तुम
देंगे ये दिल तुमको सौग़ात में,कब से बसे हो निग़ाहों में तुम
फिर चाहें जी भर के रूठ लेना
मनायेंगे तुमको भगवान की तरह
भूल जाना न हमको याद रखना,हम छेड़ेंगे तुम्हें सरकार....
तुम आने का बहाना ढूँढ़ लेना~~~~~~~~~~~~~~~

भूलेंगे न हम मुलाक़ात को,मस्ती से भरती इस रात को
कैसी अद्भुत कहानी प्रिये,पल-पल मचलते इस राज़ को
तुम प्यारा कोई तराना ढूँढ़ लेना
हम गायेंगे उसे एक राग की तरह
भूल जाना न हम को याद रखना,हम छेड़ेंगे तुम्हें सरकार....
तुम आने का बहाना ढूँढ़ लेना~~~~~~~~~~~~~~~

मय छलकाते दो मेरे नयन,दिल धड़काये नशीला बदन
कब से सँभाला तुम्हारे लिये,समझायें क्या रंगीला है मन
तुम रास्ता बहारों से पूछ लेना
हम बाँधेंगे तुम्हें एक डोर की तरह
भूल जाना न हम को याद रखना,हम छेड़ेंगे तुम्हें सरकार....
तुम आने का बहाना ढूँढ़ लेना~~~~~~~~~~~~~~~

तुम दिल में मेरे उतरे

तुम दिल में मेरे उतरे और उतरते चले गये
पलकों में मेरी ठहरे और ठहरते चले गये
तुम दिल में मेरे उतरे~~~~~~~~~~

लगा लेप चन्दन मेरी रूह को
मैं कैसे निहारूँ इस चाँद को
रख काँधे पर सर हम सो गये
मैं कैसे छिपाऊँ इस राज़ को
हम दिन-दिन यूँ सँवरे और सँवरते चले गये
पलकों में मेरी ठहरे और ठहरते चले गये
तुम दिल में मेरे उतरे~~~~~~~~~~

झुका आसमां ज़मीं पर कहीं
कि बागों की कलियाँ हँसने लगी
हुआ खेल ऐसा हंसी रात में
उम्मीदों की गलियाँ सजने लगी
बिन पिये ही हम बहके और बहकते चले गये
पलकों में मेरी ठहरे और ठहरते चले गये
तुम दिल में मेरे उतरे~~~~~~~~~~

लगी आग ऐसी बुझ न सकी
कि आँधी से शमा बुझ न सकी
कदम आगे-आगे बढ़ते रहे
ज़माने से ये बात छिप न सकी
दिल दोनों यूँ धड़के और धड़कते चले गये
पलकों में मेरी ठहरे और ठहरते चले गये
तुम दिल में मेरे उतरे~~~~~~~~~~

तुम ज़रूरत नहीं ज़िंदगी हो मेरी

तुम ज़रूरत नहीं~ज़िंदगी हो मेरी
सज़दों में तुम~बन्दगी हो मेरी
तुम ज़रूरत नहीं~~~~~~~~~~~

मौसमों की तरह~रंग बदला न करो
बादलों की तरह~तुम निकला न करो
मैं तुम्हारी सनम~ऐसे शिकवा न करो
तुम हक़ीक़त मेरी~सादगी हो मेरी
सज़दों में तुम~बन्दगी हो मेरी
तुम ज़रूरत नहीं~~~~~~~~~~~

आ लगो दिल से~है किस बात का ग़म
मुझ पे छा जाओ~है क्यों आँख ये नम
मिलके हम दोनों~लड़ें दुनिया से जंग
यह बग़ावत नहीं~दिल लगी हो मेरी
सज़दों में तुम~बन्दगी हो मेरी
तुम ज़रूरत नहीं~~~~~~~~~~~

बीता जाता है~खूबसूरत ये समां
बुझ न जाये~जलते-जलते ये शमां
मेरे हमदम मुझे~तुझ पर है ग़ुमा
तुमको चाहा मैंने~हर खुशी हो मेरी
सज़दों में तुम~बन्दगी हो मेरी
तुम ज़रूरत नहीं~~~~~~~~~~~

तुमसे इश्क़ है कितना

तुमसे इश्क़ है कितना बतलायें क्या
लुट चुके हैं पहले मर जायें क्या
तुमसे इश्क़ है कितना~~~~~~~

तुम्हें देखा जब-जब शरमा गये
दुनिया वालों के डर से घबरा गये
गेसूओं की घटायें बिखरने लगी
ये ख़ुमारी के कैसे दिन आ गये
राज़ तुमसे इस दिल का बतलायें क्या
लुट चुके हैं पहले मर जायें क्या
तुमसे इश्क़ है कितना~~~~~~~

सांसों में महकता पाया है तुम्हें
ख़्वाबों में हमने बुलाया है तुम्हें
कोई याद करे न कैसे तुम्हें
उस रब ने ही मिलवाया हैं हमें
तुमसे वादा मिलन का बतलायें क्या
लुट चुके हैं पहले मर जायें क्या
तुमसे इश्क़ है कितना~~~~~~~~

बैठे हैं कब से इन्तज़ार में
वर्षों से कैसे इम्तिहान में
चले आओ अभी बेक़रार हैं
वक़्त जाया न करो तक़रार में
तुम पे ऐतबार कितना बतलायें क्या
लुट चुके हैं पहले मर जायें क्या
तुमसे इश्क़ है कितना~~~~~~~

तू इशारा तो कर जानेजां

तू इशारा कर जानेजां,समझ जाऊँगी मैं,न सताऊँगी मैं
खोल रखी मैंने है खिड़की,दिलवाली हूँ मैं,नज़र आऊँगी मैं
तू इशारा तो कर जानेजां ~~~~~~~~~~~~~~~~~

इश्क़ का तेरे मुझ पर नशा छा गया
नज़रें क्या मिलीं रे मजा आ गया
गुस्ताख़ियाँ निगाहें ये करने लगी
बिन मौसम ऋतुऐं बरसने लगी
चाहत में तेरी मैं मचलने लगी
मुश्किल है तुझे समझाना,मेरे जानेजिगर,बहक जाऊँगी मैं
खोल रखी मैंने है खिड़की,दिलवाली हूँ मैं,नज़र आऊँगी मैं
तू इशारा तो कर जानेजां ~~~~~~~~~~~~~~~~~

तुझ बिन कोई ख़्वाहिश अब है नहीं
तेरे जैसी दौलत कहीं पर है नहीं
अंगड़ाईयाँ मेरी ये दुश्मन हुई
राम जाने कैसी यह उलझन हुई
कली कल तक जो थी गुल है हुई
अफ़साना सुन दिल लगी का,उम्र भर के लिये,संग आऊँगी मैं
खोल रखी मैंने है खिड़की,दिलवाली हूँ मैं,नज़र आऊँगी मैं
तू इशारा तो कर जानेजां ~~~~~~~~~~~~~~~~~

छू गयी हैं बदन तेरी महकी सांसें
कटती नहीं हैं अब तन्हा ये रातें
अन्जाम मुहब्बत का कुछ भी रे हो
बढ़ गये जो कदम पीछे कैसे वो हों
मामला है ये दिल कुछ हमदम कहो
इन्तहा न कर मुझको पा ना,तू कहेगा जिधर चली आऊँगी मैं
खोल रखी मैंने है खिड़की,दिलवाली हूँ मैं,नज़र आऊँगी मैं
तू इशारा तो कर जानेजां ~~~~~~~~~~~~~~~~~

तू ख़्वाब बन के रह

तू ख़्वाब बन के रह~तू याद बन के रह
हर राह मेरी मुश्किल~तू आस बन के रह
तू ख़्वाब बन के रह~~~~~~~~~~~~~~

चाहत की मेरी कश्ती~मझधार में फंसी है
कैसे पता चले ये~यह तेरी दिल्लगी है
यूँ ही तड़प-तड़प कर~जीवन न बीत जाये
माटी का एक खिलौना~दिल ये न टूट जाये
तू पास दिल के रह~जैसे सांस बन के रह
हर राह मेरी मुश्किल~तू आस बन के रह
तू ख़्वाब बन के रह~~~~~~~~~~~~~~

आँधी में उजड़ा अपना~था नशेमन प्यारा-प्यारा
सर्दी के सर्द झोंके~हुए हम हैं बसहारा
अब तो कदम-कदम पर~हंसती हमपे गलियाँ
भूला वफ़ा की कसमें~रूठी हैं हमसे कलियाँ
मेरे यार हमनशीं~तू राज़ बन के रह
हर राह मेरी मुश्किल~तू आस बन के रह
तू ख़्वाब बन के रह~~~~~~~~~~~~~~

खुशियाँ ये चार दिन की~रहेंगी दिल में ताज़ा
तन्हा ही अब रहना है~यही वक़्त का तक़ाज़ा
नग़मों में तूने ढाली~उल्फ़त की ज़िंदगानी
भूलेंगे न कभी हम~तूने की जो मेहरबानी
जिसे पढ़ ले हर कोई~इतिहास बन के रह
हर राह मेरी मुश्किल~तू आस बन के रह
तू ख़्वाब बन के रह~~~~~~~~~~~~~~

तूने पता तलक दिया नहीं

तूने पता तलक दिया नहीं~तुझसे कैसे मैं मिलूँ
मुझे नम्बर तक दिया गलत~ऐसे-कैसे कुछ कहूँ
तूने पता तलक दिया नहीं~~~~~~~~~~~~~

तस्वीर तेरी दिल मेरा~बहला न पायेगी
सकून मेरे मन को ये~दिलवा न पायेगी
मशहूर मैं सनम~तेरी सुर्खियों से हूँ
मजबूर हर घड़ी~ऐसी तितलियों से हूँ
तूने सदा तलक सुनी नहीं~बता कैसे मैं जिऊँ
मुझे नम्बर तक दिया गलत~ऐसे-कैसे कुछ कहूँ
तूने पता तलक दिया नहीं~~~~~~~~~~~~~

क्या फ़ायदा जानेजिगर~सपनों में आने से
है ख़्वाब अधूरा जो सदा~ऐसा दिल लगाने से
हर रास्ते हर मोड़ पर~तुझको तलाशता
तेरे सिवा उस रब से~मैं क्या भी माँगता
कुछ बतायी ख़ता नहीं~लब ये कैसे मैं सिलूँ
मुझे नम्बर तक दिया गलत~ऐसे-कैसे कुछ कहूँ
तूने पता तलक दिया नहीं~~~~~~~~~~~~~

तन्हाई का है सफर~चन्द लम्हें ज़िंदगी
रुसबाई का है डर~पल-पल है बेबसी
यूँ बेजुवान बन~दस्तक क्यों दे रही
इस बेक़रार को~झन्झट क्यों दे रही
दो कदम अभी चला नहीं~आगे कैसे मैं बढ़ूं
मुझे नम्बर तक दिया गलत~ऐसे-कैसे कुछ कहूँ
तूने पता तलक दिया नहीं~~~~~~~~~~~~~

तेरा इश्क़ लिखते-लिखते

तेरा इश्क़ लिखते-लिखते~मेरी ज़िन्दगी गुजर जाये
तू आबाद रहे लफ़्ज़ों में~तेरी रोशनी जिधर जाये
तेरा इश्क़ लिखते-लिखते~~~~~~~~~~~~~

तू मिले या न मिले भी~तुझे उम्र भर मैं चाहूँ
महके तू फूलों जैसा~नग़में तेरे लिये गाऊँ
तेरा दम भरते-भरते~मेरी शायरी निखर जाये
तू आबाद रहे लफ़्ज़ों में~तेरी रोशनी जिधर जाये
तेरा इश्क़ लिखते-लिखते~~~~~~~~~~~~~

ए-चमन की शोख़ कलियों~मुझे इस तरह न देखो
मैं हूँ राह का मुसाफिर~शक से मुझे न देखो
है थका ये चलते-चलते~कहीं पल दो पल ठहर जाये
तू आबाद रहे लफ़्ज़ों में~तेरी रोशनी जिधर जाये
तेरा इश्क़ लिखते-लिखते~~~~~~~~~~~~~

मैं ख़ुदा से माँगता हूँ~तेरी हसरतों का सावन
कभी छोटा न पड़े भी~मेरी चाहतों का दामन
तुझे याद करते-करते~कब दिल में तू उतर जाये
तू आबाद रहे लफ़्ज़ों में~तेरी रोशनी जिधर जाये
तेरा इश्क़ लिखते-लिखते~~~~~~~~~~~~~

लगा हुस्न का मेला~पर किसको अपना कह दूँ
हर सू रंगीन नज़ारे~ये दिल है बहला कह दूँ
हमदम मरते-मरते~मुझे तू ही तू नज़र आये
तू आबाद रहे लफ़्ज़ों में~तेरी रोशनी जिधर जाये
तेरा इश्क़ लिखते-लिखते~~~~~~~~~~~~~

तेरा प्यार दिल में बसाये हुए हैं

तेरा प्यार दिल में बसाये हुए हैं
मुहब्बत की दुनिया सजाये हुए हैं
सनम हम पर तुम करम कीजिएगा
इनायत में सिर ये झुकाए हुए हैं

भुला तो न दोगे चाहत हमारी~हमपे चढ़ी ख़ुमारी तुम्हारी
चुकायेंगे कैसे बताओ हमें~हमपे बड़ी उधारी तुम्हारी
तमन्ना का गुल खिलाये हुए हैं
मुहब्बत की दुनिया सजाये हुए हैं
सनम हम पर तुम करम कीजिएगा~इनायत में सिर ये.....

ये नज़रें तुम्हारे कदम चूमती~तन्हाई में अक्सर तुम्हें ढूँढ़ती
पलकों की चिलमन में तुम छिपे~चाही उल्फ़त मिली बेबसी
सीने से तस्वीर लगाये हुए हैं
मुहब्बत की दुनिया सजाये हुए हैं
सनम हम पर तुम करम कीजिएगा~इनायत में सिर ये.....

खुशी से तुम्हारे सितम सहेंगे~कभी भी शिकवा न हम करेंगे
कि हर फ़ैसला हमें मंजूर~मिले गर न तुम जनम फिर लेंगे
हम अश्क़ों से पलकें भिगाये हुए हैं
मुहब्बत की दुनिया सजाये हुए हैं
सनम हम पर तुम करम कीजिएगा~इनायत में सिर ये.....

न मर कर होगी वफ़ा ये कम~करेंगे बराबर सदायें हम
दीवारें कहेंगी कहानी हमारी~चलेंगे बराबर सदा ये कदम
ज़माने को किस्से ये सुनाये हुए हैं
मुहब्बत की दुनिया सजाये हुए हैं
सनम हम पर तुम करम कीजिएगा~इनायत में सिर ये.....

तेरी बेपनाह मुहब्बत की लत

तेरी बेपनाह मुहब्बत की~लत लग गयी मुझे
दिल बेक़रार ऐसा हुआ~नहीं होश अब मुझे
तेरी बेपनाह मुहब्बत की~~~~~~~~~~~~~~

सुबह हो शाम की बेला~जुवां पर नाम बस तेरा
तन्हाई में छिप-छिप के~पढ़ूँ पैग़ाम मैं तेरा
तेरी हर घड़ी इनायत की~लत लग गयी मुझे
दिल बेक़रार ऐसा हुआ~नहीं होश अब मुझे
तेरी बेपनाह मुहब्बत की~~~~~~~~~~~~~~

जुड़ी तुझसे हर धड़कन~चढ़ा तेरा ही मुझपे रंग
लबों पर तूने है लिखा~निराला नाम ए-प्रियतम
सनम बेवज़ह शरारत की~लत लग गयी मुझे
दिल बेक़रार ऐसा हुआ~नहीं होश अब मुझे
तेरी बेपनाह मुहब्बत की~~~~~~~~~~~~~~

मैं सपने तेरे ही देखूँ~मैं सज़दों में तुझे माँगूँ
किसी ने चाहा न होगा~तुझे हद से ज्यादा चाहूँ
तेरी ही बस इबादत की~लत लग गयी मुझे
दिल बेक़रार ऐसा हुआ~नहीं होश अब मुझे
तेरी बेपनाह मुहब्बत की~~~~~~~~~~~~~~

लगा ले सीने से मुझको~चुरा ले मुझसे ही मुझको
हुई तेरी जनमों-जनमों से~न दे इल्ज़ाम कोई मुझको
तेरी नज़रों में रहने की~लत लग गयी मुझे
दिल बेक़रार ऐसा हुआ~नहीं होश अब मुझे
तेरी बेपनाह मुहब्बत की~~~~~~~~~~~~~~

तेरी चाहत की ख़्वाहिश

तेरी चाहत की ख़्वाहिश~बरक़रार रहे
मरते दम तक भी तेरा~इन्तज़ार रहे
तेरी चाहत की ख़्वाहिश~~~~~~~~~~~~~~

हुस्न क़ुदरत ने दिया तुझको~रखना महफ़ूज़
चन्द फुरसत के मिलें लम्हें~करना महसूस
बे-इरादा ही सही मुझसे~मिलना महबूब
तेरे जलवों की नुमाईश~शानदार रहे
मरते दम तक भी तेरा~इन्तज़ार रहे
तेरी चाहत की ख़्वाहिश~~~~~~~~~~~~~~

तुझको भूला~न ही भूलूँगा~उस रब की क़सम
तुझको पूजा~तुझे पूजूँगा~लूँ मैं कितने ही जनम
जो तू चाहे कर मुझपे~चुन-चुन के सितम
तेरे ज़ुल्मों की फ़ेहरिस्ट~यादगार रहे
मरते दम तक भी तेरा~इन्तज़ार रहे
तेरी चाहत की ख़्वाहिश~~~~~~~~~~~~~~

तू ही मन्नत तू ही जन्नत~तक़दीर है तू
मैं जकड़ता ही गया हूँ~जन्जीर वो तू
न हक़ीक़त फिर भी कैसी~तस्वीर है तू
पाना मुश्किल फिर भी तुझपे~इख़्तियार रहे
मरते दम तक भी तेरा~इन्तज़ार रहे
तेरी चाहत की ख़्वाहिश~~~~~~~~~~~~~~

तेरी जब याद आती है

तेरी जब याद आती है~कदम मेरे बहकते हैं
तेरा दीदार न हो गर~नयन मेरे बरसते हैं
तेरी जब याद आती है~~~~~~~~~~~~~

सनम रुख़सार पर तेरे~मैं दो अल्फ़ाज़ ही लिख दूँ
तमन्ना तेरी कर बैठा~छिपे अरमान मैं लिख दूँ
फ़साना उम्र भर का मैं~तुझे एक बार में लिख दूँ
मुझे जब नींद आती है~ख़्वाब तेरे ही दिखते हैं
तेरा दीदार न हो गर~नयन मेरे बरसते हैं
तेरी जब याद आती है~~~~~~~~~~~~~

गेसू बिखरे लगे सावन~है शबनम सा तेरा यौवन
लटकती कानों में बाली~है शीशे सा तेरा ये मन
ख़ुदाया कर कुछ ऐसा~तेरे संग-संग कटे जीवन
सँवर के तू निकलती है~हजारों दिल मचलते हैं
तेरा दीदार न हो गर~नयन मेरे बरसते हैं
तेरी जब याद आती है~~~~~~~~~~~~~

चाहूँगा टूटकर तुझको~नहीं दिल से जुदा होना
चलेगी साँस ये जब तक~नहीं मुझसे ख़फ़ा होना
है मेरी शायरी तुझ तक~तुझ ही पर अब फ़ना होना
दिलों के मामले दिलबर~दीवाने ही समझते हैं
तेरा दीदार न हो गर~नयन मेरे बरसते हैं
तेरी जब याद आती है~~~~~~~~~~~~~

तेरी याद में दिल फिर

तेरी याद में दिल फिर मचलने लगा
रे मौसम ये पल-पल बदलने लगा
तेरी याद में दिल~~~~~~~~~~

तन्हा-तन्हा रात और तन्हाई का आलम
न कोई संगी साथी बहकी-बहकी धड़कन
पतझड़ सी बरसात फीका-फीका सावन
क्यों कर तेरा ग़म मैं समझने लगा
रे मौसम ये पल-पल बदलने लगा
तेरी याद में दिल~~~~~~~~~~

दीवानों की बातें समझेगी क्या दुनिया
किस संगदिल से मेरी उलझी हैं अँखियाँ
चलूँगा अंगारों पर मैं छूटेंगी फुलझड़ियाँ
मुझे देख दरपन भी हँसने लगा
रे मौसम ये पल-पल बदलने लगा
तेरी याद में दिल~~~~~~~~~~

आसमानों को छूने को करता दिल हरदम
अरमानों की मंजिल तू जाने कब हो संगम
जाने कब रूठ गया मुझसे मेरा प्रियतम
कि आँखों का बादल बरसने लगा
रे मौसम ये पल-पल बदलने लगा
तेरी याद में दिल~~~~~~~~~~

तेरे अधरों पे मैं फिदा

तेरे अधरों पे मैं फिदा~तेरी तस्वीर है अलग
तुझे दुश्मन कहूँ या दोस्त~मेरी तक़दीर है अलग
तेरे अधरों पे मैं फिदा~~~~~~~~~~~~~~~

जानेमन तेरे इरादों से~मैं वाक़िफ़ ही नहीं था
मार डाला है अदाओं ने~पतझड़ तो नहीं था
तेरी नज़रों में हूँ बसा~ये तो जन्जीर है अलग
तुझे दुश्मन कहूँ या दोस्त~मेरी तक़दीर है अलग
तेरे अधरों पे मैं फिदा~~~~~~~~~~~~~~~

ले के डूबा है मुझे~अपना ही दीवानापन
तूने छोड़ा न अभी तक~भी ये बेगानापन
क्या यही है तेरी अदा~मेरी तहरीर है अलग
तुझे दुश्मन कहूँ या दोस्त~मेरी तक़दीर है अलग
तेरे अधरों पे मैं फिदा~~~~~~~~~~~~~~~

बन्दगी में तू अभी तक~मैं ख़ुदा को भूला
मेरी रग-रग में तेरा जादू~ख़ुद ही को मैं भूला
खूबसूरत तेरी सजा~तेरा हर तीर है अलग
तुझे दुश्मन कहूँ या दोस्त~मेरी तक़दीर है अलग
तेरे अधरों पे मैं फिदा~~~~~~~~~~~~~~~

आसमां झुकता कहीं पर और ज़मीं गाती
जाने जां मेरी तू कैसी न यकीन तू लाती
मैं तो गैरों से हूँ जुदा~मेरी तदबीर है अलग
तुझे दुश्मन कहूँ या दोस्त~मेरी तक़दीर है अलग
तेरे अधरों पे मैं फिदा~~~~~~~~~~~~~~~

तेरे दीदार की हसरत

तेरे दीदार की हसरत~तुझे पाने की तमन्ना
तेरी चाहत के लिये~मुझे दिन-रात सँवरना
तेरे दीदार की हसरत~~~~~~~~~~~~~

मैं कोई रिश्ता नहीं हूँ~जो निभायेगा मुझे तू
मैं कोई जिस्म नहीं हूँ~जो सतायेगा मुझे तू
मैं कोई आग नहीं हूँ~जो बुझायेगा मुझे तू
तुझे इन्कार की आदत~मुझे हँसने की तमन्ना
तेरी चाहत के लिये~मुझे दिन-रात सँवरना
तेरे दीदार की हसरत~~~~~~~~~~~~~

अदायें तेरी निराली~करूँ न कैसे मैं सदा
फ़िजायें तुझसे हंसी~दर्द-ए-दिल की तू दवा
नज़ारे तुझमें समाये~तू है जन्नत की तरह
तू है संसार की दौलत~मुझे गुरबत से गुजरना
तेरी चाहत के लिये~मुझे दिन-रात सँवरना
तेरे दीदार की हसरत~~~~~~~~~~~~~

तू है ठहरा सा समन्दर~बहती नदिया मैं सयानी
तुझसे मिलने के लिये~मेरी मचली जाती जवानी
जन्म जनमों के लिए~कैसी बिगड़ी जाती कहानी
तेरी बेहिसाब शोहरत~मुझे शोलों पर है चलना
तेरी चाहत के लिये~मुझे दिन-रात सँवरना
तेरे दीदार की हसरत~~~~~~~~~~~~~

तेरे मेरे इश्क़ का फ़साना

तेरे-मेरे इश्क़ का फ़साना~अब सुनेगा सारा ज़माना-ज़माना
कहते मुझसे हैं दुनियावाले~रोग प्रेम का यारों पुराना-पुराना
तेरे-मेरे इश्क़ का फ़साना~~~~~~~~~~~~~

जग में ऐसा नहीं है कोई~जिसने बांधा न प्रेम बंधन
उम्र की है नहीं कोई सीमा~जो न चाहे पाना हंसी चितवन
रफ़्ता-रफ़्ता प्यार का तराना,अब सुनेगा सारा ज़माना-२
कहते मुझसे हैं दुनियावाले,रोग प्रेम का यारों पुराना-पुराना
तेरे~मेरे इश्क़ का फ़साना~~~~~~~~~~~~~

दूरियाँ करके घबराने वाले~रंगीं कर ले आ चन्द रातें
पंछियों की तरह आज उड़ लें~बैठ जज़्बात दिल के सुना दें
महका-महका दिलकश नज़ारा,अब देखेगा सारा ज़माना-२
कहते मुझसे हैं दुनियावाले~रोग प्रेम का यारों पुराना-पुराना
तेरे मेरे इश्क़ का फ़साना~~~~~~~~~~~~~

कर रही है क्यों ऐसे नादानी~हुस्न तेरा बरसता पानी
बढ़ रही है सीने की धड़कन~उफ ये तेरी मचलती जवानी
कैसा यार प्यार में शरमाना,अब चूकेगा न निशाना-निशाना
कहते मुझसे हैं दुनियावाले~रोग प्रेम का यारों पुराना-पुराना
तेरे-मेरे इश्क़ का फ़साना~~~~~~~~~~~~~

खुली आँखों से तुझको देखूँ~बन्द आँखों में तू ही तू है
तुझे पाने की हसरत कभी से~तुझसे मिलने की आरज़ू है
जलेगा शमा में परवाना और हंसेगा ज़माना-ज़माना
कहते मुझसे हैं दुनियावाले~रोग प्रेम का यारों पुराना-पुराना
तेरे मेरे इश्क़ का फ़साना~~~~~~~~~~~~~

तेरे वास्ते मैं मेरे वास्ते तू

तेरे वास्ते मैं~मेरे वास्ते तू
दिलरुबा प्यार का इज़हार कर
न भी इंकार कर~आ भी इक़रार कर
नेमतें सारी~तेरे नाम लिख दूँ
बातों का मेरी ऐतबार कर
न भी इंकार कर~आ भी इक़रार कर
तेरे वास्ते मैं~मेरे वास्ते तू~~~~~~~~

बेसबब ज़िंदगी यूँ ही गुजर न जाये
फ़लसफ़ा प्यार का क्यों समझ न आये
इस निखरे-निखरे यौवन को
कब तक संभाले रखेगी
इस पागल एक दीवाने को
कब तक बेगाना समझेगी
तेरी आरजू मैं~मेरी आरजू तू
करीब आ प्यार की बरसात कर
न भी इंकार कर~आ भी इक़रार कर
तेरे वास्ते मैं~मेरे वास्ते तू~~~~~~~~

झील सी आँखों का जादू तूने किया है
फूल से मुखड़े को न भी छूने दिया है
ज़ालिम तेरी अंगड़ाईयाँ
हर अदा तेरी मतवाली है
तेरे हुस्न का क़तरा-क़तरा
महकी हुई फुलवारी है
तेरी ज़िंदगी मैं~मेरी ज़िंदगी तू
कभी तन्हाई में मुलाक़ात कर
न भी इंकार कर~आ भी इक़रार कर
तेरे वास्ते मैं~मेरे वास्ते तू~~~~~~~~

ठिकाना कहीं न मिला है मुझे

ठिकाना कहीं न~मिला है मुझे
डूबा है रे गर्दिश में~सितारा मेरा
दिल तूने ऐसा तोड़ा~मुँह तूने ऐसा मोड़ा
हुआ है रे दुश्मन~ज़माना मेरा
ठिकाना कहीं न~मिला है मुझे........

सुबह हुई~साँझ ढली~बसी मेरी यादों में तू
कैसे तुझे~ज़ुदा करूँ~बसी मेरी साँसों में तू
तेरे बिना~सूखा-सूखा~आज ये सावन लगे
देखूँ जो न~तुझे मैं~रूठा हर मौसम लगे
फेरी तूने है~जब से नज़र
ऐसा हुआ है~मुझ पे असर
ठिकाना कहीं न~मिला है मुझे........

जाऊँ कहाँ~जानेजिगर~चैन कहीं मिलता नहीं
साथी कोई~दुनिया में~तुझ जैसा मिलता नहीं
चाँद-सितारे भी~जाने कहीं~छिप गये
झूमते नज़ारे भी~आज कहीं~रुक गये
ऐसे हुए क्या~मेरे हैं करम
हद से बढ़े हैं~जो तेरे सितम
ठिकाना कहीं न~मिला है मुझे........

उफ क्या कमाल है काले-काले चश्मे का

उफ क्या कमाल है काले-काले चश्मे का
कैसे मैं दीदार करूँ गोरी तेरी अँखियों का
न नज़र आ रही हैं कानों में बालियाँ
जलवा बेमिसाल है बिखरे-बिखरे वालों का
उफ क्या कमाल है काले-काले चश्मे का
कैसे मैं दीदार करूँ गोरी तेरी अँखियों का
उफ क्या कमाल है~~~~~~~~~~~~~

चेहरे से हाथ हटाईये जनाब
लग रहा है ये कोई नक़ाब
ख़ुदा ने दिया है बला का नूर
खिला-खिला चेहरा लगता गुलाब
जाने क्या राज है दबे-दबे अधरों का
कैसे मैं दीदार करूँ गोरी तेरी अँखियों का
उफ क्या कमाल है~~~~~~~~~~~~~

जी चाहता है निहारता रहूँ
तुझे मैं करिश्मा पुकारता रहूँ
गर्म शोलों सी मचलती जवानी
सज़दे में दिन गुजारता रहूँ
उम्र सत्रह साल है दिल मचला दिल का क्या
कैसे मैं दीदार करूँ गोरी तेरी अँखियों का
उफ क्या कमाल है~~~~~~~~~~~~~

अँखियों-अँखियों में कैसे हो इशारा
वो हुस्न-मल्लिका मैं ठहरा बन्जारा
कमसिन उमर और लचकती कमरिया
नीले गगन में कोई हो बदरिया
हाल ये बेहाल है मेला चन्द लम्हें का
कैसे मैं दीदार करूँ गोरी तेरी अँखियों का
उफ क्या कमाल है~~~~~~~~~~~~~

उलझनों की भीड़ में

उलझनों की भीड़ में लापता है ज़िंदगी
बैठे-बैठे सोचता हूँ एक सजा है ज़िंदगी
उलझनों की भीड़ में~~~~~~~~~~

लोगों का दिल रखते-रखते~ख़ुद ही को मैं भूल गया
मिन्नतें सौ बार की~पर हर कोई मुझसे रूठ गया
हमसफर था एक अपना~वो भी मुझसे दूर गया
उल्टी-सीधी दौड़ में~फ़लसफ़ा है ज़िंदगी
बैठे-बैठे सोचता हूँ~एक सजा है ज़िंदगी
उलझनों की भीड़ में~~~~~~~~~~

कसमें-वादे सब हैं झूठे~बदला इन्सां इस क़दर
चन्द लम्हों का प्यार खेला~रोयेगा फिर उम्र भर
रफ़्ता-रफ़्ता कट ही जाना~तन्हा-तन्हा ये सफर
दुश्मनों की चाल का~सिलसिला है ज़िंदगी
बैठे-बैठे सोचता हूँ~एक सजा है ज़िंदगी
उलझनों की भीड़ में~~~~~~~~~~

रिश्ते रह गये नाम के~कब जुड़े और कब टूटे
क्या करे कोई दोस्ती~बेवज़ह अब दिल टूटे
दौराहे पर मैं खड़ा~अपना ही अब घर लूटे
चिलमनों की आड़ में~ग़मजदा है ज़िंदगी
बैठे-बैठे सोचता हूँ~एक सजा है ज़िंदगी
उलझनों की भीड़ में~~~~~~~~~~

उनसे बातें करते-करते

उनसे बातें करते-करते~कब गुजर गयी रात
भूल गये हम दुनियादारी~चंद लम्हों के बाद
उनसे बातें करते-करते~~~~~~~~~~~~~

सामने बैठे रहे वो~बेजुवानों की तरह
फ़लसफ़ा कहते रहे हम~बेक़रारों की तरह
उनसे आँखें मिलते-मिलते~बिगड़ी बन गई बात
भूल गये हम दुनियादारी~चंद लम्हों के बाद
उनसे बातें करते-करते~~~~~~~~~~~~~

मंजिले मक़सूद पर~रख न पाये हम कदम
हसरतें हम यार की~गिन न पाये खुल के हम
कैसी घड़ी थी वो जाने~बनकर रह गई याद
भूल गये हम दुनियादारी~चंद लम्हों के बाद
उनसे बातें करते-करते~~~~~~~~~~~~~

गीत था संगीत था~महका-महका था समां
दोनों के मन में ही तो~अरमानों का था धुँआ
वो भी डरते हम भी डरते~हाथों में थे हाथ
भूल गये हम दुनियादारी~चंद लम्हों के बाद
उनसे बातें करते-करते~~~~~~~~~~~~~

रह गये उस दौर के~अब केवल नामोनिशां
वो किसी के हो गये~जब चली आँधियाँ
वो शहर उनकी गलियाँ~बन गयी इतिहास
भूल गये हम दुनियादारी~चंद लम्हों के बाद
उनसे बातें करते-करते~~~~~~~~~~~~~

चल प्रेम नगर जायेगा.... पर आधारित
उड़ता तू पंछी ठहरा

(F) उड़ता तू पंछी ठहरा~कैसे तुझसे नैन लड़ा लूँ
उड़ता तू पंछी ठहरा~उड़ता तू पंछी ठहरा,
कैसे तुझसे नैन लड़ा लूँ

(M) तू चांद सी गोरी हंसीना~दिल तूने छीना
कटरीना~लवलीना~तस्लीमा
तू चांद सी गोरी हंसीना~तुझे दिल से कैसे लगा लूँ

(F) उड़ता तू पंछी ठहरा~कैसे तुझसे नैन लड़ा लूँ

(M) तू चांद सी गोरी हंसीना~तुझे दिल से कैसे लगा लूँ

(M) नैना तेरे~क़ातिल बड़े~जीना मेरा~मुश्किल है

(F) नादान तू~अन्जान है~लड़का बड़ा~शातिर है

(M) नैना तेरे~क़ातिल बड़े~जीना मेरा~मुश्किल है

(F) नादान तू~अन्जान है~लड़का बड़ा~शातिर है
(दिल तूने चुराया मेरा)-२, कैसे मैं दिल में बसा लूँ
उड़ता तू पंछी ठहरा~कैसे तुझसे नैन लड़ा लूँ

(F) रातों मुझे~तड़पाता है~तेरा भला~ऐतबार क्या

(M) जादू सा तू~कर जाती है~तेरा-मेरा~इक़रार क्या

(F) रातों मुझे~तड़पाता है~तेरा भला~ऐतबार क्या

(M) जादू सा तू~कर जाती है~तेरा-मेरा~इक़रार क्या

(F) (मुसाफिर तू ठहरा)-२, कैसे तुझपे दाँव लगा दूँ

(M) तू चांद सी गोरी हंसीना~तुझे दिल से कैसे लगा लूँ

(F) ऐसा भी है~वैसा भी है~फिर भी तुझही~से प्यार है

(M) ए-मनचली~तू-फुलझड़ी~मुझको तेरा~इंतजार है

(F) ऐसा भी है~वैसा भी है~फिर भी तुझही~से प्यार है

(M) ए-मनचली~तू-फुलझड़ी~मुझको तेरा~इंतजार है
(आऊँगा बांध सेहरा)-२,आ तुझे दिल से अपने लगा लूँ

(F) उड़ता तू पंछी ठहरा~कैसे तुझसे नैन लड़ा लूँ

(M) तू चांद सी गोरी हंसीना~तुझे दिल से कैसे लगा लूँ

(F) उड़ता तू पंछी ठहरा~कैसे तुझसे नैन लड़ा लूँ

वादा-ए-उल्फ़त यारों निभायेंगे

वादा-ए-उल्फ़त यारों निभायेंगे
खा-खा चॉकलेट खुशियाँ मनायेंगे
थोड़े हम आशिक़~थोड़े दीवाने
हंसीनाओं से अंखियाँ मिलायेंगे
वादा-ए-उल्फ़त यारों निभायेंगे~खा-खा चॉकलेट~~~~

ज़िंदगानी कुछ दिन की है~मेहरबानी कर दीजिए
हो चुकी है अब इन्तहा~चूमने लबों को अब दीजिए
माथे पर आयी लट हटायेंगे,खा-खा चॉकलेट~~~~~~~
थोड़े हम आशिक़~थोड़े दीवाने~हंसीनाओं से~~~~~~
वादा-ए-उल्फ़त यारों निभायेंगे~खा-खा चॉकलेट~~~~

मिल अगर बढ़ेंगे कदम~मुश्किल न होगी अपनी डगर
सिलसिलों को चलने दो~मंजिल पे होगी अपनी नज़र
जन्नत उतार धरती पर लायेंगे,खा-खा चॉकलेट~~~~~~
थोड़े हम आशिक़~थोड़े दीवाने~हंसीनाओं से~~~~~~
वादा-ए-उल्फ़त यारों निभायेंगे~खा-खा चॉकलेट~~~~

ख़फ़ा-ख़फ़ा से क्यों हम रहें~क्यों न अपने दिल की करें
नज़राना दिल लाया हूँ मैं~कब तक ठंडी आहें भरें
रंग बसंती यारों उड़ायेंगे,खा-खा चॉकलेट~~~~~~~~
थोड़े हम आशिक़~थोड़े दीवाने~हंसीनाओं से~~~~~~
वादा-ए-उल्फ़त यारों निभायेंगे~खा-खा चॉकलेट~~~~

है बला का गालों पर नूर~बहकूँ अगर मैं क्या है क़सूर
धड़कनें बेक़ाबू हुईं~हो जाने दो किस्सा मशहूर
किसी को अपना यारों बनायेंगे,खा-खा चॉकलेट~~~~~
थोड़े हम आशिक़~थोड़े दीवाने~हंसीनाओं से~~~~~~
वादा-ए-उल्फ़त यारों निभायेंगे~खा-खा चॉकलेट~~~~

वो जो महफ़िल में सुनाते

वो जो महफ़िल में सुनाते वफ़ा के किस्से
ऐसी क्या बात न जाने ख़फ़ा थे किस से
वो जो महफ़िल में सुनाते~~~~~~~~~~~

नाम उनका लबों पर आने को ही था
झुकी पलकें 'ओ' क़रार होने को ही था
कई सदियों से जुदा थे तस्वीर के हिस्से
ऐसी क्या बात न जाने ख़फ़ा थे किस से
वो जो महफ़िल में सुनाते~~~~~~~~~~~

आसमां सूना और ज़मीं गुम-सुम सी
फ़ासला इतना कि दूरी मीलों सी थी
वो जो संगदिल को लगाते सदा थे दिल से
ऐसी क्या बात न जाने ख़फ़ा थे किस से
वो जो महफ़िल में सुनाते~~~~~~~~~~~

कौन जीता मुक़द्दर की बाज़ी यहाँ यारों
दिल जो टूटा ज़माने में कहें किससे यारों
वो जो औरों को मिलाते थे इससे-उससे
ऐसी क्या बात न जाने ख़फ़ा थे किस से
वो जो महफ़िल में सुनाते~~~~~~~~~~~

ऐसी क्या चाह है जिसको मैं भुला न सका
ऐसी क्या दास्तां जग को मैं सुना न सका
चन्द पल में ही बने थे सदा-सदा के रिश्ते
ऐसी क्या बात न जाने ख़फ़ा थे किस से
वो जो महफ़िल में सुनाते~~~~~~~~~~~

वो लम्हा आख़िरी होगा

वो लम्हा आख़िरी होगा~जिस दिन मैं भूलूँगी तुझको
गर होगा कोई सितमगर~मुद्दत भर ढूँढूँगी तुझको
वो लम्हा आख़िरी होगा~~~~~~~~~~~~~~~~

अंजाम मुहब्बत का कुछ हो~पर प्यार मैंने तुझसे किया
बदनाम हुए तो क्या हुआ~ऐतबार मैंने तुझपे किया
दीवारें लाख खिंचती गयी~इक़रार मैंने तुझसे किया
न भी तू पास में होगा~फिर भी मैं चाहूँगी तुझको
गर होगा कोई सितमगर~मुद्दत भर ढूँढूँगी तुझको
वो लम्हा आख़िरी होगा~~~~~~~~~~~~~~~~

तूफान उठायेगी दुनिया~शमशीरों से डरायेगी
तकदीरें दो मिल न पायें~जंजीरों से बंधवायेगी
हो न सकें एक प्रेम दीवाने~क्या-क्या न लिखवायेगी
साया भी जब साथ न होगा~उस रब से माँगूँगी तुझको
गर होगा कोई सितमगर~मुद्दत भर ढूँढूँगी तुझको
वो लम्हा आख़िरी होगा~~~~~~~~~~~~~~~~

फ़ना अगर हो जायें तो क्या~बुझ न सकेगी दिल की लगी
रूहें मगर तड़पेंगी सदा~फिर से मिलेंगे हम तो कहीं
आज वीराने हुए तो क्या~फिर से सजेंगे गुलशन यहीं
अक्ष तेरा सामने होगा~अपना ख़ुदा मानूँगी तुझको
गर होगा कोई सितमगर~मुद्दत भर ढूँढूँगी तुझको
वो लम्हा आख़िरी होगा~~~~~~~~~~~~~~~~

वो न आ सके उनकी याद आकर

वो न आ सके उनकी याद आकर वफ़ा कर गयी
उन्हें देखने को चाहत मेरी नींदें तबाह कर गयी
वो न आ सके~~~~~~~~~~~~~~~~~~~~

दिल का एक-एक क़तरा उन्हें देखता रहा
तन्हाईयों में अब तक उन्हें ढूँढ़ता रहा
दिल ये हुआ बेक़रार वो इन्तहा कर गयी
उन्हें देखने को चाहत मेरी नींदें तबाह कर गयी
वो न आ सके~~~~~~~~~~~~~~~~~~~~

टूटा हर एक सपना बुझ भी गयी शमा
रूठे हैं संगी साथी रूठा मेहरबां
न बुला सके हमको पास आदत गलत पड़ गयी
उन्हें देखने को चाहत मेरी नींदें तबाह कर गयी
वो न आ सके~~~~~~~~~~~~~~~~~~~~

मिलते हैं रास्ते में पहचानते नहीं
गुजरे थे साथ लम्हें वो मानते नहीं
न बुझा सके हम प्यास बदरी कहां थम गयी
उन्हें देखने को चाहत मेरी नींदें तबाह कर गयी
वो न आ सके~~~~~~~~~~~~~~~~~~~~

काटे नहीं कटेगी मदहोश ये जवानी
लाखों करें कोशिश भूलेंगे न कहानी
अन्जान वो बन के भी क्या खूब गुनाह कर गयी
उन्हें देखने को चाहत मेरी नींदें तबाह कर गयी
वो न आ सके~~~~~~~~~~~~~~~~~~~~

यहाँ कोई नहीं सुनेगा

यहाँ कोई नहीं सुनेगा~मेरे दिल की दास्तां
मतलब के रिश्ते-नाते~मतलब का ये ज़हां
यहाँ कोई नहीं सुनेगा~~~~~~~~~~~

हमराह अपने ही~जज़्बात से खेलेंगे
मिलेगा अगर मौक़ा~कुंअे में ढकेलेंगे
ख़जर ये सीने में~जब-तब ही चुभाते हैं
जब जेबें हुई खाली~तब-तब आ जाते हैं
संग कोई नहीं चलेगा~सभी व्यस्त यहाँ
मतलब के रिश्ते-नाते~मतलब का ये ज़हां
यहाँ कोई नहीं सुनेगा~~~~~~~~~~~

गिरगिट की तरह से~रंग इन्सान बदलता है
संभलेगा ख़ुद क्या ये~ख़ुद ही फिसलता है
पिजड़े का पन्छी है~दिन-रात मुसीबत में
हरसू ही बनावट है~उलझा हक़ीक़त में
गुल कोई क्या चुनेगा~काँटों का बागवाँ
मतलब के रिश्ते-नाते~मतलब का ये ज़हां
यहाँ कोई नहीं सुनेगा~~~~~~~~~~~

खिलने से पहले ही~मुरझाई हैं कलियाँ
जाने क्या-क्या कहती हैं~तन्हाई में सखियाँ
ए-मालिक फूलों सी~तक़दीर सभी को दे
उल्फ़त के दीवानों को~अंजाम कुछ अच्छा दे
कैसे कोई यहाँ रहेगा~पल-पल है इम्तिहां
मतलब के रिश्ते-नाते~मतलब का ये ज़हां
यहाँ कोई नहीं सुनेगा~~~~~~~~~~~

याद तुम आने लगे

याद तुम आने लगे~जानेजिगर तन्हाई में
याद तुम आने लगे~जानेजिगर तन्हाई में
भीगी हर रात में~ऋतु की अँगड़ाई में~ऋतु की अँगड़ाई में

तेरे बिन कैसी ये मेरी ज़िंदगानी~मेरी ज़िंदगानी
तेरे बिन कैसी ये मेरी ज़िंदगानी
बनी मेरी दुश्मन मचलती जवानी
पास तुम आने लगे~सोच ये घबराई मैं
भीगी हर रात में~ऋतु की अँगड़ाई में
ऋतु की अँगड़ाई में

डूबी है कश्ती आकर किनारे~आकर किनारे
डूबी है कश्ती आकर किनारे
कलियाँ ये गुलशन~तुम्हीं को पुकारे
कहना जो चाहा~कहते शरमाई मैं
भीगी हर रात में~ऋतु की अँगड़ाई में
ऋतु की अँगड़ाई में

बस तेरा नाम धड़कन में मेरी~धड़कन में मेरी
बस तेरा नाम धड़कन में मेरी
बनी नहीं मैं क्यों दुल्हनियाँ तेरी
ले गया बात क्यों~इतनी गहराई में
भीगी हर रात में~ऋतु की अँगड़ाई में
ऋतु की अँगड़ाई में
याद तुम आने लगे~जानेजिगर तन्हाई में
भीगी हर रात में~ऋतु की अँगड़ाई में~ऋतु की अँगड़ाई में

मीत न मिला रे मन का पर आधारित
याद तेरी आयी फिर से

याद तेरी,आयी फिर से~याद तेरी,आयी फिर से
याद तेरी,आयी फिर से~याद तेरी,आयी फिर से
हैं वही सुवह~हैं वही सुवह~हैं वही शाम
याद तेरी आयी फिर से~याद~~~~~~

मैं प्रीत का सागर~वो प्रेम की धारा
मैं प्रीत का सागर~वो प्रेम की धारा
क्यों तोड़ दिया दिल~देकर सहारा
कसमें झूठी~वादे झूठे~झूठा नाता
अब नहीं आता~है पैग़ाम
याद तेरी,आयी फिर से~याद~~~~~~

न प्यार की बातें~न कोई फ़साना
न प्यार की बातें~न कोई फ़साना
ये प्यार क्या जाने~संगदिल ज़माना
वो इशारे~वो नजारे~अब कहाँ है
है भी वफ़ा का~यही ईनाम
याद तेरी,आयी फिर से~याद~~~~~~

डोर थी वो कैसी~बंधे हम दोनों
डोर थी वो कैसी~बंधे हम दोनों
यूँ ही कर बैठे~क़रार हम दोनों
दो ही पल में~हो गये~हम पराये
लब से मिटा नहीं~तेरा नाम
याद तेरी,आयी फिर से~याद~~~~~~

यारों मेरे मुझको महबूबा चाहिये

यारों मेरे मुझको~महबूबा चाहिये
हो गोरी या काली~हजार नख़रे वाली~दिलरूबा चाहिये
यारों मेरे मुझको~महबूबा चाहिये
हो गोरी या काली~हजार नख़रे वाली~दिलरूबा चाहिये

पतली हो कमरिया~चले वो मचल के
बिखरी-बिखरी जुल्फ़ें~निकले बन-संवर के
नथनियां हाले-डोले~अदा से वो तो बोले
सुराही जैसी गरदन~छमाछम पायल बोले
यारों मेरे मुझको~महबूबा चाहिये
हो गोरी या काली~हजार नख़रे वाली~दिलरूबा चाहिये

अंग-अंग उसका~मस्ती का ख़जाना
छलकता हो लब से~मय का पैमाना
शरारत करने वाली~क़यामत ढाने वाली
फ़साना कुछ भी हो~मुहब्बत करने वाली
यारों मेरे मुझको~महबूबा चाहिये
हो गोरी या काली~हजार नख़रे वाली~दिलरूबा चाहिये

लैला की तरह से~दीवानी हो मेरी वो
पाठ सभी उल्फ़त~सिखाती हो मुझे वो
करीब वो आये ऐसा~शमा-परवाना जैसे
समझ मैं ये न पाऊँ~लिखूँ अफ़साना कैसे
यारों मेरे मुझको~महबूबा चाहिये
हो गोरी या काली~हजार नख़रे वाली~दिलरूबा चाहिये

ये अजीब इत्तफ़ाक़ है

ये अजीब इत्तफ़ाक़ है~हर कदम रोकते हैं
ये अजीब इत्तफ़ाक़ है~हर कदम रोकते हैं
वो हमको देखते हैं~हम उनको देखते हैं
ये अजीब इत्तफ़ाक़ है~~~~~~~~~~~

नये-नये सिलसिले~नयी-नयी दास्तां
बफ़ा की राह में रूके~नये-नये मेहरबां
दिल कह रहा था~सभी राज खोल दें अभी-अभी
दिल कह रहा था~सभी राज खोल दें अभी-अभी
एहसास ये हुआ हमें~मर्यादा तोड़ दें सभी
ये अजीब इत्तफ़ाक़ है~~~~~~~~~~~

यूँही इन्तज़ार में~गुजर रही ये ज़िंदगी
मेरे हर सवाल को~समझ रहे वो दिल्लगी
निहारता मैं उन्हें~वो निहारते हमें
निहारता मैं उन्हें~वो निहारते हमें
न ही जानता मैं उन्हें~न वो जानते हमें
ये अजीब इत्तफ़ाक़ है~~~~~~~~~~~

सुहानी सुबह आज है~लबों पे वो ही बात है
हजारों तितलियाँ उड़ी~मगर कोई ख़ास है
ऐसा लगा है~कई बार यहाँ आये हैं हम
ऐसा लगा है~कई बार यहाँ आये हैं हम
हुए हैं बेक़रार वो~रोये हैं ज़ार-ज़ार हम
ये अजीब इत्तफ़ाक़ है~~~~~~~~~~~

ये आशिकी ये बंदगी~हमें न रास आई है
सदा मिली रुसबाईयाँ~या मिली तन्हाई है
चले जहाँ से हैं सनम~खड़े वहीं पर आज हैं
चले जहाँ से हैं सनम~खड़े वहीं पर आज हैं
नहीं तुम्हारे हैं करम~क्या यही भी रिवाज हैं
ये अजीब इत्तफ़ाक़ है~~~~~~~~~~~

ये हुस्न बड़ा बदनाम है

ये हुस्न बड़ा बदनाम है,इस हुस्न पे यूँ नाज़ न कर
तू चीज बड़ी ना चीज है,इसे बेवज़ह बर्बाद न कर
ये हुस्न बड़ा बदनाम है~~~~~~~~~~

क्यों बिकती है बाजारों में,ख़ुद अपनी तुझे पहचान नहीं
तू सजती है गलियारों में,सुधरेगा ये इन्सान नहीं
पल-पल यहाँ इम्तिहान है,सरे राह में फ़साद न कर
तू चीज बड़ी ना चीज है,इसे बेवज़ह बर्बाद न कर
ये हुस्न बड़ा बदनाम है~~~~~~~~~~

तुझे देख के हैरां हैं सारे,कुछ आशिक़ हैं कुछ बंजारे
तेरे नाम पे दाँव लगाते हैं,कुछ क़ाफ़िर हैं ग़म के मारे
वही सुबह वही शाम है,बच के निकल आवाज न कर
तू चीज बड़ी ना चीज है,इसे बेवज़ह बर्बाद न कर
ये हुस्न बड़ा बदनाम है~~~~~~~~~~

दिखता है यहाँ जो होता नहीं,होता हैं यहाँ वो दिखता नहीं
कई वादे करके भूल गये,किसी पे यकीं अब होता नहीं
ये खाली बस एक जाम है,इस जाम से आग़ाज़ न कर
तू चीज बड़ी ना चीज है,इसे बेवज़ह बर्बाद न कर
ये हुस्न बड़ा बदनाम है~~~~~~~~~~

तुझे चाँद कहूँ वो झूठा है,सूरज मैं कहूँ अधूरा है
फूलों की है एक डाली तू,हर बात तेरी शगूफ़ा है
मुझे और भी कई काम हैं,अब मैं चला ऐतराज न कर
तू चीज बड़ी ना चीज है,इसे बेवज़ह बर्बाद न कर
ये हुस्न बड़ा बदनाम है~~~~~~~~~~

अब फिर न होगी मुलाक़ात तुमसे

M अब फिर न होगी मुलाक़ात तुमसे
आयेगी घटाऐं पर~ऐसी न होगी बरसात फिर से
अब फिर न होगी मुलाक़ात तुमसे

फना हम हुये हैं तेरी आशिक़ी में
झुकाये हैं सिर ये तेरी बन्दगी में
लिखा हालेदिल कहें और क्या
छिपायी न हमने कोई बात तुमसे

F कहना तो चाहा ये कई बार तुमसे
रहा सोचता ये दिल~कर हम न पाये क्यों ऐतबार तुमपे
कहना तो चाहा ये कई बार तुमसे

सदियों से तेरे तलबगार हम
कि ख़ुद ही हुए हैं गुनाहगार हम
हुये क्या से क्या तेरे वास्ते
नहीं है शिकवा कोई आज तुमसे
अब फिर न होगी मुलाक़ात तुमसे

M+F

रहा सोचता ये दिल
कर हम न पाये क्यों ऐतबार तुमसे

www.ingramcontent.com/pod-product-compliance
Ingram Content Group UK Ltd.
Pitfield, Milton Keynes, MK11 3LW, UK
UKHW041631190726
13854UKWH00006B/2425

9 789391 571832